Luise Rinser

Abenteuer der Tugend

Roman

Fischer
Taschenbuch
Verlag

156.–165. Tausend: März 1985

Veröffentlicht im Fischer Taschenbuch Verlag GmbH,
Frankfurt am Main, August 1969

Umschlagentwurf: Jan Buchholz/Reni Hinsch
Lizenzausgabe mit freundlicher Genehmigung
der S. Fischer Verlags GmbH, Frankfurt am Main
© S. Fischer Verlag GmbH, Frankfurt am Main, 1957
Druck und Bindung: Clausen & Bosse, Leck
Printed in Germany
780-ISBN-3-596-21027-5

L. D.
Caritas numquam excidit.

I. Kor. 13, 4.

Möchtet Ihr ein wenig Torheit von mir ertragen!
Ja, ertraget mich! Denn ich eifere um Euch mit
Gottes Eifersucht.

II. Kor. 11, 1.

ma già volgeva il mio disiro e'l velle,
sì come ruota ch'igualmente è mossa,
l'amor che muove il sole e l'altre stelle.

Dante, Divina Commedia
Paradiso, XXXIII, 143–145

Erster Teil

Maurice, ich bitte Dich, ich bitte Dich inständig: laß dies den letzten, den wirklich allerletzten Brief zwischen uns sein. Ich kann Dich nicht bitten, mich zu vergessen, denn wir werden uns niemals vergessen. Ich möchte nichts ungeschehen machen, ich bereue nichts, ich bin Deiner nicht müde geworden, ich liebe Dich um nichts weniger, ich werde Dich immer lieben. Aber daß Du nicht begreifen willst, was ich Dir gesagt habe: daß unsrer Liebe die Unschuld genommen ist, seitdem ich begonnen habe, in ihr Unordnung zu sehen, und seit ich erkannt habe, daß Dir und mir nichts anderes mehr daraus erwächst als Qual. Ich bitte Dich aber: denk nicht, daß ich von Dir gegangen bin, weil ich diese Leiden nicht mehr ertragen wollte. Du weißt, Du mußt es wissen, daß ich sie als einen Teil meiner Liebe geliebt habe. Aber ich habe gesehen, daß es über Deine Kräfte geht, ein doppeltes Leben zu führen. Obgleich Alice »alles« gewußt hat, hast Du sie doch im Tiefsten getäuscht. Du hast Deine Ehe mit ihr weiter-geführt, als wäre unsre Liebe nur eine Affaire. Das hat sie getröstet. Aber es war eine Lüge. Man kann ein Leben nicht auf einer Lüge aufbauen. Du hast geglaubt, Du könntest es. Du hast Dich überfordert, und Du hast gelitten. Dir konnte nichts mehr helfen als eine entschiedene Trennung. Von Alice Dich zu trennen war Dir unmöglich der Kinder wegen. Was also blieb? Gib Dir selbst die Antwort.

Du fragst mich, warum ich denn, wenn ich Unordnung verab-scheue, mich überhaupt in sie begeben habe. Das hättest Du nicht fragen dürfen. Du weißt es. Wie war es denn, als wir uns zum erstenmal sahen? Blieb uns auch nur ein einziger Augenblick Zeit zu freier Entscheidung? Sind wir nicht beide, noch vor dem ersten Wort, ineinandergestürzt wie von plötzlichem Wahnsinn befal-len, ohne Rücksicht auf unsere Namen, unsern Ruf, das, was man Moral und menschliche Anständigkeit nennt? Ich habe nicht ge-wußt, daß Du verheiratet bist, und selbst wenn ich es gewußt hätte, so wäre es in jener Stunde ohne Belang gewesen. Du selbst hast mir am Morgen geschworen, daß Du alles vergessen hattest, was sonst in Deinem Leben war und ist. Ich weiß, Du hattest es wirklich vergessen. Und als wir uns darauf besannen, da war schon alles entschieden, da waren wir schon aneinander verloren, für immer. Nichts war dabei, was ich »Schuld« hätte nennen können, auch selbst heute, da mein Gewissen so viel schärfer geworden ist, kann ich mich jenes Beginns wegen nicht für schuldig halten. Wir wußten nicht, was wir taten, denn wir taten nichts: mit uns geschah etwas, und wir waren dessen nicht Herr. Daß wir drei Jahre so leben konnten, ganz gefangen in unserm Traum, von Blindheit geschlagen, das mag verstehen, wer will. Warum aber und wodurch bin ich geweckt worden aus unserm Traum? Ich weiß es nicht. Es hat sich nichts ereignet. Ich bin auch nicht kälter geworden. Aber eines Tages sah ich, was war: Du bist Alices Mann und hast zwei Kinder von ihr, und wir haben drei Jahre lang vor Alice und vor der Welt das anstößige Leben eines ungesetzlichen Paares gelebt, und es gab keine Möglichkeit, unsre Liebe in Ordnung zu bringen. Fernab von bürgerlicher Moral: Dein und mein Leben war nicht in Ordnung. Es muß eine Ordnung geben, der man sich zu fügen hat. Die Ehe ist wohl ein Teil und Ausdruck dieser Ordnung. Ich begreife das nicht ganz, aber ich fühle, daß es so ist, und ich glaube, daß unsre tiefe wilde Traurigkeit, unsre fürchterliche Unruhe, unsre unstillbare Sehnsucht daher kommt, daß wir diese Ordnung verletzt haben.

Wie gut ich weiß, daß Du solche Gespräche verabscheust! Du willst nichts ausgesprochen haben. Du lebst im Traum. Du bist ein Schlafwandler. Wenn ich nicht wüßte, wie schlecht Du träumst, so hätte ich Dich nicht zu wecken gewagt. Aber da ich es nun getan habe, so kann ich Dich nicht wieder einschlafen lassen. Wir müssen beide weiterleben, ein jedes im selbstgewählten Kreis. Verletzt Dich meine Härte? Maurice, Du mußt mich kennen nach so langer Zeit. Du mußt wissen, daß ich selbst dann, wenn Dich nie mehr ein Wort von mir erreicht, Dir verbunden bin für alle Zeit.

Ihr Brief kommt in einem Augenblick, in dem er seinen Sinn verloren hat. Wissen Sie denn nicht, daß die von Ihnen so heftig geforderte Trennung zwischen Maurice und mir längst vollzogen ist? Ihre Vorwürfe, mit so viel Härte, Vehemenz und Feindseligkeit (und gegen Ihr besseres Wissen!) ausgesprochen, sind überholt. Ich glaube, daß Sie mit der Art und der Entschiedenheit der Trennung zufrieden sein können.

Ein Wort aber zur Vergangenheit: Ich habe Unruhe und Kummer in Ihr Leben gebracht. Dafür würde ich Sie gerne um Verzeihung bitten. Aber ich weiß, daß Sie kein Wort von mir annehmen werden, ja daß jedes meiner Worte von Ihnen mißdeutet wird. Gerne würde ich Ihnen auch erklären, wie diese so schwierige Verbindung zwischen Maurice und mir zustande kam, wie so ganz ohne unsre Schuld, als ein Schicksalsschlag, der uns unvermutet traf. Aber Sie würden mir nicht glauben. So bleibt mir nur eines zu sagen: entstellen Sie nicht die Wahrheit. Maurice und ich waren niemals leichtfertig; wir haben niemals, wie Sie schreiben, »in rücksichtslosem Genuß gelebt«, während Sie »verlassen zu Hause saßen«. Wird es Ihnen helfen, zu wissen, daß der größte Teil jener Stunden, in denen wir beisammen sein konnten, vergiftet war von Kummer, von Trauer, von Verzweiflung über die Ausweglosigkeit, in die unser Leben geraten schien?

Darf ich Ihnen noch eines sagen. Ich fürchte, Sie werden es für anmaßend halten, wenn ich Ihnen einen dringenden Rat gebe, aber ich versuche es, um Ihretwillen, um Ihrer Ehe willen und um Maurices willen. Ich bin fern davon, Ihnen einen Vorwurf zu machen, um etwa meine Schuld durch die Ihre zu verringern. Aber Sie wissen, daß Maurice sich erst dann mir zugewendet hat, als er sich von Ihnen schon entfernt hatte. Sie wissen, warum, oder Sie könnten es jedenfalls wissen. Ich bin zehn Jahre älter als Sie, Alice. Daher nehme ich mir das Recht, Ihnen zu sagen, daß Sie Ihren Mann stärker lieben müssen, das heißt selbstloser. Maurice ist nicht ein Mann wie etwa mein Schwager, den Sie kennen; auf ihn kann man alle Nichtigkeiten und Widrigkeiten des Lebens abwälzen; er bewältigt sie nicht anders als ein Spiel, das einige Geschicklichkeit erfordert. Bei ihm ist eine Frau geborgen, trotz aller Mängel, die er haben mag. Nicht so Maurice: er ist kein

Jurist und Politiker wie mein Schwager, er ist ein Künstler, ein Besessener, ein Seiltänzer, er hält sein Gleichgewicht höchst mühsam, leicht kann er abstürzen. Wer seine Frau sein will, der darf von ihm gar nichts erwarten. Er hat keine Kraft übrig für das tägliche Leben, er verbraucht sie in der Kunst. Hoffen Sie nicht darauf, ihn jemals zu besitzen. Er ist heimatlos, auch wenn er ein Haus besitzt und Frau und Kinder. Er wird niemals Ihr Leben wirklich teilen. Sie haben die Wahl nur zwischen zwei Arten von Ehe: entweder führen Sie ein eigenes Leben neben dem seinen, ein Leben, das ausgefüllt ist von Ihren Kindern, Ihrem Haus und Garten, Ihren Freunden, Katzen, Konzerten und all dem, was Sie erfreut. Maurice wird fern und fremd darauf blicken, aber er wird Sie gewähren lassen. Oder aber: Sie geben Ihr Leben auf, Sie ordnen alle Wünsche den seinen unter, Sie lieben ihn selbstlos und in aller Stille. Er wird es kaum bemerken, doch Sie werden daran wachsen und ihm schließlich wirklich eine Gefährtin sein. Ein hartes Leben, aber es wird sich lohnen.

Noch eines: machen Sie ihm keine Vorwürfe mehr, wenn er zu Ihnen zurückkehrt, um für immer bei Ihnen zu bleiben.

Wenn es Ihnen eine kleine Genugtuung ist zu wissen, daß ich traurig bin, so werde ich es Ihnen gestehen: ich bin mehr als traurig. Aber ich werde glücklich sein, wenn Sie Maurice helfen, wieder zur Ordnung zurückzufinden.

[An Maurice]   *T., 20. Juli 1950*

Was hast Du getan! Das ist furchtbar. Ich hatte Alice geschrieben, daß wir uns für immer getrennt haben. Taten wir es nicht? Und Du, Du Wahnsinniger, bittest sie um die Scheidung. In was für eine unermeßliche Verwirrung muß sie gestürzt sein. Bedenke ihre Unerfahrenheit und ihre Jugend! Und Du hast es ihr nicht einmal von Angesicht zu Angesicht gesagt. Du hast es ihr geschrieben, tausend Kilometer von ihr entfernt. Das ist unverzeihlich. Und was willst Du damit erreichen? Niemals wird sie Dich freigeben. Wozu also diese Zumutung, dieser ganze Tumult? Nichts als Qual für sie, für Dich, für mich. Ich werde Alice augenblicklich schreiben, daß dies alles gar nichts bedeutet, daß sie ruhig sein soll und Deinen Brief für nichts weiter ansehen als den Ausdruck Deiner tiefen und unheilvollen Verwirrung. Ich bitte Dich, bewahre Vernunft.

[An Alice S.]   *T., 20. Juli 1950*

Was für eine Verwirrung. Eben schreibt mir Maurice, er habe Sie um die Scheidung gebeten. Diese Bitte ist der furchtbaren Ratlosigkeit entsprungen, die sich seit unsrer Trennung seiner bemächtigt hat. Behalten Sie jetzt Ihre Nerven, seien Sie liebevoll und unbeugsam, die Krise wird vorübergehen. Mein Entschluß zur Trennung ist unwiderruflich.

[An Margret]   *T., 21. Juli 1950*

Ich danke Dir herzlich für Deine Berichte. Du beklagst Dich darüber, daß ich Dir so selten schreibe. Aber ich habe wenig zu schreiben. Mein Leben verläuft im Gleichmaß der Ordnung eines englischen Landhauses, in dem außer den alten Leuten, einer irischen Magd und drei Katzen niemand wohnt. Ich koche, ich fahre mit einem kleinen alten Auto nach B. zum Einkaufen, abends lese ich den beiden Alten irgend etwas vor, zur Zeit ist's Miltons »Paradise Lost«, dann gehe ich in mein Zimmer, und in der Nacht versuche ich hin und wieder zu arbeiten. Die Stille in der Nacht um unser einsames Haus ist unbeschreiblich. Nichts als das Rauschen der Bäume und des Bachs, der mitten durch den Park fließt.

Du fragst mich nicht geradezu, ob ich meine Abreise bereut habe, aber ich lese die Frage zwischen Deinen Zeilen. Ich will Dir die Wahrheit sagen: nein, ich habe sie niemals bereut. Wenn ich etwas bereue, so nur dies, nicht noch weiter weggegangen zu sein. Warum, Margret, warum hast Du Maurice meine Adresse gegeben? Du warst es, nicht wahr, denn woher hätte er sie sonst? Warum hast Du das getan? Aber laß mich vorerst über all das noch schweigen, lassen wir noch mehr Zeit darüber hingehen.

Für den August habe ich am Meer ein Häuschen gemietet, ich werde Urlaub haben, die Kinder werden herkommen, darauf freue ich mich.

15

Das ist doch Wahnsinn, Maurice. Was hast Du Alice gesagt, daß sie mir schreiben kann, sie wolle Dich nicht mehr? Wörtlich schreibt sie: »So können Sie ihn also haben, aber freuen Sie sich nicht. Ich werfe ihn Ihnen zu, ich will ihn nicht mehr. Er selbst mag Ihnen die Erklärung dafür geben. Ich habe die Scheidungsklage bereits eingereicht.« Womit hast Du sie erpreßt? Hast Du ihr Dein Geheimnis preisgegeben? Das wäre entsetzlich, denn sie wird nicht schweigen.

Maurice, Du siehst: ich weiß. Wir haben nie darüber gesprochen. Du hast es mir nicht gesagt, aber Du hast nichts getan, es vor mir zu verheimlichen. Du wolltest vielmehr, daß ich es wüßte, ohne daß Du ein Wort zu reden brauchtest. Ich weiß es seit mehr als zwei Jahren. Ich bin erschrocken, aber es hat mich nicht tief genug verstört, um mich von Dir abzuwenden. Ich habe es vor mir zunächst zur Bagatelle gemacht. Als ich nach und nach wirklich begriff, liebte ich Dich schon zu tief, um Dich noch verlassen zu können. Die Sorge war eingeschlossen in meine Liebe.

Alice aber hat nicht gewußt, und jetzt weiß sie. Du hast es ihr gesagt, weil Du vorauswissen konntest, wie sie antworten würde. Ihr Entsetzen scheint so groß zu sein, daß sie Dich von nun an meiden wird wie den Teufel.

Warum aber, wozu hast Du das getan? Was bleibt Dir, wenn Du frei bist von Alice? Vergiß nicht, daß sie Dir immerhin Dein Heim erhalten hat, daß sie Dir dieses Heim mit ihrem Geld geschaffen hat. Sie hat Dein Geld verwaltet und ließ nicht zu, daß Du es auf Deine törichte Art verschwendet hast. Sie hat Dir zwei reizende Kinder geboren, die sie zweifellos bei der Scheidung zugesprochen bekommt. Sie hat, soweit es in ihren Kräften stand und soweit es Dein nomadisches Wesen zuließ, eine Art von Beständigkeit in Dein Leben gebracht. Wer wird für Dich sorgen? Gewiß, sie ahnt nicht, wer Du bist. Aber welche Frau, selbst wenn sie ein Gefühl für das Genie ihres Mannes hat, bewahrt sich dieses Gefühl im Alltag der Ehe! Und wer kennt Dich schon, Du Unberechenbarer! Verlang nicht mehr von einer Frau, als sie geben kann. Ich rate Dir, Alice zu bewegen, die Scheidungsklage zurückzunehmen. Mach sie glauben, Du habest sie absichtlich getäuscht. Sie wird nichts verstehen, aber da sie trotz allem an Dir hängt und an dem immerhin glanzvollen Leben, das sie als Deine rechtmäßige Frau führt, wird sie schließlich gerne bei Dir bleiben. Du bist so jung nicht mehr, um viel zu riskieren. Bleib, wo Du bist. Und vergib, daß ich so nüchtern bin.

[An Maurice]   *T., 30. Juli 1950*

Was für ein Schlangennest voller Verwirrungen. Bist Du denn meiner und Deiner so sicher, daß Du damit rechnest, ich sei augenblicklich zur Stelle, wenn Du frei sein wirst? Zweimal in den drei Jahren unsrer Liebe habe ich Dich gefragt, ob es möglich wäre, daß wir uns heiraten. Das erste Mal bist Du zornig geworden und warst verletzt von meinem Ansinnen. Erinnere Dich. Du sagtest, Du hättest mich für nobler gehalten und seist enttäuscht von meiner »bürgerlichen Berechnung«. Ich habe geweint darüber, daß Du mich so mißverstehen konntest. Das zweite Mal warst Du es, der davon zu reden begann, aber Du hast Dich sofort berichtigt und mir erklärt, Du träumtest bisweilen davon, aber eine Ehe mit mir schiene Dir gefährlich, da ich zu selbständig sei. Ich dachte: ›Wie kannst Du etwas von der Stärke meiner Liebe wissen, wenn Du glaubst, ich liebte Dich nicht mehr als mich selber und könnte mich nicht ganz aufgeben um Deinetwillen.‹ Aber ich habe nichts gesagt.
Dann haben wir nie mehr davon gesprochen, und ich habe eine Heirat oder auch ein ungesetzliches Zusammensein mit Dir nicht einmal mehr in Gedanken ernsthaft erwogen. Und jetzt sagst Du, ich hätte Dich mit meiner Leidenschaft zu der Überzeugung gebracht, ich sei zu jedem Opfer für Dich bereit, also könntest Du jetzt wohl erwarten, daß ich dieses eine Opfer bringe. (»Opfer« sagst Du. Als wäre es mir ein »Opfer« gewesen, alles für Dich zu tun!) Du schreibst, daß es einem jämmerlichen Versagen gleichkäme, wenn ich Dich jetzt im Stich ließe. Wie sehr Du mich mit diesem Vorwurf triffst, weißt Du genau. Aber Du rechnest nicht mit meinem Widerstand, der um so stärker ist, als er nicht, wie Du glauben magst, der Feigheit oder Selbstsucht entspringt, sondern meinem Entschluß, keine weitere Unordnung mehr zu verschulden. Du hast Kinder, bleib bei ihnen. Wer sagt Dir, daß ein Leben mit mir besser wäre als eines mit Alice? Du bist ein Mann

wilder und übereilter Entschlüsse. Verhalte Dich eine Weile ruhig, und Du wirst sehen, daß ein Leben mit Alice so unerträglich nicht ist, wie es Dir jetzt scheint.

Eben kommt Dein zweiter Brief: nein, so darfst Du nicht reden, das ist furchtbar, es ist falsch, es ist Erpressung. Ich glaube nicht, daß ein Wechsel in Deinem Leben Einfluß »darauf« hat. Vielleicht für den Anfang, aber später –? Sobald Du sehen würdest, daß das Leben mit mir keineswegs so glücklich wäre, wie Du es erträumt hast (und kein Leben ist nur glücklich und nur leicht und heiter, das weißt du; Sorge und Leid überwiegen), sobald auch würdest Du rückfällig werden. Wenn Du Schluß damit machen willst, so tu es nicht unter Bedingungen, sondern jetzt und hier, inmitten Deines Lebens, so wie es nun einmal ist.

Ich bitte Dich aber: glaub nicht, daß ich Dich nicht heiraten will aus Angst »davor«. Ich liebe Dich genügend, um auch dies zu verstehen und mit Dir zu tragen. Meine Weigerung entspringt keiner andern Absicht als jener: die Unordnung in der Welt nicht noch zu vermehren.

Bleib bei Alice und den Kindern, bleib in Deiner Welt und in Deiner Aufgabe, es wird sich alles ordnen, wenn Du aufhörst, fliehen zu wollen.

Ich liebe Dich tiefer als je, aber ich werde um Deinetwillen festbleiben. Leb wohl, Maurice, leb wohl. Übermorgen ist Dein Geburtstag. Ich werde an Dich denken mit allen meinen Kräften.

[An Margret]   *T., 30. August 1950*

Ich habe die Kinder zum Flughafen nach L. gebracht. Sie sind jetzt schon über dem Kanal, und ich sitze immer noch hier, schaue aufs Rollfeld und kämpfe mit dem Gedanken, das nächste Flugzeug nach dem Kontinent zu nehmen. Diese vier Wochen mit den Kindern am Meer waren schön, aber ich war in großer Unruhe, und jetzt, da ich allein bin und diese Unruhe nicht mehr verbergen muß, bringt sie mich fast um den Verstand. Ich muß Dir etwas sagen und Dich um etwas bitten. Ich habe Dir nichts davon erzählt, daß im Juli verzweifelte und wahnwitzige Briefe von Maurice kamen. Er hat Alice um die Scheidung gebeten, sie hat eingewilligt, und er wollte mich heiraten. Ich habe nein gesagt. Frag mich nichts, niemals, ich werde darüber nicht sprechen können. Ende Juli schrieb ich Maurice eine endgültige Absage. Seither habe ich nichts mehr von ihm gehört, ich meine: ich bekam keinen Brief mehr, und das wäre an sich gut. Aber ich hörte alarmierende Nachrichten über ihn: er sollte im Sommer, wie schon die letzten Jahre, in B. singen und auch in einem Festkonzert in S., und er hat abgesagt. Eben lese ich auch noch, daß er einen Gastspielvertrag mit der M. gelöst hat. Es ist kein Grund angegeben. Ich bin in großer Sorge. Ich muß annehmen, daß er krank ist. Ich kann an ihn nicht schreiben, ich will es auch nicht. An Alice kann ich ebenfalls nicht schreiben. Bliebe die Konzertdirektion V., aber ob man mir Auskunft geben würde? Ich möchte kein Aufsehen erregen. Ich weiß nicht, ob Du irgendeine Möglichkeit hast, etwas zu erfahren. Ich bitte Dich: versuch es. Wenn Du V. fragst, so sag aber nicht, daß Du meine Schwester bist, auch in B. nicht. Ich habe wenig Hoffnung, daß Du eine sichere Auskunft bekommst. Mir genügt es nicht zu wissen, etwa daß er krank ist. Ich muß wissen, wo er ist.

Ich dachte, mit meinem Absagebrief würde ich endlich Ruhe vor ihm haben. Aber es scheint, daß ich niemals wirklich frei sein werde von diesem Menschen. Was für eine unbegreifliche Bindung, die weiterbesteht, ob man will oder nicht! Schreib bald, Margret.

[An Professor F.]   *T., 15. September 1950*

Ich bin Ihnen sehr dankbar für die Mitteilung, daß M. S. in Ihrer Klinik ist und in Ihrer persönlichen Obhut. Da sie meine Adresse nur von ihm selbst haben können, nehme ich an, daß Sie in seinem Auftrag oder doch mit seinem Wissen an mich schrieben. Sie übergehen die Ursache dieses Klinik-Aufenthalts. Da Sie mir als Spezialist für jene Krankheit, an der M. S. leidet, bekannt sind, muß ich annehmen, daß er um eben dieser Krankheit willen in Ihrer Behandlung ist. Ich vermute, daß M. S. Ihnen gesagt hat, daß ich »alles weiß«. Es ist so, und wir können so offen sprechen, wie es die Umstände zulassen. Sie schreiben von einer baldigen Heilung. Diese Nachricht ist mir eine Freude. Was aber soll ich sagen zu Ihren weiteren Fragen?

Sie schreiben, daß zweifellos die unglückliche Ehe M.'s mit schuld sei an seiner Krankheit. So hat Ihnen M. also von dieser Ehe erzählt. Diese Ehe ist gewiß nicht »glücklich«. M.'s Frau ist nicht besser und nicht schlechter als die meisten Frauen. Sie stammt aus einem reichen Haus, ihr Vater war Bankier, sie ist verwöhnt, sie ist sehr hübsch oder war es wenigstens, sie sah in M. den berühmten Mann, sie betrachtete ihn und sein Leben als den passenden Rahmen für ihre Person. Niemand hat sie gelehrt zu lieben. Als sie M. heiratete, wußte sie nicht, was sie auf sich genommen hatte. Wie sollte sie einen Mann mit M.'s ebenso großartigen wie gefährlichen Eigenschaften kennen, und wie sollte sie neben ihm bestehen, wie sollte sie ihn, den von Natur aus der Schwermut Verfallenen, behandeln. Wer will ihr den Vorwurf des Versagens machen. Es bedürfte mehr als menschlicher Kraft, um M. zu ertragen. A. wurde langsam von M.'s Schwermut vergiftet. Aber sie wurde nicht schwermütig, sondern aggressiv zuerst und dann hart und kalt. Sie rettete sich in die Kälte. Sie war nur mehr auf ihre eigne Sicherheit und ihr eignes Wohlbefinden bedacht. Was anderes aber hätte sie tun können, da jedes ernstliche Eingehen auf M. sie hätte zerstören müssen! M. war in dieser Ehe ganz einsam, er litt unaufhörlich, um so mehr, als er A. nicht wirklich freiwillig geheiratet hatte. Doch war er immer voll rührender Geduld mit ihr. Dies alles weiß ich nur zum kleinen Teil (zu jenem, der A. entschuldigt) von M. selber, alles übrige haben mir Freunde erzählt, die A. und M. seit langem kennen.

Trotzdem behaupte ich, daß dieser Ehe nicht die eigentliche Schuld an M.'s Krankheit zufällt. Die Ursache liegt tiefer und sie ist älter. Sie liegt in M.'s Schwermut. Was das Wesen dieser Schwermut ausmacht, weiß ich nicht. Das zu ergründen, gelingt vielleicht Ihnen.

Wenn M. Sie glauben macht, das Fortbestehen dieser Ehe stelle seine Heilung in Frage, so kann ich dazu nichts sagen. Ich weiß jedoch nicht, ob M. Ihnen gesagt hat, daß A. vor etwa sieben Wochen die Scheidungsklage eingereicht hat, als er ihr sein Geständnis gemacht hat. Ich nehme an, daß sie, wenn sie von der Aussicht auf Heilung erfährt, die Klage zurückziehen wird. Die Gerichte werden ohnehin in der Zwischenzeit nichts unternommen haben, nicht nur weil in den Sommermonaten derlei Dinge bekanntlich liegenbleiben, sondern auch M.'s Krankheit wegen.

Ich weiß nicht, nach welchem Gesetz die Scheidung betrieben wird. M. ist von Geburt Pole, aber er hat einen Schweizer Paß. A. ist Schweizerin, aber beide leben seit ihrer Heirat in Südfrankreich; möglicherweise haben sie außer ihrem Schweizer Paß einen französischen. In Deutschland wird eine Scheidungsklage dann zurückgewiesen, wenn die Scheidung das Verlassen eines kranken Partners bedeutet. Wie auch immer: es erschiene mir übereilt und auch ungerecht sowohl A. wie M. gegenüber, vor Ende der Kur und vor Ablauf einer bestimmten Bewährungsfrist einen endgültigen Schritt zu tun. Ich glaube, daß, wenn diese Ehekrise überstanden ist, sich eine erträgliche, einigermaßen geordnete Lage von selbst einstellen wird. M. übertreibt leicht, er hat ein Temperament, das kein Maß kennt und das jeder Klarheit zuwider ist. Man muß das Auf und Ab seiner Stimmungen kennen, um zu wissen, wo die Übertreibung anfängt. Er ist ein Mann der äußern und innern Unordnung.

Grüßen Sie M. von mir. Ich möchte ihm selber nicht schreiben. Aber versichern Sie ihn meiner Teilnahme und Freundschaft, und bitte, halten Sie mich auf dem laufenden, was seine Genesung anlangt.

[An Margret]   *T., 16. September 1950*

Fast gleichzeitig mit Deinem Brief kam eine Nachricht vom Leiter der Klinik, in der Maurice liegt. Du warst auf der richtigen Spur, als Du zu R. fahren wolltest. Aber such nun nicht weiter. Ich danke Dir von Herzen für Deine Mühe. M. hat einen Nervenzusammenbruch erlitten, er war überarbeitet, daher die Absagen in B. und S. Aber er ist schon wieder auf dem Weg der Heilung. Bitte, sprich weiterhin mit niemand über diese Angelegenheit. In Eile, damit Dich der Brief noch vor der Reise erreicht.

[An Professor F.]   *T., 22. September 1950*

Ihr Brief überrascht mich nicht. Ich habe Ihre Frage schon zwischen den Zeilen des vorigen Briefs gelesen. Diesmal schreiben Sie ganz offenkundig in M.'s Auftrag. Meine Antwort ist ebenso bündig wie Ihre Frage: Nein, ich werde M. nicht heiraten, auch nicht wenn er wirklich geheilt ist (ich hätte ihn trotz und mitsamt seiner Krankheit geheiratet, sprächen nicht andere Gründe dagegen). Ich bin überzeugt, daß für M. eine Ehe mit mir mindestens ebenso schwierig wäre wie die mit A., denn während A. damit zufrieden sein wird, als M.'s Frau Geltung zu haben und sich ihr Leben komfortabel einzurichten, würde ich keinesfalls resignieren. Ich würde nicht mehr, wie ich es jahrelang tat, seiner Schwermut nachgeben. Ich würde vielmehr Ansprüche stellen an seinen Geist und seinen Mut. Er aber weicht jeder Forderung aus. Er würde meinen Anspruch an sein besseres Ich als Angriff auf sein Wesen empfinden. Nichts also wäre gewonnen. Dies ist meine Antwort auf Ihre Frage. Versuchen Sie mit aller Behutsamkeit, aber auch mit aller Bestimmtheit, M. zur Annahme meiner Entscheidung zu bringen.

[An A. M.]   *T., 24. September 1950*

Auf Umwegen (ich bin schon seit Monaten in England) hat mich Ihr Brief erreicht. Was für ein verlockendes Angebot: an Ihrer berühmten Zeitung zu arbeiten, unter Ihrer Anleitung, doch selbständig in meinem Bereich, in einer so wichtigen Position, mit jeglicher finanziellen Sicherheit (die mir bisher in meinem Leben so völlig mangelte) und zu allem Überfluß noch mit der Möglichkeit, nebenbei freie Zeit genug für meine eigenste Arbeit zu haben – das ist mehr, als ich wünschen könnte. Es wird Sie überraschen, wenn ich Ihnen sage, daß ich zögerte, das Angebot anzunehmen. Der Grund dafür liegt in einer schwierigen Lebenslage, in die ich geraten bin. Sie sind mir so wohlgesinnt, und ich bin Ihrer Freundschaft so gewiß, daß ich ganz offen zu Ihnen sprechen könnte, wäre die Lage nicht so, daß jedes Wort Verwirrung stiften muß. Ich bitte Sie um eine Bedenkzeit von, sagen wir, vier Wochen. Bewahren Sie mir Ihre Freundschaft.

Mit welch wahnwitziger Hartnäckigkeit Sie mich bedrängen!
Sie kennen mich doch gar nicht. Was mag M. Ihnen von mir
erzählt haben, daß Sie mir die Kraft zuschreiben, sein Leben zu
ordnen. Sie bauen auf mich wie auf einen Fels. Ich bin kein Fels.
Ich bin schwach wie alle Menschen sind. Ich habe nicht die Kraft,
ein so gefährdetes Leben wie das M.'s zu beschützen und zu
tragen. Ich habe es versucht, drei Jahre lang. Dieser Versuch hat
mich fast zerstört. Er hat mir jegliche Freiheit genommen, die
äußere (das war nicht wichtig) und die innere, die geistige (und
das war schlimm). Ich habe in diesen Jahren kaum einen Gedanken gedacht, der über M. und mich hinausgereicht hätte. Ich
war wie verhext von M.'s Traurigkeit, von seiner Sehnsucht und
Leidenschaft. Ich lebte nur mehr, um auf einen Brief oder einen
Telephonanruf M.'s zu warten, ich lebte mit einem gepackten
Koffer, um augenblicklich dorthin reisen zu können, wohin er
mich rief und wo ihn die Verzweiflung überfallen hatte. Und war
ich dann bei ihm, so verbrachten wir die Zeit mit herzzerreißen-
den, mühseligen und unfruchtbaren Gesprächen, bis er schließlich, nachdem er zu seiner bewährten Tröstung gegriffen hatte,
für einige Stunden in übertriebene Heiterkeit, ja Selbstsicher-
heit verfiel, um dann, wenn die Wirkung nachließ (und wie
schnell tat sie das zuletzt!), in die wildeste Verzweiflung zu
stürzen. Dann überhäufte er mich mit Vorwürfen darüber, daß
ich ihn nicht zu retten verstand. Zuletzt, kurz vor dem Abschied aber: Tränen der bittersten Reue über das wieder und
wieder Versäumte, das wir nicht nennen konnten; und dann,
kaum zu Hause, wieder Warten, wieder die fast tödliche Sehnsucht, und neue Reisen, neue Verzweiflung, neue Tränen. Und
das also sollte fortgesetzt werden, wie lange? Sie sagen, M. sei
nahezu geheilt und er werde es ganz und gar sein, wenn Sie
ihn entlassen. Nun: wovon ist er geheilt? Haben Sie ihn von
seiner Schwermut geheilt? Solange diese Schwermut besteht,
wird er rückfällig sein. Und wie lange wird diese Schwermut
bestehen? Sie glauben doch nicht im Ernst, daß ich ihn vor dieser
abgründigen, durch nichts erreichbaren Schwermut bewahren
könnte. Und wenn ich es nicht kann, so wird seine Enttäuschung
so groß sein, daß er nur noch tiefer und völlig hoffnungslos

stürzen wird. Das alles wissen Sie selbst. Warum also bedrängen Sie mich?

Niemals auch haben Sie meine eigene Lage bedacht. Ich habe Kinder. Lebte ich mit M. zusammen, so müßte ich mich von ihnen trennen; ich möchte sie nicht zu Augenzeugen jener Szenen machen, die sich in unserm Haus abspielen würden, wenn M. gerade einen Anfall von Verzweiflung hat. Ich möchte sie nicht von der Atmosphäre wirrer Traurigkeit vergiften lassen. Zudem würde M. mich derart in Anspruch nehmen, daß ich weder Zeit noch Kraft für meine Kinder hätte. Auch habe ich einen Beruf, dem gegenüber ich eine gewisse Verantwortung fühle. Ich überschätze diesen Beruf nicht, ich ordne ihn dem Leben unter, aber er scheint doch ein wichtiger Teil meiner Lebensaufgabe zu sein.

Sie schreiben, es müsse als ein bedeutendes Glück betrachtet werden, die Gefährtin eines so außerordentlichen Mannes zu sein. Gewiß: M. ist ein großer Künstler und auch ein großartiger Mann. Aber er ist auch ein chaotischer Mann, er ist unberechenbar, er ist schwach, und er lebt das dem Erfolg verfallene Leben eines Schauspielers. Es ist ein unfreies Leben, das meinem Wesen so ganz und gar zuwider läuft. Es kann kein »Glück« sein, ein Leben auf sich zu nehmen, das nicht im geringsten übereinstimmt mit dem, was man als eigene Form und eigenes Schicksal empfindet. Selbst wenn ich zugebe, daß es auf *mein* »Glück« dabei nicht ankäme, so müssen Sie doch bedenken, daß eine Frau, deren Wesen in einer ihr so gegensätzlichen Welt vergewaltigt würde, den Mann keineswegs glücklich machen kann. Ich gehe noch weiter: wenn ich aus Liebe zu M. und aus Liebe zu einem auferlegten Schicksal völlig mich meiner entäußern könnte, so würde ich, derart meiner Eigenart beraubt, M. nicht mehr gefallen, denn er liebt mich gerade so wie ich bin. Ich sehe keinen Weg, den M. und ich zusammen gehen könnten, und wenn ich Ihnen nun endgültig mein Nein schreibe, so wissen Sie, daß es nicht der Feigheit oder Trägheit entspringt, sondern dem Bewußtsein einer großen und vielseitigen Verantwortung.

Wie sehr hätte ich mich über eine Zeile von Ihnen gefreut, wäre sie in einer andern Absicht geschrieben worden als in der, mich zu beschimpfen. Selbst Worte des Tadels hätte ich von Ihnen angenommen, wären sie nicht mit solch unbarmherziger Härte ausgesprochen. Was mag Sie bewogen haben, mich derart anzugreifen, mit einer Heftigkeit und mit einer Auswahl an Worten, die jener hohen Ebene, auf der Ihr Leben und Ihr Werk angesiedelt sind, so unangepaßt erscheint. Ich bin versucht zu sagen: ›Was geht Sie mein Leben an? Gibt Ihnen die Tatsache, mit Alice verwandt zu sein, schon das Recht, mich derart zu verurteilen?‹ Aber ich kenne und verehre Ihr Werk, und ich verehre Ihre Person und Ihren Geist. Wie muß das Wort eines solchen Mannes mich treffen. Ich werde mich Ihnen also stellen.

Es kann niemand andrer als Alice sein, von der Sie dies alles erfahren haben. Alice also hat sich an Sie gewandt, um Sie zum Zeugen ihres Kummers, zu ihrem Anwalt und zu meinem Feind zu machen. Ich frage mich, weshalb sie das tat. Sie hat niemals auch nur eine Spur von Stolz oder Freude darüber gezeigt, mit Ihnen verwandt zu sein; sie hat diese Verwandtschaft vielmehr als etwas Unbequemes empfunden. Jetzt plötzlich entsinnt sie sich ihrer, und sie appelliert an Ihren Katholizismus und die christliche Ethik. Das erscheint mir lügenhaft und berechnend. (Auch ich werde, Ihrem Beispiel folgend, die Dinge beim richtigen Namen nennen.) Alice hat niemals Gebrauch vom Katholizismus gemacht. Sie ist mit Maurice nicht kirchlich getraut. Maurice ist überhaupt nicht getauft, er ist mütterlicherseits Jude, jedoch nicht orthodox und nicht im geringsten religiös. Alice ist diese Ehe bedenkenlos eingegangen. Ich spreche ihr also das Recht ab, katholische Belange in ihre und meine Angelegenheit einzubeziehen. Damit ist Ihr Hauptargument gegen meine Beziehung zu Maurice entkräftet, soweit Sie sich dabei auf den Standpunkt der Kirche stellten. Sie gebrauchen, wie das Ihre Art ist, mit aller Schärfe das Wort Ehebruch. Gewiß: wer mit dem Manne einer andern schläft, der bricht die Ehe. Wenn nun aber (immer wieder vom Standpunkt der Kirche aus betrachtet, den Sie so nachdrücklich als den Ihren bezeichnen) diese Ehe gar keine Ehe ist? Sie sprechen von schwerer Sünde. Daß ich, völlig frei im kirchlichen

Sinne, mit dem in diesem Sinne ebenfalls freien M. geschlafen habe, ist, um Worte Ihrer Sprache zu gebrauchen, eine Sünde gegen die Keuschheit. Kann diese Sünde Sie so entsetzen? Muß nicht die Tatsache, daß Alice seit etwa zehn Jahren in einem von der Kirche nicht gesegneten Verhältnis lebt, Sie weit mehr bestürzen? Falls Alice, wie mir eben einfällt, protestantisch-calvinistisch sein sollte (da sie aus dem Schweizer Zweig Ihrer Familie stammt), so wäre freilich ihre Ehe mit Maurice nicht in Ihrem Sinne kirchenwidrig und unterstünde also überhaupt nicht dem Gesetz, nach dem Sie mich verurteilen. Aber welche Verwirrung der Gesetze!

Doch wie auch immer: Ihre Vorwürfe, ob berechtigt oder nicht, sind überholt. Das große Ärgernis ist seit geraumer Zeit aus der Welt geschafft. Ich habe mich ausdrücklich und endgültig von Maurice getrennt. Alice weiß das. Weshalb dann dieser verspätete Aufruhr? Ich finde eine einzige Erklärung dafür: Maurice, der sich mit der Trennung keineswegs abfinden kann, wird Alice gesagt haben, daß er weiterhin darauf bestehe, mich zu heiraten. Das ist jedoch Maurices Sache, nicht die meine. Denn ich habe ihn keiner Täuschung überlassen. Vielleicht aber glaubt Alice, die Mißtrauische, nicht an mein Nein. Vielleicht hält sie dies alles für ein abgekartetes Spiel. Möglicherweise aber, das fällt mir eben ein, hält Alice zwar Maurice und die Ehe für verloren, will aber auf jeden Fall unsre Ehe verhindern dadurch, daß sie Feindschaft rings um uns sät. Es tut mir leid, wenn ich nicht gut von Alice rede und denke, aber dies ist ein Brief, der keine Verschleierung duldet.

Im übrigen, diesen Punkt habe ich noch nicht berührt, war es Alice, die schließlich die Scheidung verlangt hat. Doch ist dies im Hinblick auf das Ganze nicht entscheidend. Entscheidend allein ist mein Entschluß, weder Maurice zu heiraten noch seine Ehe weiterhin zu stören. Der Fall ist also »erledigt«.

Und doch, Herr C., habe ich Ihnen noch etwas zu sagen. Sie sprechen von Ehebruch. Ehebruch bedeutet für Sie die Entweihung der sakramental gebundenen Ehe. In dieser Hinsicht ist Ihr Vorwurf entkräftet. Für mich aber ist Ehebruch die anhaltende, entscheidende Störung einer Gemeinschaft von Mann und Frau durch einen Dritten, gleichviel, ob es sich um einen kirchlichen Bund handelt oder nicht. Mein Gewissen, obgleich nicht eigentlich an Ihrer kirchlichen Ethik geschärft, sondern vielmehr natürlich, ist empfindlich. Ich habe mich sehr häufig mit diesem meinem Gewissen konfrontiert und nach meiner Schuld gefragt. Und nun stelle ich diese Frage Ihnen. Zuvor aber werde ich versuchen, Ihnen den Ursprung meiner Beziehung zu Maurice zu erklären. Freilich muß ich fürchten, daß Sie kein Verständnis aufbringen können für etwas, das einzig der Sphäre des Gefühls und des »Schicksals« angehört. Trotzdem wage ich es:

Als Maurice und ich uns zum erstenmal sahen, wußten wir nichts voneinander, kaum unsre Namen. Wir sahen uns in einer Gesellschaft, und der erste Blick entschied über unser Leben. Sie werden mit jener zornigen Bewegung, die ich bei Ihren Vorlesungen an Ihnen beobachtet habe, wenn Sie einen törichten Einwand beiseite schoben, diesen Bericht von einer »Liebe auf den ersten Blick« hinwegfegen. Aber es gibt dies wirklich: ein blitzartiges Erkennen, das in einem einzigen Augenblick alles vorwegnimmt und alles entscheidet. Maurice und ich verließen wortlos die Gesellschaft, und ebenso wortlos ergaben wir uns dem Schicksal. Sagen Sie nicht, daß wir uns einfach der Leidenschaft ergaben. Unsre Umarmung war fernab von Begehren, sie war nur das Gleichnis für den Beginn eines gemeinsamen Geschicks. Ich wußte nicht, daß Maurice verheiratet war. Ich hätte fragen sollen? Dazu war keine Zeit und auch kein Anlaß, und als ich es erfuhr, da war es zu spät, da war unsre Liebe schon etwas Unwiderrufliches und Selbständiges geworden, eine Wirklichkeit unter andern Wirklichkeiten. Wenn mein Gewissen den Anspruch erheben darf, mir höchste Instanz zu sein, so habe ich mit jenem Beginn keine Schuld auf mich geladen. Da ich Ihre Ansicht von der Freiheit des Willens kenne, werden Sie dagegen sagen: die Schuld liegt eben darin, daß ich so war, daß jenes Schicksal von mir so übermächtig Besitz ergreifen konnte. Dies ist eine strenge Ansicht; ich kann ihr nicht widersprechen, ich teile sie vielmehr. Und diese Einsicht eben ist es, die mich zur Trennung von Maurice bestimmte. Ich anerkenne eine wenn auch mir dunkle Ordnung der Welt, und gegen diese Ordnung revoltierte meine Liebe zu Maurice. Damit könnte, fernab von der Ebene der Rechtfertigungen, Ihrer geistigen Welt und Ihren Forderungen Genüge getan sein.

Aber, Herr C., nun stelle ich Ihnen die eine große Frage: gibt es eine einzige Ordnung, der man zu folgen hat? Gibt es nicht vielmehr verschiedene Ordnungen, denen man gleichzeitig gehorchen soll? Verletze ich, indem ich der einen Ordnung folge, nicht das Gebot einer andern? Liefere ich Maurice, indem ich die Ordnung seiner Familie wieder herzustellen suche, nicht vielmehr der Zerstörung aus, insofern sich diese »Ordnung der Familie« für ihn als unzulänglich, ja vernichtend erweisen sollte?

Sie wissen nicht alles, Herr C., was diesen Fall besonders schwierig und zu einem derart scharfen Gewissenskonflikt macht. Wenn auch vieles dafür spricht, daß meine Trennung »richtig« ist, so spricht vielleicht noch mehr dagegen, und vielleicht lade ich mit dieser Trennung die einzige große Schuld meines Lebens auf mich. Sie mögen wissen, daß hinter meinen so ruhigen, den klarsten Überlegungen entstammenden Worten sich eine tiefe Unsicherheit verbirgt.

Wenn dieser Brief auch den Anschein erweckt, als sollte er mich vor Ihnen rechtfertigen, so hat er doch in Wahrheit eine andere Absicht: Ihnen zu sagen, daß es objektiv furchtbare Situationen im Leben gibt, die vom menschlichen Willen aus, und sei es der reinste und beste Wille, nicht bewältigt werden können. Machen Sie also (ich bitte Sie weniger um meinetwillen als um Ihretwillen darum) nicht Gerechtigkeit, sondern Barmherzigkeit zum Maßstab Ihrer Urteile.

[An Professor F.] *T., 10. Oktober 1950*

Sie unterbreiten mir, trotz meiner so bündigen Absage, einen neuen Vorschlag: wenn ich M. schon nicht heiraten wollte, so sollte ich doch wenigstens mit ihm zusammenleben, für eine bestimmte Zeit zumindest, bis seine Heilung gesichert erscheint. Das ist kein guter Vorschlag, denn ich sehe keinen Unterschied darin, ob ich mit ihm gesetzlich oder ungesetzlich zusammenlebe. Jedes Zusammensein von M. und mir hat die Form der Ehe. Und wie, glauben Sie, würde M.'s Frau sich dazu stellen? Sie sagen, sie hat die Scheidungsklage bis jetzt nicht zurückgezogen. Sie würde es tun, sobald sie von unserm Zusammenleben erführe, und sie würde alle rechtlichen Mittel anwenden, uns zu schädigen. Im übrigen wäre natürlich eine befristete »Ehe« unmöglich bei zwei Menschen, die so verbunden waren wie M. und ich. Denn wäre ich erst bei M., so fände er viele Mittel, mich bei sich zu halten, und auch ich würde dann bei ihm bleiben. Ich glaube, Sie haben sich dies alles nicht in die Realität übersetzt. Ihr Vorschlag ist unannehmbar.

[An Professor F.]   *T., 14. Oktober 1950*

Dieser Brief mag als Postscriptum gelten zu dem beiliegenden vom 10. Oktober. Ich habe mit dem Absenden des ersten Briefes gewartet, um ihn immer wieder zu überprüfen. Glauben Sie mir, daß ich diese Angelegenheit immer von neuem durchdenke, soweit ich zu denken fähig bin in einer solchen Bedrängnis. Ihr Brief, der heute morgen ankam, enthält die massivste Versuchung, die Sie erfinden konnten. Sie appellieren an jene Eigenschaft in mir, die meine Stärke und meine Schwäche ist: an meinen Ehrgeiz. Sie nennen es »Verantwortungsgefühl«, und Sie sagen, daß ich mich gewiß bis an mein Lebensende zermartern würde in dem Bewußtsein, eine große und mir so dringlich gestellte Aufgabe nicht erfüllt zu haben. Wie gut kennt M. mich, daß er Ihnen diese Worte in den Mund legte!
Es ist wahr: ich habe von Kindheit an jede Aufgabe angenommen, die sich mir gestellt hat. Ich bin Schwierigkeiten kaum je ausgewichen, ich habe sogar eine tiefe Befriedigung darin gefunden, das Schwierigste zu tun, dasjenige, was meine Kräfte zum Äußersten anspannen mußte. Aber bisher waren die Aufgaben einfach, das heißt: sie waren eindeutig, sie stürzten mich in keinen Konflikt. Eine Aufgabe erfüllen, bedeutete nicht: eine andere verraten.
Wäre mir jetzt einzig die Aufgabe gestellt, M. zu »retten«, wie Sie sagen, so würde ich nicht zögern zu kommen. Aber da sind auch noch andre Aufgaben: da sind meine Kinder, da ist mein Beruf, da ist die bestehende Ehe M.'s, da sind seine Kinder, da ist eine gewisse Verantwortung auch für M.'s Frau, die soviel jünger und gefährdeter ist als ich, und da ist die große Aufgabe, ein »ordentliches« Leben zu führen, frei vom Verhängnis heftiger Gefühle. Ich weiß nicht, ob Sie mich zu verstehen vermögen. Manchmal denke ich, daß es Ihnen überhaupt nicht auf mich ankommt, sondern einzig auf M. Entweder lieben Sie ihn so

sehr, daß Sie etwas anderes als sein Glück nicht wollen können. Oder aber Sie sind ein so fanatischer Arzt, daß Sie nichts interessiert als die Heilung Ihres Patienten. Wer dabei geopfert wird, das ist Ihnen gleichgültig. Oder glauben Sie wirklich, daß ich so stark bin, M. in seiner Schwermut zu ertragen und vor der Selbstzerstörung zu retten? Seit ich mich erinnern kann, habe immer ich die Starke sein müssen, immer hat man mir alle Kraft zugetraut, immer glaubte man, mir alles Schwierige aufbürden zu dürfen. Vergessen Sie aber nicht, daß ich jetzt ein von vielen Kämpfen zermürbter Mensch bin und all dieser Leiden grenzenlos müde. Ich bin jetzt zu keinem andern Wort mehr fähig.

[An Alice S.]   *T., 18. Oktober 1950*

Ihre Vorwürfe sind so ungerecht, so unsachlich auch, daß ich am liebsten darauf nicht erwidern möchte. Aber Sie würden aus meinem Schweigen schließen, daß ich Ihre Vorwürfe hinnehme, eben weil ich sie verdient habe und mich nicht verteidigen kann. Sie sagen, ich hätte mich an Ihren Onkel gewandt, um ihn gegen Sie aufzuhetzen. Die Wahrheit ist, daß Ihr Onkel an mich geschrieben hat, um mir die härtesten Vorwürfe zu machen. Ich habe darauf erwidert. Da er mir »Ehebruch« vorgeworfen hat (in seinem kirchlich-katholischen Sinn), mußte ich ihm erklären, daß davon keine Rede sein könne, da Sie und M. ja nicht kirchlich getraut sind. Für Katholiken ist eine Ehe nur dann gültig, wenn sie kirchlich vollzogen wurde. Da demnach Ihre Ehe keine Ehe ist, kann (immer im Sinne Ihres Onkels) von einem Ehebruch keine Rede sein. Außerdem habe ich ihm geschrieben, daß Sie es waren, die die Scheidung gewollt und rechtlich eingeleitet hat, und daß Sie, obgleich Sie doch meine Entscheidung genau wissen, diesen ganzen neuen Aufruhr völlig sinnlos verursacht haben. Ich sprach auch noch meine Vermutung aus, daß Sie, unversöhnlich wie Sie sind, mir offenbar nun Feinde machen wollen. Das ist es, was ich Ihrem Onkel gesagt habe, das und nichts anderes. Ich nehme an, daß Ihr Onkel nichts gewußt hat davon, daß Ihre Ehe nur zivilrechtlich ist, und daß er Ihnen nun scharfe Vorwürfe gemacht hat. Aber was kann Sie das kümmern? Sie kennen seine Strenge und

Härte in solchen Fragen. Sie brauchen sich davon nicht betroffen zu fühlen. Seine Welt ist nicht die Ihre.

Wenn Sie sagen, ich hätte Sie Ihrem Onkel gegenüber in ein falsches, schlechtes Licht gesetzt, so tut mir das leid. Aber bedenken Sie, daß es das natürliche Recht und die natürliche Reaktion eines angegriffenen Menschen ist, sich zu verteidigen. Ich bin nicht christlich genug, um ungerechte Vorwürfe schweigend hinzunehmen, so wenig wie Ihr streng katholischer Onkel christlich genug ist, barmherzig zu sein.

Was Sie einzig interessieren kann, ist die Tatsache, daß ich nach wie vor entschlossen bin, Maurice nie mehr zu sehen. Genügt Ihnen dies denn nicht, Alice? Wissen Sie denn, daß dies ein Opfer ist, das einem Menschen wohl, wie man so sagt, das Herz brechen kann? Aber wenn Sie schon, was ich verstehe, Ihrer Erbitterung immer wieder Luft machen müssen, so tun Sie es um Gottes willen nicht Maurice gegenüber. Er ist sehr gefährdet. Schonen Sie ihn, ich bitte Sie. Seien Sie klug um Ihretwillen. Jede Zurückhaltung Ihrerseits, jeder Akt der Sanftmut und der wortlosen Liebe wird Ihnen in Ihrem weitern Leben mit ihm zugute kommen. Wenn es Ihnen auch sehr schwer fallen mag, gerade von mir einen Rat anzunehmen, so bitte ich Sie doch, mir zu glauben, daß ich nichts will als sein und Ihr Bestes.

[An Herrn C.]   *T., 19. Oktober 1950*

Dieser Ihr zweiter Brief bestürzt mich mehr als der erste, obgleich ich schon durch einen Brief Alices darauf vorbereitet war. Ich ahnte aber nicht, daß es Ihnen gelingen würde, Alice »das Geheimnis« zu entreißen, und so leicht, wie es scheint. Es liegt in Ihrem Wesen, daß Sie jedes Ding beim richtigen Namen nennen, auch ich neige dazu. Trotzdem darf man es nicht in jedem Falle, und in diesem besondern hätte man es nicht tun sollen. Alice hätte schweigen müssen, selbst Ihnen gegenüber. Denn wenn sie einmal anfängt zu sprechen, so wird sie es weiterhin tun. Sie wird es als Mittel zu ihrer Rechtfertigung benutzen, und sie wird nicht bedenken, welchen Schaden sie Maurice damit zufügt, selbst wenn er geheilt sein wird. Vielleicht aber bedenkt sie es, und es ist ihr gerade recht so.

Ich mache mir schwere Vorwürfe, daß ich es war, die Sie durch eine Bemerkung in meinem letzten Brief auf diese gefährliche Spur gesetzt hat. Es ist mir unterlaufen, ich wollte es nicht, ich bedachte es nicht, und ich bereue es, ich betrachte es als Verrat an Maurice. Ich könnte natürlich leugnen und sagen, es sei eine ungeheuerliche Erfindung Alices. Aber das dürfte ich nicht vor Ihnen. So bleibt mir nun nichts anderes, als Sie dringend zu bitten, vollständiges Schweigen zu bewahren und vor allem Maurice gegenüber niemals anzudeuten, daß Sie wissen. Alice hat es übrigens nicht gewußt bis vor einigen Wochen. Maurice hat es ihr selbst gesagt. Ich habe es aber seit drei Jahren gewußt, ohne daß er es mir gesagt hat. Wir haben niemals darüber gesprochen, doch weiß er, daß ich es weiß.

Ich möchte nichts weiter darüber sagen. Aber vielleicht begreifen Sie nun, warum meine Trennung von Maurice nicht eine nur ethische Angelegenheit ist. Wenn es dies nur wäre! Wüßte ich, daß es Heilung für ihn bedeuten würde, wenn ich bei ihm leben würde, so müßte ich zu ihm gehen, ohne auf irgendein »moralisches« Urteil zu hören. Aber ich weiß nicht, ob ich ihm helfen könnte. Ich weiß nicht, ob meine Kraft ausreichen würde. Ich weiß nicht, ob die Ehe mit Alice entscheidende Wirkung auf Maurice's Zustand hat. Ich weiß gar nichts. Auch Sie wissen keinen Rat, wie es scheint, und ich möchte auch keinen von Ihnen erbitten.

Ich habe Ihnen zu danken dafür, daß Sie sich für Ihre (wie Sie schreiben) »unbedachte Härte« in Ihrem letzten Brief entschuldigen. Ich glaube, ich habe Ihnen keinen Anlaß gegeben zu der Annahme, daß ich gekränkt war. Offenen Vorwürfen stelle ich mich immer. Aber es hat ein höheres Bewußtsein in mir betroffen, daß ein Mann wie Sie derart lebensfern, mitleidlos und lieblos sein kann. (Sie sind es jetzt auch Alice gegenüber, die stärker als ich Ihres Mitleids bedürfte.) Ihr Christentum ist ein sehr strenges, hartes, eines »im Gesetz, nicht in der Liebe«. Um Ihres ferneren Werkes willen bitte ich Sie, das zu überdenken.

[An Professor F.]   *T., 19. Oktober 1950*

Ihr Brief enthält nichts als die Mitteilung von der vollzogenen Scheidung M.'s. Damit glauben Sie, die Schlinge so geschickt um meinen Hals gelegt zu haben, daß es ganz leicht für Sie sein würde, vollends zuzuziehen. Darf ich Ihnen jetzt eine Frage vorlegen, die Sie noch nie berührt haben und von deren Beantwortung immerhin das Gelingen Ihres Planes abhinge: Glauben Sie, daß jenes Bild, das M. sich von mir gemacht hat, übereinstimmt mit jenem, das ihm jetzt vor Augen käme? Sie wissen, wie maßlos seine Einbildungen und seine Gefühle sind, und wie tief er abstürzen kann. Vergessen Sie nicht, daß jene Nina, die er liebte, sein Spiegelbild und sein Geschöpf war: ganz ihm hingegeben, ihm in allem und ihm allein dienstbar, ganz einbezogen in seine schwermütige Welt, widerspruchslos und bedingungslos liebend. Ich bin jene Nina nicht mehr. Ich habe mich ernüchtert, ich habe mich in einem harten Entschluß von M.'s Zauber befreit, ich bin wieder ich selbst. Würde M. das ertragen? Er verträgt die Wirklichkeit so schlecht, er ist ein Träumender. Bedenken Sie, was für einen Schock es für ihn bedeuten würde, wenn der ganze, der so zarte, aber auch so hartnäckig gehegte Plan zusammenbrechen würde genau in jenem Augenblick, in dem er verwirklicht werden soll. Vielleicht würde M. erst später merken, wie verändert ich bin, und dann brächte er die Kraft und den Mut nicht mehr auf, es sich und mir einzugestehen. Sie wissen selbst, was die Folge eines solchen Erwachens wäre. Ich verstehe Sie nicht: Sie wissen das alles wirklich ebensogut wie ich, und doch bestehen Sie auf Ihrem Plan. Ich kann Sie wirklich nicht verstehen. Ich bitte Sie: beenden wir doch diesen fruchtlosen, zermürbenden Briefwechsel.

[An Professor F.]   *T., 24. Oktober 1950*

Ist dieses Telegramm die Antwort auf meinen Brief? Ich soll also augenblicklich zu Ihnen kommen, das heißt: ich soll zu M. kommen. Sie hatten wenigstens die Freundlichkeit hinzuzusetzen, daß nichts Aufregendes geschehen sei und daß es einfach der Wunsch M.'s ist, mich zu sehen. Aber lesen Sie denn meine Briefe nicht? Bedeuten Ihnen meine Entschlüsse überhaupt nichts? Fühlen Sie denn nicht, daß das, was Sie mit mir tun, unerlaubt ist? Bin ich kein Mensch mit einem freien Willen mehr? Bin ich ein Ding in Ihrer Hand, das nach Ihrem Ermessen benutzt und Ihren Absichten angepaßt wird? Das ist eine Vergewaltigung. Schaudert Sie denn nicht bei dem Gedanken, daß Sie sich anmaßen, Schicksal zu lenken? Es ist nicht M.'s Schicksal allein, das Sie bestimmen wollen, sondern auch das meine, das Alices und das unsrer Kinder. Woher nehmen Sie die Sicherheit der Entscheidung? Woher wissen Sie, daß alles gut so ist, wie Sie denken? Das ist doch Überheblichkeit. Das geht über alle Ihre ärztlichen und menschlichen Befugnisse hinaus. Ich anerkenne Ihre Autorität nicht. Dies ist meine Antwort.

Warum im übrigen schreibt M. nicht selbst? Ist er noch so schwach, daß er nicht schreiben kann? Schreiben Sie unter seinem Diktat? Oder unterschieben Sie ihm nur Ihre eignen Absichten? Verfügen Sie über ihn genauso wie über mich? Spielen Sie mit uns wie mit Schachfiguren? Ich traue Ihnen zu, daß wir für Sie Versuchspersonen sind in einem gefährlichen Experiment, von dessen gutem Ausgang (das mag Ihnen zugestanden sein) Sie durchaus überzeugt sind, das aber, sachlich betrachtet, auch mißglücken kann. Was dann?

Werden Sie nun endlich begreifen, daß ich mein letztes Wort zu dieser Frage bereits gesprochen habe?

[An A. M.]   *T., 26. Oktober 1950*

Wie genau Sie die erbetenen vier Wochen Schonzeit eingehalten haben! Und wie zuverlässig Sie wieder an mich gedacht haben! Aber wie sehr erschweren Sie mir mein Leben mit Ihrem erneuten Angebot. Ich bin Ihnen eine Erklärung schuldig, ich möchte Sie Ihnen von Herzen gerne geben, jetzt, in diesem Brief, aber ich darf noch nicht. Sie werden sich über diese an mir so ungewohnte Geheimnistuerei recht wundern. Aber eines Tages werden Sie mich verstehen.

Ihre Frage aber will jetzt beantwortet werden; Sie machen mir alles so leicht, Sie sind ebenso großzügig wie ahnungsvoll. Nach B. möchte ich nicht. Ich würde wirklich gerne hier in England bleiben, wenigstens noch ein Jahr lang. So käme es mir sehr gelegen, wenn ich als freie Mitarbeiterin Ihrer Zeitung die Auslandskorrespondenz übernehmen könnte. Aber dazu müßte ich mindestens jede Woche einmal nach L. Ich bin hier aber, das wissen Sie nicht, Angestellte bei einem alten Ehepaar, ich führe den Haushalt und spiele die Rolle einer Art von Gesellschafterin. Es könnte vorkommen, daß ich zu wichtigen Premieren eben nicht nach L. fahren kann. Was dann? Diese Frage müßte erst geklärt werden. Ich könnte natürlich ganz nach L. übersiedeln. Aber dann müßte ich die Stellung hier aufgeben. Dagegen spricht vieles, vor allem der Umstand, daß ich mich für ein ganzes Jahr verpflichtet habe und also noch bis zum Sommer hier festgehalten bin. Außerdem bin ich gern hier. Ich liebe diese sanfte grüne Landschaft, das stille schöne alte Haus, ich habe viel freie Zeit für mich, mehr als je zuvor in meinem Leben. Kein Mensch kennt mich, niemand will etwas von mir; die alten Leute, bei denen ich lebe, sind äußerst diskret und erwarten nichts von mir, als daß ich ihren Haushalt überwache, daß ich ihnen vorlese und im übrigen schweigsam und unauffällig bin. (Und wie gerne bin ich das!)

Ich weiß, daß Ihnen dies alles seltsam erscheint und daß Sie mich nicht mehr recht wiedererkennen. Darum will ich Ihnen wenigstens so viel sagen: ich habe hier nach den Schwierigkeiten der letzten Jahre Zuflucht gesucht. Es war ein Akt der Vernunft, als ich hierher ging. Vielleicht war es auch nur feige Flucht. Da Sie, wie »alle Welt«, über mein Leben informiert sind, werden Sie wissen, worauf ich anspiele. Aber damit wissen Sie wenig genug. Haben Sie Geduld mit mir, Sie werden bald mehr wissen als »alle Welt«.

Ich erwarte nun Ihre Vorschläge wegen L. und bitte Sie, mir Ihre Freundschaft zu bewahren.

[An Margret]   *T., 27. Oktober 1950*

Mit Schrecken fällt mir ein, daß ich vergessen habe, für das Grab unsrer Eltern zu sorgen, und ich muß fürchten, daß es diesmal zu Allerseelen nicht geschmückt sein wird, falls Dich dieser Brief nicht mehr in M. erreicht. Ich habe zwar an die Friedhofsverwaltung geschrieben und gebeten, einen Gärtner zu beauftragen und die Rechnung an meine Bank zu schicken, aber ich glaube nicht, daß man es tun wird. Ich habe sonst selber das Grab gerichtet. Es war immer ein schwieriger Tag für mich. Alte Erinnerungen . . . Wir haben doch eine recht unglückliche Kindheit gehabt, nicht wahr? Du freilich, Du hast die schlimmste Zeit nicht mehr erlebt.

Als wir das Geld verloren hatten, und als Vater so furchtbar streng und fromm wurde, da erst war alles wirklich unerträglich. Du hast niemals Schläge bekommen, aber ich, und dies in einem Alter, in dem Schläge nur mehr vernichtend wirken können. Wie hilflos war Vater allen Schwierigkeiten gegenüber. Wenn er nicht mehr aus noch ein wußte, ließ er seinen Zorn an mir aus, gleichviel, ob ich oder irgendeine Lebensschwierigkeit diesen Zorn erregt hatte. Finstere Jahre. Ich denke nur mit Grauen an meine Kindheit zurück. Aber warum rede ich denn davon? Es ist ja alles längst vorbei.

Du fragst im letzten Brief nach Maurice: Er ist noch in der Klinik, aber nahezu geheilt. So viel für heute. In Eile, damit Dich der Brief möglichst noch in M. erreicht.

[An Professor F.]   *T., 1. November 1950*

So glauben Sie denn Ihr Wild vollends eingekreist zu haben. Rings um mich stehen Ihre Argumente, Ihre Forderungen, Erwartungen und Prognosen wie eine Kette von Treibern. Sie haben vorerst nichts anderes erreicht, als daß ich erschöpft bin und weniger als je bereit, zu M. zu kommen. Ich bin einfach zu müde. Bedenken Sie doch, wie ich jetzt käme: als eine Angestellte, die mit aufeinandergebissenen Zähnen einen allzu schwierigen Dienst antritt. Könnten Sie das wollen? Sollte ich nicht, wenn ich käme, es als eine Braut tun, freiwillig, in freudiger Tapferkeit? Ich bin weit entfernt von einer solchen Haltung. Auch verabscheue ich »Opfer«. Wenn ich käme, so käme ich in aller Selbstverständlichkeit. Appellieren Sie nicht an meine Opferbereitschaft! Ich habe keine Tugend, die diesen mir verhaßten Namen trägt. Ich handle entweder blind in blinder Liebe oder mit Vernunft. Meine Liebe zu M. ist aber nicht blind, und meine Vernunft widerrät mir diese Reise. Ach, lassen Sie mich doch endlich zur Ruhe kommen. Daß Sie, ein kluger Arzt, nicht begreifen wollen, wie wenig Hilfe für M. Sie jetzt von mir zu erwarten haben. Ich bedürfte dieser Hilfe selbst.

P. S. Wann wird M. entlassen? Wohin geht er? Wer sorgt für ihn? Hat er irgendwo eine Wohnung? Ein Engagement? Schreiben Sie mir darüber.

Haben Sie Dank für Ihren Brief. So rasch haben Sie für mich gehandelt! Die Stelle in L. bleibt also für mich offen bis nächsten Sommer. Das ist mir eine große Beruhigung. Ich kann in England bleiben und werde wieder arbeiten. Sie meinen, ich sollte auch die Kinder dann hierher holen. Daran habe ich auch gedacht.

Aber was steht zwischen den Zeilen Ihres Briefes? Warum zweifeln Sie daran, daß ich hierbleiben werde? Welchen Zusammenhang suchen Sie zwischen meinem Entschluß und der Nachricht von der Scheidung M. S.'s? Woher wissen Sie überhaupt von der Scheidung? Ist das eine so öffentliche Angelegenheit? Und was, denken Sie, habe ich damit zu tun? Diese Scheidung ist erfolgt, weil M. S.'s Frau nicht mehr mit ihm leben wollte, und nicht, weil M. S. mich heiraten möchte. A. S. hätte sich gewiß nie scheiden lassen, wäre dies der Grund. Im Gegenteil: sie hätte um so fester ihn gehalten, je heftiger er von ihr weggestrebt hätte. Ich werde M. S. nicht heiraten, Sie brauchen keine Angst zu haben.

Eben überlese ich das Geschriebene, und ich lese dabei den letzten Satz: »Sie brauchen keine Angst zu haben.« Ich schrieb das als eine Redensart. Aber jetzt glaube ich, daß Sie wirklich Angst um mich haben. Warum? Wäre es so schlimm, so falsch, wenn ich M. S. heiraten würde? Sie kennen ihn, ich weiß. Wir haben nie über ihn gesprochen, jedenfalls nie mehr, seit Sie Kenntnis von meiner Beziehung zu ihm hatten. Wissen Sie, daß ich diese Beziehung gelöst habe? Sie scheinen zu glauben, daß diese Lösung keine endgültige ist. Entspringt dieser Glaube Ihrer Überzeugung von meiner Schwäche oder jener von der Stärke dieser Bindung? Nun, wenn Sie schon so ahnungsvoll sind, so raten Sie mir. Ich werfe jetzt alle meine Vorsätze zu schweigen (selbst Ihnen, meinem besten Freunde gegenüber zu schweigen) über Bord. Hier die Konfession: M. S. ist krank gewesen. Ihre Andeutung im Brief genügt mir, um zu verstehen, daß Sie wissen. M.'s Arzt bedrängt mich seit Monaten, daß ich M.'s Frau werde. Dies allein sei eine gewisse (die nahezu sichere) Garantie dafür, daß die Heilung eine anhaltende sein würde. (M. ist tatsächlich geheilt.) M. wünscht die Heirat. Er ist »frei«, das heißt: er steht allein, niemand wird für ihn sorgen, er wird reisen, er wird kein Heim haben, er wird in lieblosen Pensionen wohnen, er wird seiner Schwermut noch stärker verfallen als bisher, er wird sich selbst zerstören. Es scheint, als liege sein Schicksal jetzt in meiner Hand allein. Sie wissen, daß meine Beziehung zu ihm weit entfernt davon ist, eine Affaire genannt werden zu dürfen. Niemand hat sie als solche betrachtet, und wir selbst wußten mit aller Schärfe, was sie war. Warum denn will ich aber M. nicht heiraten? Ich glaube, Sie kennen mich so gut, daß Sie wissen: es ist nicht etwa meine Angst vor einer möglichen Wiederkehr von M. S.'s Krankheit. Es ist auch nicht Feigheit vor der schwierigen Aufgabe, mit einem Manne wie M. zu leben. Es ist eher die tiefe Bangigkeit, die Aufgabe nicht bewältigen zu können, weil sie von der Art jener Aufgaben ist, die nicht bewältigt werden *können*. Es ist vielleicht die Furcht vor einer sinnlosen Vergeudung meiner Lebenskraft. Aber ich weiß auch, daß nichts vergeudet ist, was aus Liebe geschieht. Ich weiß das genau und lebendig. Und doch: ich will nicht. Ich will keine Ehe mehr. Ich will frei sein. Mir ist, als müßte ich frei sein für irgendeine Aufgabe ganz andrer Art. Ohne den Kern meines Widerstandes zu treffen (ich kenne ihn nicht), kann ich allerlei Umstände benennen, die mir widerstreben: ich liebe ein kontemplatives Leben. Mit M. S. aber muß ich »in der Welt« leben, und in was für einer Welt! Diese Theaterwelt ist voller Intrigen, voller Eitelkeit, voller Neid und Haß, voll von brennendem Ehrgeiz und auch voll von Dummheit. Auch M. S. ist natürlich ehrgeizig. Eine Kritik, die nicht so überschwenglich ist wie er es gewöhnt ist, verstimmt ihn tief; in das Auf und Ab seiner Stimmungen bin ich einbezogen, ich bin wie ein Ball auf einer Wassersäule: je nach dem Wasserdruck oben oder unten. Ich aber liebe das Gleichmaß und die Ordnung. Sollte es mir denn nie gelingen, ein Leben der Ordnung zu führen? Soll ich denn immer ausgesetzt bleiben? M. S. ist wie ein Maulwurf in der Erde; er ist blind für alles Licht. Schwermut ist, seit ich ihn kenne, sein tägliches Brot. Und ich, ich will Helligkeit, Ordnung, Heiterkeit (auch wenn ich bisher ein Leben führen mußte, das nichts von diesen Qualitäten besaß; aber muß man denn immer unter demselben Gesetz leben? Kann man nicht mit einem kühnen Entschluß von einer Ebene zu einer andern springen? Ich glaube an die Freiheit des Menschen, allen Erfahrungen zum Trotz). Aber sagen Sie mir: darf man noch von Liebe sprechen, wenn man die Vernunft entscheiden läßt? Muß Liebe nicht freiwillig blind sein? Muß sie nicht wissentlich in ihr Unglück gehen, wenn damit das Glück des Geliebten erkauft wird? Ist jenes seltsame prophetische Wort wahr, daß nur jener das Leben gewinnt, der es verliert? (oder: der *sich* verliert?) Kann es die Aufgabe einer Frau meiner Art sein, ganz im Leben eines Mannes (wie M. S.) aufzugehen? Wenn ich M. S. heiraten würde, so hieße das nicht, daß ich mein Leben bis zu einem gewissen Grad dem seinen anpassen würde und im übrigen das meine nach eignem Gutdünken, eignen Gewohnheiten und eignem Vergnügen weiterleben könnte. Es hieße vielmehr: ganz und gar vergessen, wer ich bin. Sollte ich »unglücklich« sein in dieser Ehe, so bliebe mir keine der kleinen Tröstungen, deren andere Frauen sich bedienen: Gesellschaften, Klatsch, Freundinnen, Kleider, Reisen und Liebhaber. Ich hätte nichts außer M. S. und meinem Unglück, oder wenn es schon nicht geradezu ein »Unglück« wäre, so doch ein volles Maß an Schwierigkeiten. Keine Zeit mehr für mich, keine Zeit für meine eigentliche Arbeit, kaum Zeit für meine Kinder.

Während ich dies schreibe, erkenne ich tief beschämt, daß es doch vor allem Feigheit und Selbstsucht ist, was mich von dieser Ehe abhält. Sollte es mir nicht genügen, zu wissen, daß M. mich braucht, um mich augenblicklich zu ihm eilen zu lassen? Glauben Sie, daß es unabweisbar meine Lebensaufgabe ist, seine Frau zu werden? Lieber Freund, mit diesen Fragen zermartere ich mich seit Wochen. Ich schlafe kaum mehr, ich denke, denke, denke und komme an kein Ziel. Als ich hierherging, glaubte ich, mich zu befreien. Jetzt bin ich tiefer verstrickt als je, und jeder neue Tag bedeutet einen kleinen Ruck an der Schlinge, die um meinen Hals gelegt ist. Noch ein Ruck und noch einer, und ich kann den Kopf nicht mehr aus dieser Schlinge ziehen. Gestern nacht war es so schlimm, daß ich mich betrunken habe. Betrunken lief ich stundenlang im Nebel, und ich wurde nicht nüchtern, und schließlich merkte ich, daß ich nicht mehr vom Whisky, sondern von Kummer und Müdigkeit betäubt war. In dieser Betäubung habe ich mich unter einen Busch gesetzt, um auszuruhen. Dabei bin ich eingeschlafen. Es war kühl, und ich habe mich erkältet, ich habe Fieber, deshalb auch bin ich so gesprächig. Meine Verwirrung aber hat nichts zu tun mit dem Fieber, sie gehört wesentlich zu mir seit Monaten, ach seit Jahren. Ich werde sie nicht mehr lange ertragen. Aber wie wird die Lösung heißen? Ich fürchte, ich weiß sie, doch will ich sie nicht wissen.

Bewahren Sie mir Ihre Freundschaft, sie ist mir teuer, sie ist das einzig Gewisse, Beständige in meinem Leben.

Eben lese ich noch einmal Ihren Brief. Was für ein merkwürdiger Satz steht da ganz unauffällig zwischen allen andern so klaren und leicht verständlichen Sätzen? Sie schreiben, Sie haben jahrelang darauf gewartet, bis die Stelle in Z. frei würde, die Sie mir vor einiger Zeit anboten. Aber Sie schreiben dazu, daß Sie begriffen hätten, warum Ihnen dieser Wunsch nicht in Erfüllung gehen durfte. Ich verstehe Sie nicht. Wollen Sie mir keine Erklärung geben? Überhaupt ist, das fühle ich mit der Empfindlichkeit einer Fieberkranken, in Ihrem Brief ein Geheimnis enthalten. Obgleich Sie so herzlich schreiben wie immer, ist eine Distanz in Ihren Worten, die mich bestürzt. Es ist wie ein Abschiedsbrief, aber nicht eigentlich an mich, sondern an alles. Nie vorher habe ich diesen Ton von Ihnen gehört: dieses Sich-Zurücknehmen, dieses leise Abgewendetsein, diese stille geheime Entschlossenheit zu irgend etwas, das nicht gesagt wird, nicht einmal angedeutet. Was wollen Sie tun? Sie schreiben wie einer, der seine Sachen ordnet, um zu verreisen. Muß ich in Sorge sein um Sie? Beruhigen Sie mich, wenn Sie können. Aber ich bin jetzt darauf gefaßt, daß alles, was bisher beständig schien, sich verändert.

Es ist tief in der Nacht, oder vielmehr: es geht schon gegen Morgen, es ist vier Uhr, und ich spüre keinen Schlaf. Und wie gern würde ich schlafen, alle Entscheidung verschlafen!

[An Professor F.]   *T., 8. November 1950*

Ich war einige Tage krank, ich hatte Fieber, und ich hatte eine Schlaftablette zuviel genommen, ich schlief zwei Tage und zwei Nächte, und als ich erwachte, wußte ich, was ich Ihnen nun sage: ich werde kommen. Ich bin keineswegs überzeugt davon, daß es richtig ist zu kommen. »Kommen«, das bedeutet (darüber haben Sie wohl ebensowenig Zweifel wie ich), daß ich bei M. bleiben werde. Mein Entschluß entspringt nicht der klaren Vernunft und auch nicht der Liebe allein. Es ist vielmehr so, wie sich jemand, der nicht schwimmen kann, ins tiefe Wasser wirft, um einem Verfolger zu entgehen. Vielleicht wird er sich über Wasser halten, vielleicht geht er unter, das weiß er vorher nicht. Er springt, das ist alles.

Ich habe nun Praktisches zu regeln. Darüber werden vielleicht mehrere Wochen oder auch Monate vergehen. Sie wissen, daß ich mich für ein Jahr zu bleiben verpflichtet habe. Ich muß erst einen Ersatz für mich finden. Das wird nicht leicht sein, zumal die alten Leute sehr an mir hängen. Ich habe noch nicht mit ihnen gesprochen, und ich fürchte, sie machen mir, aus Angst vor einer neuen Veränderung in ihrem Haus, die größten Schwierigkeiten. M. muß damit rechnen, daß ich vielleicht wirklich erst nach Ablauf meines Vertrags kommen kann. Fürchten Sie nicht, daß ich wortbrüchig werde. Ich stehe zu diesem Entschluß. Sagen Sie das M., aber sagen Sie ihm auch, daß es ihm freisteht, auf die Heirat zu verzichten, wenn ihn das Wiedersehen mit mir enttäuschen sollte. Es bedarf jetzt keiner Briefe mehr, keiner Erinnerung Ihrerseits. Sobald ich kann, komme ich, und ich werde Ihnen das rechtzeitig vorher schreiben. Ich bin dankbar für eine Schonzeit, in der ich mich sammeln kann.

[An Herrn C.]   *T., 8. November 1950*

Mein Bedürfnis nach Klarheit und mein Respekt vor Ihrer Persönlichkeit drängt mich dazu, Ihnen eine Mitteilung zu machen, die ich nicht so sehr Ihnen schuldig bin als jener Ordnung, der ich mein Leben so gern unterstellen würde, wenn sie sich als die einzig wahre erwiese. Ich habe Ihnen geschrieben, so wie ich es auch Alice, Maurice und einigen andern Menschen schrieb, daß ich niemals Maurice heiraten noch mit ihm zusammenleben würde. Dieser Entschluß ist umgestürzt. Wodurch? Nicht durch einen freien Willensakt, sondern vielmehr dadurch, daß das ganze Gebäude meines Widerstandes ausgehöhlt wurde, bis es schließlich in sich zusammenbrach. Ich werde also Maurice heiraten, und ich bin darauf gefaßt, daß Sie mich nach Ihrer strengen und schroffen Art für heuchlerisch halten. Auch Alice wird mich nicht schonen. Dies habe ich in Kauf zu nehmen, so wie ich damit rechnen muß, daß viele Menschen mich für die Ursache der Scheidung halten und mir feindselig begegnen werden, und ich werde schweigen müssen, das weiß Alice, darum wird sie sich sicher fühlen und des Mitleids aller Leute gewiß sein. Nicht ganz gleichgültig ist mir *Ihre* Meinung. Darum mache ich wieder einmal den hoffnungslosen Versuch einer Erklärung: ich heirate Maurice nicht um irgendeines Vorteils willen, nicht aus Leidenschaft, nicht um ihn endlich zu besitzen, nicht um glücklich zu sein und nicht um ihn glücklich zu machen. Ich heirate ihn aus Liebe, das heißt: weil er mich braucht. Ich weiß, daß es schwierig sein wird, mit ihm zu leben. Ich gehe in eine dunkle, ungewisse Zukunft. Da Maurice keineswegs gesonnen sein wird, diese Ehe kirchlich zu sanktionieren, so werde ich in Ihren Augen in einem ehebrecherischen Verhältnis leben (oder wie Sie es nennen wollen). Auch dies habe ich auf mich zu nehmen. Bitte, wollen Sie das alles Alice mitteilen. Es bleibt mir nichts mehr zu sagen als dies: wenn immer Ihr Christentum eine Religion der Liebe ist, so lassen Sie Maurice und mir einen Gedanken des barmherzigen Verständnisses zukommen. Begreifen Sie, bitte, daß mein Stolz mir niemals dieses Wort erlaubt hätte, wenn ich nicht beharrlich glaubte, daß hinter Ihrer Härte eine Kraft steht, die eines Tages eben diese Härte zerbrechen und Ihr Herz bloßlegen wird. Wer so folgerichtig christlich denkt wie Sie, der muß doch schließlich zur Liebe kommen. Wäre es anders, so wäre keines Ihrer Bücher wahr. Das aber kann ich nicht glauben. Ich hoffe auf den kommenden Tag.

[An Margret] T., 20. *November 1950*

Du hast recht: ich hätte Dir längst antworten müssen. Drei Briefe von Dir liegen hier. Verzeih. Aber Du stellst in diesen Briefen Fragen, die ich bis jetzt nicht habe beantworten können und wollen. Heute will ich Dir wenigstens einiges von dem erzählen, was sich inzwischen ereignet hat. Es ist wahr, Du hast recht gehört: Maurice und Alice sind geschieden, »in beiderseitigem Einverständnis«, wie es heißt, doch mußte Maurice juristisch die Schuld auf sich nehmen. Ich weiß nicht, ob Alice auf »Ehebruch« geklagt hat. Darüber habe ich noch nichts erfahren. Jedenfalls ist Maurice frei. Du wirst sagen: ›Nun, Gott sei Dank. Endlich könnt ihr heiraten.‹ Ja, wir können heiraten. Wir können endlich das tun, was ich mir einmal so glühend gewünscht habe. Wir werden es auch wirklich tun. Aber ich wünsche es mir nicht mehr. Es ist zu spät dafür. Ich habe meinen Wunsch so tief begraben, daß ich ihn nicht mehr wiederfinden und erwecken kann. Trotzdem werde ich Maurice heiraten. Ich werde es tun, weil ich fühle, daß ich es tun soll. Ich habe Angst davor, weil es schwer sein wird. Ich weiß nicht, wie ich es bestehen werde. Aber ich werde versuchen, es gut zu machen. Ich weiß nicht genau, wie ich es machen soll, aber ich weiß, daß ich es gut machen muß. Wenn ich es nicht bewältigen würde, dann –. Ach, ich weiß nicht, was dann wäre. Ich *muß* es einfach bewältigen.

Ich habe jetzt zu Dir wie zu mir selber gesprochen. Sag niemand etwas darüber, erzähl niemand von dieser Heirat, bis sie geschehen ist. Noch hoffe ich auf irgendein Zeichen oder ein Ereignis, das den ganzen Plan zunichte macht. Ich bin zum erstenmal feig in meinem Leben. Es gibt eben versäumte Augenblicke für etwas. Hätte ich Maurice vor zwei Jahren oder auch vor einem Jahr heiraten können, so wäre ich mit dem ganzen Feuer der leidenschaftlichsten Liebe zu ihm gegangen, gelaufen, gestürzt. Aber jetzt, jetzt bin ich müde und so viel älter. Und doch werde ich tun, was eben getan werden muß.

Nun das Praktische: ich kann meine Stelle hier nur dann vorzeitig aufgeben, wenn ich einen Ersatz für mich finde. Es muß jemand aus Deutschland sein. Die alten Leute bilden sich ein, nur eine Deutsche sei still, zuverlässig und intelligent. Du weißt ja, wie es hier ist: ruhig und schön. Wenig Arbeit. Sehr gute Bezahlung. Weißt Du jemand? Ich dachte an Eure frühere Sekretärin, von der Du mir erzählt hast. Bitte, sieh Dich ein wenig um und setze auch eine Anzeige in die Zeitung. Ich lege Dir den Text bei. Fast möchte ich wünschen, niemand würde sich finden. Aber das wäre auch keine Lösung. Noch einmal: bitte, schweig über all das, bis ich nach Deutschland zurückkomme.

[An Professor F.]   *T., 1. Dezember 1950*

Meine Schwester hat einen Ersatz für mich gefunden, rascher als ich gedacht habe, und so kann ich denn zu Weihnachten auf dem Kontinent sein. Nichts mehr steht meinem Kommen im Wege.

Nichts mehr als meine Angst davor, eine Enttäuschung für M. zu sein. Sehen Sie: der M., der mich geliebt hat, ist jener, der krank war; Sie haben ihn geheilt; in der Krankheit hatte sich sein Wesen verändert; er ist nicht mehr der, der er war; vielleicht hat nur der Kranke mich geliebt, weil er mich gebraucht hat; der Geheilte aber braucht mich nicht mehr. Glauben Sie nicht selbst, daß meine Angst ihre guten Gründe hat? Wie gerne käme ich freudig. Ich komme aber angstvoll. Ich bitte Sie: sprechen Sie doch noch einmal, ein allerletztes Mal mit M. Sagen Sie ihm, daß ich Angst habe, daß ich feige bin, daß ich glaube, ihn zu enttäuschen. Ich möchte, um seinetwillen und um meinetwillen, keine unglückliche Ehe. Ich habe bereits eine unglückliche Ehe erlebt. Das Unglück, das ich damals erlebte, war gering im Vergleich zu dem, das M. und ich erleiden müßten, wenn uns diese Ehe nicht gelingen würde. Bedenken Sie, was mit M. geschähe, wenn er enttäuscht würde! Und ich, ich möchte nichts halb tun, und ich möchte nicht versagen, ich möchte nicht scheitern an dieser Ehe. Wirklich: sprechen Sie in allem Ernst mit M. darüber: Ich weiß nicht, ob meine Kraft ausreichen wird. Bitte, sagen Sie ihm auch dies: ich weiß nicht, welche Abkommen er mit Alice getroffen hat; ich möchte aber, daß Alice das Haus, das zum Teil mit ihrem Geld gebaut wurde, behält, und daß er mit mir »von vorne anfängt«, ich meine: daß er nichts behält von dem, was er besaß, außer jenen Dingen, die er wirklich braucht und an denen sein Herz besonders hängt. Auch möchte ich, daß er ein Übereinkommen mit Alice trifft, in dem festgelegt wird, daß und wo und wie oft er seine Kinder sehen kann. Ich möchte auch, daß er mir erlaubt, meine Kinder zu mir zu nehmen, sobald es möglich ist; das bedeutet, daß wir irgendwo ein Heim haben müssen, und das wiederum bedeutet, daß ich ihn bitte, ein festes Engagement anzunehmen und nicht mehr nur Gastspielverträge zu machen. Diese meine Forderungen werden ihn abschrecken; er wird sie für bürgerlich halten, und er wird seine Liebe vielleicht erkalten fühlen. So soll dies denn eine Art Gottesurteil sein. Nimmt er meine Bedingungen an, so werde ich wissen, daß er mit mir zusammen Schwieriges ertragen wird. Lehnt er sie ab, nun, so bin ich frei. Ich warte auf Ihre Antwort oder auf eine Antwort M.'s selbst. Ich hoffe, daß M. mich aufgibt. Ich bitte Sie, das zu verstehen. Kein Mensch in meinem Alter wirft sich mit wehenden Fahnen ins Ungewisse, Schwierige und Gefährliche. Es ist ihm natürlich, zu zögern, zu fürchten und sich zu sträuben. Aber haben Sie keine Sorge: wenn M. es will, stehe ich zu meinem Wort.

[An Maurice]   *T., 4. Dezember 1950*

Es war schön, Deine Stimme zu hören durchs Telefon. Es war schön, zu hören, was Du sagtest. Ich danke Dir. Es war wie früher, wenn Du sagtest: »Nina«, und dann nichts mehr; und in der großen Pause, die entstand, sagten wir uns alles im Schweigen, und wir zitterten beide. Aber es war doch anders diesmal, und wenn ich zitterte, so nicht mehr aus Leidenschaft und Trauer und Sehnsucht, sondern aus Erschütterung über das Unabänderliche unsrer Liebe und über das Endgültige unsrer Verbindung.

In wenigen Wochen werde ich bei Dir sein. Was hat es uns nun genützt, daß wir uns so sträubten gegen das Auferlegte, erst Du, dann ich! So sehr zuerst alles gegen uns verschworen war, so hat sich nun alles zusammengetan für uns, und auf ein Ja oder Nein von uns scheint es schon nicht mehr anzukommen. Und doch sollst Du dieses Ja von mir hören. Wenn ich jetzt zu Dir komme, so aus keinem andern Grund als dem, der der natürlichste ist: weil ich Dich liebe.

Ich habe Dir dies ein einzigesmal in Worten gesagt. Erinnerst Du Dich? Es war am Morgen nach unsrer ersten Nacht. Wir beugten uns aus dem Fenster. Da war ein Holunderstrauch, triefend vom Tau und ganz weiß in Blüten. Und auf einem Ast saß eine Amsel und sang. Sie sang, als wollte ihr die Brust zerspringen. Aber nicht die ihre zersprang, sondern die unsre, und da habe ich es Dir gesagt, das sorgsam gehütete Wort, und es war wie das Siegel auf einem Brief, der einen Vertrag enthält. Wir haben später versucht, das Siegel zu zerbrechen und den Vertrag zu vernichten. Doch das so zarte Siegel, es war stärker als wir. Laß mich jetzt ein neues Siegel auf unsern Brief setzen. Kein Amsellied zerreißt mein Herz, ich bin ganz nüchtern und weiß, was ich sage: ich liebe Dich. Ich liebe Dich wie mein Leben, nicht mehr und nicht weniger. Ich nehme Dich an, so wie Du bist, so wie man gutes und schlechtes Wetter annimmt. Das wird Dein Vorteil sein. Ich will, wenn Du es also willst, den »Alltag des Lebens« mit Dir teilen und, so gut ich es vermag, Dir beistehen. Ich werde Anfang des neuen Jahres bei Dir sein können.

[An Margret] *T., 18. Dezember 1950*

Das ist nun der letzte Abend hier im »Exil«. Meine Koffer sind wieder einmal gepackt, sie warten unten in der Diele, nicht mitten im Zimmer wie damals, als Du kamst, um mir beizustehen. Nichts von jener Ungemütlichkeit, in der wir, auf Kisten sitzend, uns unsre Lebensgeheimnisse verrieten. Ach Margret, wie lang ist das her. Nicht Monate, sondern Jahre sind vergangen. Was für eine Angst hatte ich, ins Exil zu gehen. Wie unsicher war ich, ob es das Rechte war, was ich tat. Und jetzt: jetzt habe ich Angst, dieses Exil zu verlassen, das sich als Zuflucht erwiesen hat. Wie schön war es hier! Die beiden alten Leute sind recht ärgerlich darüber, daß ich fortgehe. Sie haben mir eine beträchtliche Erhöhung meines Lohns angeboten, um mich zum Bleiben zu bewegen. Wenn sie wüßten, wie gern ich bliebe – um den allergeringsten Lohn, nur um weiter die Ruhe dieses Hauses genießen zu dürfen, die altmodische Ordnung, das langweilige Gleichmaß dieses abgeschiedenen Lebens, den Frieden des Alters, den die beiden verbreiten. Ich hatte es so gut hier. Es war so still im Haus. Wenn ich jetzt horche, so höre ich nichts als das leise Rauschen des Bachs, der durch den Park fließt, den Meerwind, der hier beharrlich weht, und das Ticken der alten Standuhr in der Diele. Ach, diese Einsamkeit der frühen Morgen, wenn ich den beiden Alten den Tee ans Bett gebracht hatte und der Vormittag ganz mir gehörte; die leisen Gespräche mit der irischen Magd in der Küche, das Prasseln des Holzfeuers im Herd, und am Nachmittag die langsamen Fahrten in dem alten Auto in die Stadt zum Einkaufen, und die einschläfernden Stunden des Vorlesens bei den Alten, und dann die Nacht, die wieder mir gehörte. Mit Rührung betrachte ich mein Zimmer, das schon kaum mehr das meine ist, und das breite Messingbett mit der schönen Leinenwäsche, die nach Seife und Lavendel duftet, und mir ist angst wie einem Mädchen am Abend vor der Hochzeit. Das alles ist töricht und sentimental, aber es ist wie es ist, und es enthält Bangen und Widerstand. Wohin gehe ich jetzt? Ich weiß es nicht. Meine Wohnung in M. habe ich aufgegeben. Immer bin ich so voreilig, immer breche ich alle Zelte ab und alle Brücken. Die schöne Stelle, die A. M. mir angeboten hat an seiner Zeitung, habe ich abgeschlagen. Maurice hat kein festes Engagement, erst ab Herbst wird er eines haben, in W., und bis dahin werde ich mit ihm reisen, dahin und dorthin, in Hotelzimmern wohnen, Koffer packen, Flugkarten besorgen, Taxi rufen, im dunklen Theater sitzen bei den Proben – nun, Du siehst: ich habe keine Illusionen. Und warum tu ich dies? Warum gebe ich mein eignes Leben auf? Ich weiß es nicht. Ich weiß nur, daß ich es tun muß.

Genug davon. Vergiß meine Klagen. Sie sind überflüssig, sie sind auch im Grunde nicht ganz wahr. Ich weiß ja, daß ich nicht für immer hierbleiben kann. Ich weiß, daß dies nicht mein Leben ist. Aber es ist natürlich, daß man sich fürchtet vor so viel Ungewißheit.

Wie schade, daß Du nicht in Deutschland sein wirst, wenn ich dort bin. Ich werde mit den Kindern ins Gebirge gehen über Weihnachten.

[An A. M.]   *T., 18. Dezember 1950*

Wie recht Sie hatten mit Ihrer Vorahnung, und wie gut Sie mich kennen müssen, daß Sie so genau wissen, was ich tun würde! In der Nacht nach jener, in der ich Ihnen den verzweifelten Brief geschrieben hatte, wußte ich plötzlich, was zu tun ist. Und dies nun ist die letzte Nacht hier, und morgen früh (nein: in wenigen Stunden, denn es ist weit über Mitternacht) werde ich nach L. fahren, und mittag bin ich schon auf dem Kontinent, und dann, nach einigen Wochen, werde ich mein neues Leben beginnen. Ich werde also M. S. heiraten. Wenn ich auf die letzten Jahre zurückschaue, so erkenne ich, daß alles, was ich tat oder nicht tat, befohlen und gelenkt war. Ob ich, wie am Anfang, diese Ehe ersehnte oder ob ich sie, wie später, fürchtete und ablehnte, das war gleichgültig. Über mich war schon bestimmt. Ich war wie ein Schaf, das angepflockt ist. Der Strick, der es hält, ist so lang, daß dem Schaf die Täuschung der vollkommenen Freiheit sehr lange bleibt. Das törichte Tier bewegt sich rund um den Pflock, einmal und wieder und immer wieder, im guten Glauben, frei in die Wiese hineinzulaufen, und dabei wickelt sich der Strick um den Pflock, und immer kürzer wird er, und immer kleiner wird der Kreis, der ihm erlaubt ist, und das Schaf merkt es noch immer nicht, aber schließlich ist der Strick völlig um den Pflock gewickelt, und das Schaf steht da und ist gefangen, fast erwürgt und zitternd. Wer aber hat das Schaf angepflockt? Kein Schaf tut das selbst.

Ach, lieber Freund, wenn ich anfange zu denken . . . Was jetzt geschieht in meinem Leben, das ist die Konsequenz aus einer einzigen Sekunde des Bereitseins zu diesem Schicksal. Aber dieses Bereitsein war ganz nur Traum. Wie kann man verantwortlich gemacht werden für eine im Traum begangene Tat? Und war ich etwa bereit zu einer Heirat mit M. S.? Keineswegs. Ich war, in tiefem Traum, bereit zu einer Stunde der Leidenschaft. Wie konnte ich ahnen (ich, so wie ich damals war), daß in dem Augenblick, in dem ich M. S.'s Macht nachgab, ein Lebensschicksal sich bildete? Muß ich nicht annehmen, daß es schon vorgebildet war, alles, auch die erste Begegnung im Traum? Wo aber bleibt die geistige Freiheit, wo war der Ort für eine Gewissensentscheidung? Und weshalb wurde die Entscheidung meines Gewissens, als ich sie endlich so klar und bestimmt traf, nicht gehört, nicht angenommen? Ich hatte mich von M. S. getrennt um seiner Ehe willen. Ich war bereit zum Verzicht und zur Ordnung. Aber ich hing am Strick und am Pflock, und was ich auch tat, war ohne Bedeutung. Was mir jetzt noch zu tun bleibt, ist wenig: da über mich bestimmt wurde und ich nicht nein sagen kann, muß ich ja sagen. Ich versuche es willig und freudig zu tun. Aber das ist schwer. Es ist schwer, wenn ich bedenke was kommen wird. Und wie gut ich weiß, was kommen wird! Ich weiß nicht nur, daß ich mit dieser Nacht Abschied nehme von meinem Beruf, von meinem Talent, von meiner äußeren Freiheit; ich weiß auch, daß ich von jetzt an auf keine Sicherheit mehr zu hoffen habe; und ich weiß, daß ich auch von mir selber Abschied nehme. Obgleich ich jetzt dann in den Lärm und Glanz des Theaterlebens eintauche, ist es mir, als ginge ich in die Wüste. Ich weiß nicht, ob Sie mich verstehen. Ich bitte Sie aber, nicht zu denken, daß ich mich als Opferlamm fühle. Das liegt mir ganz fern. Es ist anders: ich fühle nur, daß mich etwas ergriffen hat, was außerhalb meines Willens und meiner Absicht liegt, sogar außerhalb meines Lebens

sozusagen. Es gibt Stunden, in denen ich rebelliere und sage:
wozu nun all mein Talent, mein Studium, meine Arbeiten, und
wozu auch dieser ganze Aufwand an Tränen, Kraft, Leidenschaft,
Krankheit und Anspannung. Um nichts als um eine Ehe. Aber
eine Ehe ist wohl mehr als ich je ahnen konnte. Und so nehme
ich denn wirklich Abschied von allem, was war, um das Neue
zu beginnen.

Jetzt kommt der Morgen. Ich habe diesen Brief mit vielen Unterbrechungen geschrieben. Schwäche und Zuversicht, Zweifel und
Traurigkeit, das alles kam in raschem Wechsel über mich, und
ich hatte mich, so gut es ging, durchzuschlagen. Gerne hätte ich
geschlafen, aber der Schlaf wollte nicht kommen. Und gerne
hätte ich meinen Kopf an irgend jemands Schulter gelegt, um
nicht so allein zu sein. Aber jetzt ist diese Nacht überstanden, ich
warte auf das leise Klingelzeichen, mit dem mich die Alten zu
sich rufen: zum letztenmal werde ich ihnen den Tee ans Bett
bringen, dann werde ich dieses Haus verlassen, das mir ein so
schönes Asyl war. Leben Sie wohl, lieber Freund, und behalten
Sie mich in der Nähe Ihres Herzens; ich werde diese Nähe nötig
haben.

P. S. Ich weiß nicht, wo ich in den nächsten Wochen sein werde.
So muß ich wohl auf einen Brief von Ihnen so lange verzichten,
bis ich Ihnen eine Adresse schreiben kann. Ihr letzter Brief war
wieder so seltsam leise und von so sanfter Sammlung, daß ich
immer wieder denken muß: es ist etwas mit Ihnen geschehen,
Sie sind nicht mehr so, wie Sie waren; aber ich kann nicht sagen,
was es ist. Wann werde ich Sie wiedersehen, und wie werden wir
uns wiederfinden?

Zweiter Teil

Was werden Sie von uns denken? Verzeihen Sie, daß wir nicht früher schrieben. Wir haben Ihnen noch nicht einmal gedankt. Wir tun es jetzt, und wir tun es von Herzen; wir danken Ihnen für alle Ihre Fürsorge, für Ihre Klugheit, für die an M. S.'s Heilung gewandte Kraft und Mühe, und wir danken Ihnen dafür, daß wir in diesen ersten Wochen (die so schwierig hätten sein können) noch bei Ihnen sein durften, und dafür auch, daß Sie unser Trauzeuge waren und daß Sie es verstanden, diesen Tag zu einem kleinen Fest zu machen.

Wir sind nun seit vierzehn Tagen in W., und M. hat bereits in einem großen Konzert gesungen und in drei Aufführungen, seine Stimme ist völlig in Ordnung, sie ist schöner als je, er hat unvorstellbare Erfolge, und er strahlt. Wir werden bis Ostern hier sein, dann im Ausland (England und Italien), im Sommer bei den Festspielen in B. und S., und ab Herbst wird M. ein festes Engagement haben, entweder in M. oder F., das ist noch unentschieden. M. plant, ein Haus zu kaufen oder zu bauen. Wir werden sehen. Auf jeden Fall hoffen wir, Sie dann bei uns zu haben.

M. läßt Sie vielmals und herzlich grüßen.

Meinem offiziellen Brief füge ich einen anderen bei, einen privaten, in dem ich versuche, das Versprechen, das ich Ihnen beim Abschied gab, zugleich zu halten und zu brechen. Sie erwarten von mir regelmäßige Berichte über das Befinden meines Mannes. Ich weiß, daß Sie nicht nur ein Recht, sondern vielmehr die ärztliche Pflicht haben, ihn weiterhin zu überwachen. Und doch sage ich mir, daß es ein Unrecht von mir ist, wenn ich diesen Briefwechsel führe, noch dazu hinter M.'s Rücken. Wenn ich Ihnen wirklich genaue Berichte schicken sollte, so müßte ich M. unaufhörlich beobachten, denn die Anzeichen eines möglichen Rückfalls wären gewiß so zart, daß ich sie nur dann erkennen könnte, wenn ich M. so überwachen würde wie Sie es tun könnten. Das würde bedeuten zuzugeben, daß ich mit einem Rückfall rechne und daß ich nicht an M.'s Heilung glaube, und das wiederum würde bedeuten, daß ich ihm mißtraute und ihn der Verstellung und der Lüge für fähig hielte. Ich weiß, daß jene Art von Krankheit den Charakter eines Menschen verändert. Aber ich glaube, M. war noch nicht so sehr verändert, daß er nicht wieder völlig heil werden könnte. Ich muß ihm vertrauen, entgegen allen Erfahrungen. Mein Vertrauen muß bedingungslos sein und unerschütterlich. M. würde jeden Zweifel spüren, er würde unsicher werden. Das darf um keinen Preis geschehen. Außerdem würde ein Beobachten in Ihrem Sinn voraussetzen oder aber auch zur Folge haben, daß ich in gewisser Distanz zu meinem Mann lebte. Das aber wäre ein Zustand, der mir höchst unpassend erschiene. Wir sind nicht kirchlich getraut, das wissen Sie; aber ich glaube, das Wort der Kirche davon, daß man »EIN Fleisch« sein müsse, ist ernstzunehmen; nicht nur »EIN Fleisch«, sondern auch EINE Seele und EIN Vertrauen und EINE Hoffnung. Sie dürfen nicht denken, daß ich mich absolut sicher fühle im Glauben an M.'s Heilung. Ich weiß, daß diese Heilung eine fragwürdige ist. Aber da ich M.'s Frau bin, will und darf ich das nicht wissen. So erlassen Sie mir denn diese Berichte, jedenfalls so lange, bis ein wirklich alarmierendes Zeichen zu bemerken ist. Da ich Sie, mit M.'s Zustimmung, für den Herbst zu uns eingeladen habe, werden Sie zu dieser Zeit die Möglichkeit haben, M. selbst zu beobachten.

[An Margret]   *W., 15. Februar 1951*

Dein Brief hat mich auf vielen Umwegen erreicht. Verzeih, daß ich Dich so lange in Ungewißheit gelassen habe. Du hättest die Erste sein müssen, die alles erfahren hat, und in gewissem Sinne bist Du's auch wirklich.

Ich bin also Maurices Frau, wir haben ganz heimlich geheiratet, mit F. und einem anderen Arzt aus F.'s Klinik als Trauzeugen. Es war vor knapp vier Wochen. Wir haben niemand eine Nachricht gegeben, einfach weil es uns geschmacklos erschien, das, was seit Jahren illegale Wirklichkeit war, plötzlich als etwas Legales zu verkünden. Ein paar Wochen vor der Hochzeit ergab sich eine unvorhergesehene Schwierigkeit: ich war mit den Kindern im

Gebirge, und schließlich mußte ich ihnen sagen, daß ich heiraten würde. Martin nahm die Sache gelassen hin, er fand es gut, einen Vater zu bekommen. Aber Ruth, schon kein Kind mehr, war außer sich. Sie litt Qualen der Eifersucht. Es war so schlimm, daß ich einige Tage verzweifelt überlegte, ob ich durch diese Heirat nicht das Leben meiner Kinder, vor allem das Ruths, unerlaubt beschwere. Aber ich habe auf M.'s Zauber vertraut, und wirklich: als sie ihn kennenlernte (wir waren zwei Tage mit den Kindern zusammen auf der Durchreise nach W.) und als sie ihm vorsingen durfte, und er ihr sagte, sie sei sehr begabt und er würde dafür sorgen, daß eine große Sängerin aus ihr würde, war sie hingerissen. Martin ist äußerst verschlossen, aber er ließ sich wenigstens dazu herbei, höflich zu sein; er ist mit seiner eignen Welt voller Mathematik und Technik vorläufig so beschäftigt, daß ihm alles, was ihn darin nicht stört, gleichgültig ist. So wäre denn dieses Spiel gewonnen. Sobald wir ein Haus haben, werden wir die Kinder zu uns nehmen.

Vorläufig haben wir weder ein Haus noch sonst etwas, das uns gehört, außer dem, was in unsern Koffern ist. Wir wohnen in einer der altmodischen, ebenso komfortablen wie häßlichen Pensionen gegenüber der Staatsoper, und ich lebe so bequem wie nie zuvor. Es ist seltsam für mich, keine Geldsorgen zu haben, keine dringende Arbeit, sozusagen überhaupt keine, als bei den Proben im Theater zu sein, mit Maurice über seine Rollen zu sprechen und sein Lampenfieber zu teilen. Das wird anders werden, wenn wir ein Haus haben. Ab Herbst hat Maurice ein festes Engagement in M., und wir wollen dort bauen oder auch ein Haus kaufen. Nicht ich bin es, die das möchte, Maurice ist es, und so ist es mir recht.

Nun schreib mir, bitte, und vergilt nicht Gleiches mit Gleichem.

[An Herrn C.] *W., 15. März 1951*

Ihr Brief erschüttert mich. Ich habe nicht gewußt, daß Sie hier waren. Ich bin sonst jeden Abend im Theater, aber gerade an jenem Abend war ich erkältet und zu Hause geblieben, obgleich Maurice sang. Jetzt erinnere ich mich, daß nachmittags das Telefon klingelte und daß, weil ich so heiser war, Maurice statt meiner telefonierte. Er sagte: »Sagen Sie dem Herrn, er soll nach der Vorstellung auf mich warten.« Das müssen Sie gewesen sein. Ich fragte Maurice, mit wem er gesprochen habe, aber es schien, als habe er mich nicht gehört, und ich fragte nicht weiter. Sie waren also in der Vorstellung, und dann waren Sie mit Maurice zusammen. Er hat mir nichts davon gesagt. Ich habe ihn heute gefragt, warum er mir nichts davon erzählt hat. Er sagte: »Ich kann nicht annehmen, daß dich dieser Mensch interessiert.« Das ist alles, und es ist absurd, da er doch weiß, daß ich Ihre Bücher lese. Kein Wort über die Nachricht, die Sie ihm gebracht hatten. Nun: wenn er schweigen will, so soll er schweigen. Ich glaube ihn wohl zu verstehen. Es wäre zwar natürlicher, wenn er sich erleichtert zeigen würde darüber, daß Alice wieder geheiratet hat. Aber vielleicht ist es für einen Mann schwer erträglich, zu sehen, wie rasch sich eine Frau über seinen Verlust tröstet. Vielleicht empfindet er das als Niederlage und Demütigung. Vielleicht trauert er um seine Kinder, die nun in fremde Hände kommen. Vielleicht aber ist er um Alices willen beschämt, denn, nicht wahr, es ist wirklich sehr wenig Zeit vergangen seit der Scheidung, und es ist anzunehmen, daß Alice diesen neuen Mann schon vorher gekannt hat. Vielleicht aber wollte Alice, ebenfalls ihren Stolz hervorkehrend, zeigen, daß es ihr leichtfiel, Ersatz für Maurice zu finden. Vielleicht kommen alle diese Gründe zusammen, oder aber es ist ganz anders, und dieser Gedanke beunruhigt mich: vielleicht ist diese zweite Ehe eine Tat der Verzweiflung; Alice kann Maurice nicht vergessen, und möglicherweise hat sie jetzt erst begriffen, daß sie selbst es war, die ihn vertrieben hat. Ich sage mir freilich, daß Alice, dieses kühle, selbstsüchtige Geschöpf, nicht wirklich leidensfähig ist. Aber wer kennt das menschliche Herz?

So bin ich denn durch Ihre Nachricht keineswegs erleichtert, wie Sie glauben, sondern vielmehr betrübt und fast verstört. Ich werde aber Maurice Ihren Brief zeigen, und dann mag er reden oder schweigen.

Warum aber sind Sie damals nicht am nächsten Tag zu mir gekommen? Ich glaube, daß wir uns näher kennenlernen müssen. Und wie gern wäre ich zu Ihrem Vortrag gekommen. Ich habe erst zwei Tage später in der Zeitung davon gelesen. Aber es wollte nicht sein, diesmal nicht, und ich habe zu warten. Doch muß ich mit diesem Brief etwas richtigstellen: es könnte wundervoll für mich sein, in Ihren Augen die »Geopferte« zu sein, die heldenhafte Dulderin. Aber ich muß diesen schönen Irrtum entkräften. Ich bin keineswegs unglücklich, ich fühle mich nicht als Opfer, Maurice ist geheilt, wir leben ein ganz normales Leben, und ich habe keine besondere Last zu tragen.

Sie fragen nach meiner Arbeit. Die ist so wichtig nicht. Daß Sie einige meiner Arbeiten kennen und sogar schätzen, ist mir eine Freude. Aber ich schaue auf diese Arbeiten wie auf Fremdes. Ich habe jetzt keine Zeit zum Schreiben. Vielleicht werde ich nie mehr Zeit dazu haben. Ich denke das ohne Trauer. Ich habe im Leben gelernt, immer das jeweils Dringlichste zu tun und, ist die Hand erst auf den Pflug gelegt, nicht mehr zurückzuschauen. Das Dringlichste heißt jetzt für mich nicht: Schreiben. Es heißt: Maurice. Was mir nun Sorge macht, ist Alice. Bitte, schreiben Sie mir, wer der Mann ist, mit dem sie nun lebt, und ob er gut ist zu den Kindern. Schreiben Sie mir alles, was Sie wissen. Obgleich Alice sehr häßlich über mich sprach (ich höre ab und zu etwas darüber), kann ich sie weder hassen noch verachten, vielleicht einfach deshalb, weil sie einmal Maurices Leben geteilt hat und weil sie die Mutter seiner Kinder ist.

[An A. M.]   *W., 19. März 1951*

Diesen Brief schreibe ich hauptsächlich deshalb, um endlich wieder von Ihnen zu hören. Ich habe Ihnen fast gar nichts zu sagen; nichts von Belang für Sie. Es genügt, wenn Sie meine Adresse lesen und notieren, alles andre können Sie in den Papierkorb werfen. Aber ich habe solche Lust, an Sie zu schreiben. Es ist Frühling. Ich sitze im Operncafé an einem offnen Fenster, die Sonne scheint, der Himmel ist blau, die Luft hier ist ganz weich, sie macht sanft und müde und ein wenig gleichgültig gegen alles. Maurice studiert eine neue Partie, nächste Woche ist Premiere; das bedeutet, daß er sehr rasch lernen muß und daß er heftiges Lampenfieber haben wird, das ich mit ihm teilen werde; denn es ist nahezu unmöglich, in Maurices Nähe zu leben und nicht von ihm angesteckt zu werden von seinen Gefühlen, Einfällen, Ängsten, Übertreibungen, von seiner Intensität. Wenn er auf der Bühne steht, spielt er sich durchaus nicht in den Vordergrund, obgleich er es könnte, es ist vielmehr so, daß er durch diese seine Intensität alle Mitspieler ebenfalls zur Intensität drängt. Daher kommt es, daß alle Aufführungen mit ihm einen besonderen Glanz haben. Man weiß das hier. Ich glaube, er ist noch nirgendwo so gefeiert worden wie hier, und man will ihn durch eine ungeheure Gage halten. Aber er bleibt nicht. Im Herbst werden wir in M. sein. Ich glaube, Maurice geht nur deshalb nach M., weil er weiß, daß ich am liebsten dort leben möchte. Für ihn ist es im Grunde einerlei, wo er lebt. Er lebt ja ohnedies nur im Theater. Ich kenne keinen Menschen, der so vollkommen eins ist mit seiner Arbeit und sich so selbstverständlich in ihr verzehrt wie Maurice. Ich verstehe diese Art von Leben. Sie ist mir unheimlich vertraut. Und doch finde ich mich hin und wieder dabei, daß ich Maurices Leben betrachte, so wie man einem gewagten Experiment zusieht: gespannt und brennend in dem Wunsch, es möchte gelingen, und doch nicht ohne Bangen. Bedenken Sie, was für ein Leben dieser Mann führt: auf einer einzigen Spur laufend, blindlings vertrauend darauf, daß dieser Weg zugleich das Ziel ist, ohne sich jemals die Frage zu stellen, ob dieser Weg wirklich ein Ziel hat. Es mag andere Schauspieler geben, die auch noch ein bürgerliches Leben führen. Maurice hat kein anderes Leben als das eine: das auf der Bühne. Manchmal denke ich, daß ein solches Leben das ist, was man »begnadet« nennt. Denn es ist ein großes Glück, wenn man sich so fraglos verzehren kann in dem, was man soll und will. Aber manchmal denke ich, daß es Wahnsinn ist und Dämonie und Tragik. Wenn ich mir sage, daß es wohl beides ist, so ist damit wohl nichts gesagt.

Ach, lieber Freund, nun wollte ich nichts, als in der Sonne sitzen und ein wenig plaudern und von dieser sonderbaren Stadt erzählen, harmlose Dinge, die weder beim Schreiben noch beim Lesen anstrengen, und schon bin ich wieder beim einzigen Thema meines Lebens angelangt, bei dem, wovon aus ich alles betrachte. Ich lebe, um Maurice zu verstehen. In ihm verstehe ich alle Kunst, alle Arbeit, allen Wahnsinn, alles Glück, alle Schwermut. In ihm verstehe ich alle Menschen.

C. schrieb mir kürzlich, ob ich es denn ertrüge, nicht mehr zu schreiben. Ich war fast erstaunt über die Frage. Ich hatte sie mir bis dahin nicht gestellt. Wenn ich mich jetzt frage, so finde ich, daß es mich zumindest nicht schmerzt, nicht schreiben zu können. Ich glaube, ich entbehre es nicht. Mir war immer nur darum zu tun, das Leben in aller Intensität zu leben und es zu begreifen oder vielmehr: zu versuchen, es im Hinblick auf irgend etwas künstlerisch zu ordnen. Dieses »Irgend etwas« war zu verschiedenen Zeiten meines Lebens etwas anderes; einmal war es die »Poesie«, einmal die »nackte Wahrheit«, einmal die »Freiheit«, kurz: immer etwas, das mir gerade als das Wichtigste erschien. Und jetzt ordne ich das Leben im Hinblick auf einen einzigen Menschen, den ich liebe und in dem ich das Leben liebe.

Lieber Freund: wie gern habe ich früher geschrieben, wie gern gedacht und meine Gedanken ausgedrückt in »glänzenden Formulierungen«, wie Sie schrieben. Erinnern Sie sich an Ihre Kritik meines Essaybandes? Wie lang ist das her! Und jetzt ist meine Feder widerspenstig, und es liegt mir so gar nichts mehr an »glänzenden Formulierungen«, und so gar nichts mehr daran, von irgend jemand gelobt zu werden. Ist das Trägheit? Was ist es? Ach, es liegt mir nicht einmal mehr etwas daran, zu verstehen, was es ist. Ich weiß nur, was ich tun muß, Tag für Tag, und ich weiß, daß Sie mich verstehen. Ich habe immer stärker das Gefühl einer neuen geheimen Übereinstimmung zwischen Ihnen und mir. Diese Übereinstimmung war im Literarischen immer da. Aber dies ist nur eine einzige Seite und nicht die wesentliche. Mir ist, als ob wir einen gemeinsamen Weg gehen würden, Sie dort, ich hier. Ich weiß nicht, was für ein Weg das ist und wohin er führt.

Jetzt ist die Sonne von meinem Fenster weggewandert, es wird kühl, und es wird Zeit, Maurice vom Theater abzuholen. Schreiben Sie bald, ich bitte Sie.

[An Margret] *W., 15. April 1951*

Dein Brief kommt mitten in unsre Abreise. Ich sitze wieder einmal zwischen gepackten Koffern. Werde ich immer wieder dasselbe erleben? Wird es mir jemals gegönnt sein, seßhaft zu werden? Wünsche ich es überhaupt? Ich bin froh, diese Stadt verlassen zu dürfen, obgleich vielleicht keine andre Stadt so viel Verständnis für Maurice haben und keine ihm solche Triumphe bereiten wird. Wenn ich sagte, ich sitze zwischen gepackten Koffern, so hätte ich ebensogut sagen können: ich sitze zwischen Blumen. Zwischen Bergen von Blumen, die Maurice gestern bei seiner Abschiedsvorstellung bekam und die jetzt dann abgeholt werden für irgendein Krankenhaus oder ein Waisenhaus, ich habe vergessen.

Aber nun zu Deinem Brief. Er macht mir Sorge. Was ist denn geschehen? Du warst doch so fröhlich hier, an Ostern, an den beiden Tagen, die uns gegönnt waren. Du hast so gut ausgesehen, Du schienst zufrieden, Du hast Dich auf die neue große Stellung Deines Mannes gefreut und auf die geplante Afrikareise. Und nun schreibst Du, Dein Leben sei ohne Sinn, es sei verspielt. Ich bitte Dich: setz Dich sofort hin und schreib mir, was geschehen ist. Schreib mir nach Z. ans Theater; ich weiß nicht genau, wie das Hotel heißt, in dem wir wohnen werden. Laß mich nicht lange in dieser Ungewißheit.

Wir fliegen in zwei Stunden ab. Wir bleiben nur drei Wochen in Z., dann werden wir in P. sein. Wie sehr habe ich mir früher gewünscht, reisen zu können. Jetzt kann ich es, aber jetzt hat es den Glanz nicht mehr, den es früher hätte haben können. Der Gedanke könnte einen schwermütig machen. Aber es ist belanglos.

[An A. M.]   *P., 10. Mai 1951*

Was für ein Brief. Ich bin verwirrt, ich bin außer mir, ich begreife gar nichts. Ist es denn wahr? Aber ich kann nicht zweifeln. Sie sagen es mit so klaren, einfachen Worten, als wäre es das Selbstverständlichste und als könnte es mich keineswegs überraschen. Sie wollen ins Kloster eintreten. Sie! Ihr Geist, Ihr Witz, Ihre Fähigkeit zu den wärmsten Gefühlen, Ihre Arbeitskraft, Ihre Karriere – das alles wird nichts mehr sein. Sie werden durch ein Tor eintreten, das Tor wird hinter Ihnen zufallen, und es wird zubleiben, für immer. Was für ein Verlust für uns alle, und was für ein Verlust für mich. In diesem Augenblick erst kann ich ganz ermessen, was Sie mir waren. Obgleich nicht viel älter als ich, waren Sie mir doch ein Führer im Künstlerischen. Ihre Urteile waren so genau, Ihr Geschmack war so sicher, Ihre Ehrlichkeit unbestechlich. Ihr Platz in der Welt wird leer bleiben. Es steht mir nicht zu, nach den Gründen zu fragen, die Sie zu diesem Entschluß brachten. Aber ich denke doch verzweifelt darüber nach. Niemals habe ich einen Mangel an Ihnen bemerkt: Sie waren so voller Leben, Sie haben geliebt, Sie selbst haben mir von Ihrer Tochter erzählt, deren Mutter niemals Ihre Frau geworden ist, Sie waren ehrgeizig, Sie waren voll von Einfällen und Plänen, und Sie strahlten Wärme aus, Wärme und Heiterkeit und männliche Kraft. Und dies alles werfen Sie jetzt weg. Wofür? Ich habe wohl aus Ihren letzten Briefen einen neuen, einen fremden Ton gehört. Ich glaube, ich schrieb es Ihnen. Es war, als nähmen Sie Abschied. Sie sagten nichts, und doch habe ich es gefühlt, ohne zu verstehen. Das also war es. Sie haben sich leise und langsam abgelöst von der Welt, von uns allen, von mir. Sie haben es gründlich getan. Jetzt ist es vollbracht. Jetzt gehen Sie fort, und ich werde Sie niemals mehr erreichen. Sie müssen verzeihen: ich denke nur an mich. Ich müßte mich freuen darüber, daß ein Mann einen so kühnen Entschluß zu fassen vermag. Ich habe alles Radikale geliebt. Ich liebe es noch. Aber Sie, gerade Sie –. Ich werde den Verlust nicht verschmerzen. Niemals habe ich Ihnen gesagt, was Sie mir waren: das Unveränderliche in meinem Leben, der nie versagende Trost, die große Anregung, *der* Freund. Ich habe niemals einen anderen Freund gehabt als Sie. Das haben Sie nicht gewußt. Sie sollen es jetzt wissen. In den schwierigsten Stunden dachte ich an Sie: ›Was würde A. M. mir raten?‹ Und ich wußte immer, was Sie mir geraten hätten: immer das Wahrhaftige, das Eindeutige, das Geforderte. Niemals waren Sie hart zu mir, immer waren Sie zart und liebenswürdig, und immer erwiesen sich Ihre leisen, klugen Worte als strengste Forderung. Wie werde ich Sie entbehren. Wie verwaist bleibe ich zurück. Nichts wird mir diese Freundschaft ersetzen.

Ich rede und rede, als könnte ich Sie zurückhalten oder doch wenigstens einen Aufschub erlangen. Aber Sie haben ja schon den Tag bestimmt: Erster Juli. Noch sechs Wochen. Kann ich Sie vorher noch sehen? Gewähren Sie mir einen Abschied? Ich bitte Sie darum.

Ach –: und ich glaubte noch vor einigen Wochen, ich schrieb es Ihnen (wie müssen Sie gelächelt haben, als Sie es lasen!), daß wir wohl ein und denselben Weg gehen. Welche Täuschung. Welch grausame Trennung unsrer Wege.

Endlich Dein Brief. Wie Du mich hast warten lassen! Jetzt also
weiß ich, was Dich bedrückt; Du sagst es mir jedenfalls. Aber im
Grunde verstehe ich es nicht. Was denn hat sich in Deinem Leben
geändert? Daß Dein Mann wieder einmal eine Liebschaft hat,
das kann Dich doch keinesfalls mehr so bestürzen. Du bist daran
gewöhnt, und Du entbehrst dabei nichts. Du weißt doch, daß er
immer wieder reumütig zu Dir zurückkehrt. Du weißt auch, daß
er im Grunde immer bei Dir ist und daß er sich seiner lächerlichen
Kapriolen schämt. Wie kannst Du sagen, Deine Ehe sei verändert.
Ich glaube, es ist nicht Deine Ehe, die verändert ist, sondern Du
bist's, Deine Vorstellung von der Ehe ist verändert. Ich glaube
auch zu wissen, was in Dir geschehen ist. Ich fürchte, Du hast
Dir einen neuen Maßstab für die Liebe gebildet, und Du hast ihn
Dir gebildet im Ansehen und Miterleben meiner Liebe und Ehe.
Du meinst jetzt erst zu wissen, was die vollkommene Liebe ist.
Aber verfällst Du damit nicht einer Täuschung? Vergiß nicht,
daß Maurice und ich heftigere Temperamente sind und daß wir
von Natur aus zum Übermaß und zur Unbedingtheit neigen,
und daß alles, was wir tun, den Stempel dieser unsrer Eigenart
trägt. So erscheint Dir auch unsre Liebe als etwas Äußerstes, etwas
unüberbietbar Intensives. Aber das, was Du siehst, ist nicht das
Wesen unsrer Liebe. Wäre es dies, so wären wir längst nicht mehr
beisammen. Wir hätten uns verzehrt in unsrer eigenen Glut. Das
Wesen unsrer Liebe ist kein andres als das der Liebe zwischen Dir
und Deinem Mann: der Wille zum Miteinander-Aushalten, die
tägliche Bewährung, das treue Teilen jeder Sorge und das Verstehen und Verzeihen. Dein mütterliches Lächeln über Ales törichte Seitensprünge ist Liebe. Ales beharrliches und beschämtes
Zurückkehren zu Dir ist Liebe. Was willst Du mehr? Ich hoffe
nicht, daß Du glaubst auf »die große Liebe« warten zu müssen,
die irgendwo als ein schönes und gefährliches Tier im Gebüsch
liegt, bereit, Dich anzuspringen in jenem Augenblick, in dem es
Dich endlich allein findet. Du wirst mir sagen: Aber Du hast die
große Liebe gefunden, Du hast gut reden. Margret, es ist nicht
ganz so, wie Du meinst. Ich habe meine große Leidenschaft gefunden, das ist wahr. Aber was ist eine Leidenschaft! Sie ist nichts
als ein Angebot, eine Chance zur Liebe. Leidenschaft allein führt

immer zu einer Katastrophe. Das glücklichste Schicksal, das leidenschaftlich Liebende ereilen kann, ist der Tod, der gemeinsame oder der des einen von beiden. Aber Leidenschaft ist nicht Liebe. Liebe ist etwas anderes, sie ist einfach eine Aufgabe, die täglich neu gestellt wird und gar nichts »Heroisches«, gar nichts »Glühendes« hat. Ihr Wesen ist Treue, Verzicht, Vertrauen.

Ach Margret, ich sehe jetzt Dein Gesicht: Du ziehst, wenn Du dies liest, Deine Brauen hoch und bekommst Deinen schiefen Blick. Ich würde Dir gern den Gefallen tun und sagen: »Es ist ja alles nicht wahr, was ich sagte, ich meinte es nicht so, ich bin nicht alt und weise geworden, ich sage das nur so, um Dich zu trösten.« Aber, meine Liebe, ich kann nicht zurücknehmen, was ich gesagt habe. Es ist das Beste, was ich Dir sagen kann. Es ist meine Wahrheit. Man muß sie leben, um zu erfahren, welche Leidenschaft im Verzicht auf die Leidenschaft liegt.

Möglicherweise verstehst Du kein Wort von alledem, weil Du nicht verstehen willst. Aber vielleicht bin ich es, die Dich nicht verstanden hat, und vielleicht versuche ich Dir eine Wahrheit aufzudrängen, die Dir nicht helfen kann, weil Deine Lage eine ganz andre Wahrheit fordert. Wenn Du mir doch schreiben wolltest, was es wirklich ist, das Dich so unglücklich macht.

Ich nähme gern das nächste Flugzeug, um Dich zu besuchen. Aber Maurice hat übermorgen Premiere, und Du weißt, wie er ist: sein Lampenfieber macht ihn verrückt, und ich habe große Mühe, meine eigne Vernunft zu wahren und nicht auch zu zittern. Aber überleg Dir, ob Du nicht herkommen kannst. Es ist so schön hier, und wir könnten reden, über alles reden, was Dich quält. Komm!

[An A. M.]   *P., 18. Mai 1951*

Fast möchte ich meine Bitte, Sie noch einmal zu sehen, zurücknehmen, nachdem ich Ihren Brief gelesen habe. Was für einen Abstand legen Sie zwischen uns beide. Sie tun es ohne Absicht. Sie wissen nicht, daß Sie es tun. Aber Sie sind fortgegangen. Sie haben mich schon verlassen. Sie sprechen bereits eine andere Sprache, wenngleich Sie sich bemühen, nichts zu sagen, was ich nicht verstehen könnte. Sie sprechen zu mir wie zu einem Kind, zu dem man sich herabläßt. Nein – ich tu Ihnen unrecht. So ist es nicht. Sie bemühen sich vielmehr, mich nicht zu erschrecken und nicht abzustoßen. Als ob ich Ihre Sprache nicht kennte! Als ob ich nicht im Katholizismus aufgewachsen wäre. Ach, ich kenne diese Sprache, ich erkenne sie an der leisesten Andeutung, an der zartesten Wendung, ich fühle sie im Unausgesprochenen. Aber ich liebe sie nicht. Meine Eltern haben sie gesprochen, mit einem härteren und gewöhnlicheren Akzent als Sie, zugegeben, aber es war die gleiche Sprache, und sie hat meine Kindheit zerstört und meine Jugend. Meine Religionslehrer haben sie gesprochen, bald diktatorisch, bald bieder und zufrieden, und sie haben damit alles in mir zum Erfrieren gebracht, was an Liebe zu dieser Religion geblüht hat. Es ist eine Sprache der Routiniers, eine abgebrauchte, verstaubte, muffige Sprache, auch wenn Herr C. sie in dichterischem Schwung zu befreien glaubt. In dieser Sprache kommen mir einige Wörter zu oft vor: Gott, Opfer, Liebe, Tugend, Kreuz, Leiden, Demut. Nicht als ob ich diese Wörter verabscheute. Aber sie enthalten schwere Geheimnisse, und man kann sie, selbst wenn man sie nur ahnungsweise begreift, nicht einfach so gebrauchen wie man Staubtuch, Besen, Bett und Flugzeug sagt. Verstehen Sie, was ich meine? Eine Religion, die sich bürgerlich installiert hat, kann nicht mehr erlösen, sie kann höchstens den befriedigen, den alle andern Angebote des Lebens nicht mehr reizen, weil er schlechte Erfahrungen mit ihnen gemacht hat und weil er müde ist oder auch neugierig. Und nun Sie: Sie, der Unkonventionelle, der es verstand, jedes Wort wie neugeboren erscheinen zu lassen, der nichts ungeprüft ließ, der sich jede Freiheit zu denken nahm, der zu schockieren verstand, der Angriffslustige, der auf Ursprünglichkeit Erpichte, der wahrhaft glänzende Geist – Sie schreiben mir: »Der einzige Grund für meinen Entschluß ist meine Liebe zu Gott.« Kein Kommentar. Was soll ich mit diesem Satz beginnen? Wie sehr erinnert er an Erbauungsbücher, geschrieben für jene, denen eine solche Ausdrucksweise geläufig ist. Aber ich, der das einstmals Geläufige um seiner Geläufigkeit willen unverständlich wurde? Mein Freund – ach, dieses Wort gilt nicht mehr, es kann und darf nicht mehr gelten – ach, Sie haben sich zu denen geschlagen, die Feindschaft setzen zwischen mich und die Religion meiner Kindheit. Daß Sie das tun, ist ein Schmerz für mich, der von Stunde zu Stunde wächst. Ihr Entschluß verwirrt mich aufs äußerste. Habe ich mich so in Ihnen getäuscht, jahrelang? Oder sollte ich fragen: Was für eine ungeheure Kraft ist das, was einen Mann wie Sie dazu bewegt, alles auf diese eine, diese anfechtbare Karte zu setzen?

Ich laufe durch die Straßen wie eine Blinde, besessen von dem einen Gedanken: warum, warum tut er das, warum wird er ein Mönch? Ich weiß, daß ich es niemals werde verstehen können. Denn ich weiß längst, daß man nur verstehen kann, was man lebt. Ich werde Ihr Leben niemals leben können. Das heißt, daß ich Sie niemals mehr verstehen werde. Ich bin durch viel Erfahrung dazu gebracht worden, anzunehmen, der Sinn des Lebens liege darin, daß man ganz und gar für einen andern Menschen (oder auch für viele) lebt. Sie aber werden im Kloster für niemand mehr da sein, auch wenn Sie vielleicht in der Bibliothek arbeiten oder gelegentlich Aufsätze schreiben werden. Sie werden alle Beziehungen abbrechen müssen. Sie dürfen nicht mehr lieben, keine Freundschaften mehr haben, an nichts und niemand hängen. Sie werden nicht einmal mehr Sie selber sein dürfen. So wenigstens ist meine Vorstellung vom mönchischen Leben. Werden Sie nicht jener Mann aus dem Evangelium sein, der sein Talent vergräbt? Ach, Ihre Begabung, Ihr Geist, Ihr Stil, Ihr Mut, Ihr Witz, Ihre Überlegenheit, Ihre Klarheit, Ihre Wärme, – fort, vergraben, vergessen. Was hätten Sie hier, »in der Welt«, Gutes wirken können. Nun überlassen Sie uns unsrer Verwirrung. Sie gehen, Sie ziehen sich zurück, Sie haben nichts mehr zu schaffen mit unsern Sorgen, Leiden, Freuden. Das ist Verrat. Niemals werde ich mich damit abfinden können. Vielleicht aber werden Sie mir eine Erklärung geben können. Ich möchte verstehen. Denn wenn ich Sie jetzt und darin verstehen könnte, so würde sich etwas in meinem Leben ändern, und ich könnte weit mehr verstehen als Ihren Entschluß.

Nun: ich erwarte Sie also Ende des Monats.

[An Margret] *P., 24. Mai 1951*

Wir waren vierzehn Tage in B., und die Post ist uns aus Versehen nicht nachgeschickt worden. Nun liegen zwei Briefe von Dir da. Im ersten schreibst Du, ich hätte Dich mißverstanden und Du wolltest Dich nicht von Ale trennen, um einen andern Mann zu finden, sondern einfach um frei zu sein (»endlich frei zu sein«, schreibst Du). Im zweiten sagst Du, daß Du einfach diese Art von Leben satt hast. Alles, was Du noch hinzufügst, ist nichts als eine Wiederholung dieser beiden Sätze. Ich versuche, Dich so genau wie möglich zu verstehen.

Wie ist denn »diese Art von Leben«, die Du »satt hast«? Es ist keine sehr schwierige und beschwerliche Art gewesen. Du hast Dich häuslich eingerichtet in Deinem Leben. Du hast Behagen darin gefunden. Alles war ordentlich und klar, selbst Ales Seitensprünge gehörten zur Ordnung. Du hast genau soviel Geld, um niemals ans Geld denken zu müssen. Du hast einen erfolgreichen Mann. Du hast Dich über seine Erfolge gefreut, und Du hast sie geteilt. Du hast Dir alle Wünsche erfüllen können, und Du hast Dir nichts gewünscht, was außerhalb Deiner Möglichkeiten lag. Du bist Deinem Mann eine gute Frau gewesen. Du hast vielen andern Menschen geholfen, indem Du die Beziehungen, die Dein Mann zu allen wichtigen politischen Stellen besitzt, klug genutzt hast. Du hast niemand etwas Böses getan. Und diese Art von Leben also hast Du satt. Warum? Einfach weil Dich das Gleichmaß anödet? Oder glaubst Du zu fühlen, daß Deine Möglichkeiten nicht ausgenützt wurden? Fühlst Du Dich in der Enge?

Damit sind wir bei Deinem Wort von der Freiheit. Du möchtest »endlich frei sein«. Du empfindest also Dein bisheriges Leben als ein Leben in der Unfreiheit. Inwiefern? Ale läßt Dir alle Freiheit. Du kannst reisen, wohin Du willst. Er könnte Dir, da es sein schlechtes Gewissen beruhigen würde, sogar eine Untreue verzeihen. Du kannst wirklich alles tun, was Du willst. Du hast so viel Freiheit wie niemand von uns. Fühlst Du Dich unfrei, weil Du verheiratet bist? Wärst Du frei, wenn Du geschieden wärst? Oder laß mich fragen: was erhoffst Du Dir von der Scheidung? Nun eben die Freiheit, wirst Du sagen. Was aber ist Freiheit? Oder fragen wir lieber: wozu willst Du frei sein? Was willst Du tun, wenn Du allein bist? Ist es etwas, das Du nur dann tun kannst, wenn Du von Ale getrennt bist? Oder geht es gar nicht ums Tun, sondern einfach um Frei-Sein, um das Gefühl, alles tun zu können, was Du tun willst, selbst wenn Du nichts davon wirklich tust?

Ich erinnere mich an eins unsrer Gespräche damals in M. Du hast mich beneidet um meine »Freiheit«. Ich war aber ganz und gar nicht frei. Ich war an meine Redaktionsarbeit gebunden und mußte Geld verdienen, und meine Arbeit jagte mich wie der Hund den Hasen, und mein Leben hing ab von Maurices Anrufen und Telegrammen. Mein Herz und mein Geist waren gebunden durch die Sorge um ihn. Und Du hast mich um meine Freiheit beneidet! Das aber läßt mich vermuten, daß Du unter »Freiheit« etwas anderes verstehst. Vielleicht denkst Du, ich sei freier als Du, weil ich genau das Schicksal habe, das ich will, während Du eines hast, das Dir aufgezwungen wurde, oder doch eins, aus dem Du hinausgewachsen bist, wie man 'als Kind aus einem Kleid hinauswächst? Meinst Du das? Fühlst Du Dich leer? Du hast keine Kinder. Vielleicht glaubst Du, daß die Liebe zwischen Ale und Dir etwas Unzureichendes ist, eine fadenscheinige Angelegenheit, die niemals wirklich etwas für Dich bedeutet hat? Ich glaube, Du willst nicht »frei« sein, sondern vielmehr stärker gebunden. Wirst Du mir glauben, wenn ich Dir sage, daß ich mich nie freier gefühlt habe als jetzt, da ich gar kein Leben mehr für mich habe? Weißt Du denn, wie ich lebe? Soll ich Dir erzählen, wie mein Tag verläuft? (Mein Leben besteht aus Tagen, von denen jeder einzelne bestanden werden muß.) Ich bin es gewöhnt, früh aufzustehen. Ich wache früh auf. Aber Maurice schläft noch, denn er schläft nachts sehr schlecht. Ich darf nicht aufstehen, sonst wacht er auf. So liege ich denn da und denke und warte, bis Maurice aufsteht. Am Morgen ist er, nach einer Nacht voll von schlechten Träumen, ganz zerschlagen, und er braucht mich zur Erheiterung. Dann gehe ich mit in die Probe oder zu Schallplatten-Aufnahmen oder wohin immer er gehen muß. Mittags essen wir meist mit irgendwelchen Menschen, die uns einladen oder die wir einladen müssen. Dabei muß ich achtgeben, daß Maurice keine Abmachungen trifft, die er nicht einhalten kann, daß er seine Termine nicht durcheinanderbringt, daß er beim Abschluß von Verträgen aus Leichtsinn oder vielmehr Gleichgültigkeit sich nicht übers Ohr hauen läßt, und obendrein muß ich achtgeben, daß er nicht merkt, wie sehr ich achtgebe, denn er ist darin empfindlich. Nachmittags arbeitet er mit seinem Solorepetitor. Diese Stunde gehört mir. In dieser Stunde schreibe ich Briefe oder lese ich, oder ich sitze beim Frisör. (Ich muß jetzt leider sehr darauf bedacht sein, »gut auszusehen«, das gehört mit zu meinen Aufgaben, und es ist eine der lästigsten für mich.) Dann hole ich Maurice ab, und wir »reden«. Das heißt: wir sprechen über seine Rollen, wir arbeiten sie wieder und wieder durch, um ihnen auf den Grund zu kommen.

Wenn er am Abend singt, beginnt jetzt die Zeit des Lampenfiebers. Das ist wirklich eine Art Krankheit, die sich bei Maurice in absurden Klagen über seine künstlerische und menschliche Unzulänglichkeit äußert. Ich habe mich noch immer nicht daran gewöhnt und lasse mich jedesmal von neuem erschrecken und verwirren. Nun: und dann fahren wir ins Theater oder Konzert, und er singt, er ist wunderbar, sein Leben erfüllt sich. Dann kommt die Nacht, die Entspannung, die Traurigkeit der Erschöpfung, und ich versuche zu trösten und weiß doch, daß hier gar kein Trost nötig ist und daß es keinen gibt, weil die Traurigkeit der Preis für die große Begabung ist.

Ist das ein Leben in Freiheit? Ach, Margret: Freiheit ist nichts. Freiwillig die Freiheit aufgeben (eine Freiheit, die es ohnehin nicht gibt), das ist die einzige Art von Freiheit, die man leben kann. Du hast mir in M. immer wieder gesagt, daß ich von uns beiden die Erfahrenere bin. Wirst Du mir auch jetzt noch die größere oder tiefere Erfahrung zugestehen? Wenn Du Deine Unfreiheit aufgeben wirst, was wirst Du gewinnen? Nichts als die Illusion der Freiheit. Du wirst von ihr nicht leben können.

Wenn es aber so ist, daß Du einfach Dein Leben als leer empfindest, so sag es mir. Komm zu mir, und wir wollen versuchen herauszufinden, womit Du es erfüllen kannst.

Noch eins zum Schluß: fordere das Schicksal nicht heraus. Verlang nichts Außergewöhnliches. Das Ungewöhnliche und »Große« ist dem Menschen keineswegs als freundliches Geschenk zugedacht. Es ist vielmehr ein Nest voll von schlafenden Schlangen. Sei klug, liebe Schwester. Ich glaube, das »Große« liegt einzig in der Intensität, mit der man sein Schicksal erlebt und es besteht.

Ach, verzeih, wenn ich predige. Es ist mir so ungewohnt. Es macht mich verlegen. Aber ich will Dir das Beste sagen, das Erprobte, das was ich als »wirklich« erkannt habe.

Vielleicht aber habe ich Dich immer noch nicht ganz verstanden. Wenn es so ist, gib es bitte nicht auf, Dich mir verständlich zu machen.

Dieser Brief erreicht Sie gerade noch »in der Welt«, wahrscheinlich am Morgen Ihrer Abreise nach S. Vielleicht ist es der letzte
Brief, den Sie lesen, ehe Sie Ihr Noviziat beginnen. Jetzt sind Sie
noch bei Ihrer Mutter, in dem schönen Haus, das Ihr Heim geworden wäre, wenn Sie es so gewollt hätten. Aber Sie haben
anders beschlossen. Sie werden einen Weg gehen, auf dem Ihnen
weder Ihre Mutter noch Ihre Schwester noch Ihre Tochter noch
ich Ihnen werde folgen können. Mein Freund, zum letztenmal
nenne ich Sie so. Von übermorgen an wird mir dies verboten sein
durch die ungeheure Distanz, die zwischen uns entsteht mit jenem
kleinen Schritt, der Sie über die Schwelle Ihres Klosters trägt. Ich
werde nicht dabei sein, wenn Sie diesen Schritt tun, aber ich werde
bis hierher das Zufallen der Pforte hören, und es wird mir sein, als
fiele diese Tür hinter einem Teil meines eignen Lebens zu. Einen
Vorgeschmack davon habe ich erfahren, als Sie die Tür Ihres
Wagens zuschlugen, dieses Wagens, den Sie so gut und so gern
fuhren und der Ihnen so wenig ins Kloster folgen wird wie alles,
was Sie besaßen. Der Blick, mit dem Sie von mir Abschied nahmen, galt nicht mir allein, er galt allem, was Ihre Welt war. Es
war ein Blick ohne Pathos, ohne Schmerz, ohne Furcht. Es war
vielmehr ein Blick entrückter Zärtlichkeit und behutsamer Heiterkeit. Nichts von mönchischem Ernst, nichts von Strenge und
Entsagung. Wie Sie das alles zurücklassen, als wäre es nichts! Und
doch ist es Ihnen nicht ein Nichts, was Sie verlassen. Sie haben
dieses Leben heiß geliebt, Sie haben es gelebt, Sie verlassen es zu
einer Zeit, in der Sie noch jung genug sind, um zu lieben, zu genießen, zu leben. Sie resignieren nicht, Sie gehen nicht erbittert
von dannen, Sie verachten die Welt nicht, Sie lieben, was Sie verlassen. Was für eine Großmut, was für ein Geschenk an jenen
Empfänger, der Ihnen den Empfang niemals bestätigen wird.
Freiwillig und ohne Erwartung eines Danks legen Sie ihm das
große Geschenk zu Füßen. Es gab einen Augenblick gestern, als
wir vor dem Dom saßen und den Tauben zusahen und als Sie mir
mit Scheu und Widerstreben, aber zugleich mit der Begierde,
mich teilnehmen zu lassen, Ihr künftiges Leben schilderten, da
fühlte ich Neid. Sie sahen glücklich aus. Aber als ich Sie fragte,
ob denn Ihr Entschluß schon seit langem in Ihnen vorbereitet war,

wichen Sie mir aus. Und gerade das hätte ich wissen müssen. Sie haben niemals vorher irgend etwas geschrieben, weder in Ihren Rezensionen noch in Ihren großen Aufsätzen noch in Ihren Briefen, was auch nur als zarteste und flüchtigste Spur Ihres Entschlusses gelten könnte. Es war nicht einmal zu erkennen, ob Sie katholisch waren. Was mich an Ihren Arbeiten anzog, war die große Klarheit Ihres Denkens. Hat Sie das Denken in den Orden geführt? Haben Sie einfach die logische Konsequenz gezogen? Oder haben Sie etwas erlebt, das Sie plötzlich verwandelt hat? Ich glaube es nicht. Sie sind immer Schritt für Schritt gegangen. Wenn Sie wüßten, wieviel es mir bedeuten würde, wirklich zu wissen, was Sie ins Kloster führt! Sie sprachen vom mönchischen Gehorsam. Ist es das, was Sie anzieht? Sind Sie der Selbstverantwortung müde? Oder haben Sie mit ihr Schiffbruch erlitten? Oder suchen Sie einfach die große Stille und Abgeschiedenheit? Sie, der Sie stets mit wehender Fahne mitten in den offenen Kampf sprangen? Ich kann es nicht denken. Sie gehen aus keiner Art von Enttäuschung ins Kloster. Sie schrieben im letzten Brief, Sie tun es »aus Liebe zu Gott«. Aber was ist das? Lieben Sie Gott im Kloster mehr als »in der Welt«? Können Sie ihm Ihre Liebe hier draußen nicht stärker beweisen? Wer wird auf Ihre Worte hören, wenn Sie ein Mönch sind? Viele von denen, die Sie hätten fangen können, wären Sie ein Mensch wie wir alle, werden jetzt denken: »Er hat uns nichts mehr zu sagen. Er versteht uns nicht mehr. Er spricht unsre Sprache nicht mehr.« Oder glauben Sie, man könne Gott lieben, ohne die Menschen zu lieben? Glauben Sie an eine ausschließliche, eine pfeilgerade auf ihn gerichtete Liebe? Erscheint Ihnen die Liebe zum Menschen als ein unnötiger Umweg?

Nein, nein, nein, ich verstehe Sie nicht. Ich sehe nur, daß Sie glücklich sind. Ich sehe, daß Sie gefunden haben, was Sie suchten. (Oder daß Sie gefunden wurden. Das fiel mir gestern ein, als Sie sagten: »Mein Kloster« und »Mein Abt«. Es klang, als sprächen Sie von Ihrer Mutter und Ihrem Vater, die ausgegangen waren, Sie heimzuholen.)

Ich möchte Ihnen so vieles noch schreiben, denn übermorgen schon werde ich es nicht mehr können. Ihre Post wird gelesen werden, und ich mag nicht fremde Augen auf meinen Briefen. Nie mehr werde ich Ihnen so schreiben können, aber auch jetzt schon lasse ich meine Feder verzweifelt sinken. Ich kann Sie nicht mehr erreichen. Nur eines sagen Sie mir noch, ehe die Tür zufällt: was haben Sie gemeint damit, als Sie sagten, ich hätte mich nicht geirrt, wenn ich glaubte, wir gingen den gleichen Weg? Was wollten Sie damit sagen? Mein Weg ist so verschieden von dem Ihren wie ein Dschungelpfad von einer Paßstraße im Hochgebirge. Sie gingen fort, ohne mir Ihr Wort zu erklären. Ich sitze, während ich diesen Brief schreibe, auf der gleichen Bank im Domgarten, auf der wir gestern saßen. Aber niemand ist da, der zu mir spricht.

Vergessen Sie meine Klage, aber vergessen Sie nicht ganz jene, der Ihr Fortgehen diese Klage entrissen hat. Wenn ich beten könnte, wie ich es als Kind konnte, so würde ich darum beten, daß Sie so glücklich bleiben wie Sie es gestern waren, und daß Sie derjenige sein möchten, der sein Leben so schön zu Ende führt, wie wir andern es möchten und nicht können.

Dank dafür, daß Ihr letzter Besuch in der Welt mir galt. Es war ein kostbares Geschenk. Und wenn Sie dürfen, so lassen Sie mir hin und wieder einen Gruß zukommen, und vergessen Sie nicht die Antwort auf meine Frage: wieso gehe ich den gleichen Weg wie Sie?

[An Ale D.] *1. Juni 1951*

Dein Brief erschreckt mich. Schon allein die Tatsache, daß es der erste Brief ist, den ich von Dir bekomme, ist alarmierend. Daß Du in Deiner Verwirrung zu mir kommst, ist schön, und ich danke Dir für Dein Vertrauen. Aber ich bin fast ebenso ratlos wie Du. Margret hat Dich also wirklich um die Scheidung gebeten. Ich war darauf vorbereitet durch zwei oder drei Briefe von ihr selbst. Aber ich habe nicht geglaubt, daß sie es wirklich tun würde. Sie hat mir geschrieben, daß sie »endlich frei sein« möchte und daß sie »diese Art von Leben nicht mehr ertrage«. Dir hat sie also gesagt, daß sie einfach nicht mehr verheiratet sein möchte; sie findet, das sei Grund genug zu einer Scheidung. Ich verstehe, daß es Dir absurd erscheint nach drei Jahrzehnten Ehe, und Du suchst verzweifelt nach dem wahren Grund. Du meinst, sie habe Deine zahlreichen Seitensprünge satt, die sie mit soviel Diskretion und Gelassenheit ertragen habe und die doch wohl ihre Geduld schließlich erschöpft haben. Es habe sich so viel unterdrückter Groll in ihr angesammelt, daß sie Dich schließlich zu hassen begann oder doch zu verachten. Nein, lieber Schwager, diese Erklärung, so einleuchtend sie erscheint, stimmt nicht. Wenn sie zutreffen würde, so hätte Margret es mir oder auch Dir gesagt. Sie war immer offen, nüchtern und sachlich. Wenn meine Schwester einmal Deiner Affairen wegen gelitten hat, dann nur am Anfang Eurer Ehe. Das ist längst vorbei. Vergiß nicht, daß ihre Gefühle immer gemäßigt sind und daß sie zu wirklicher Eifersucht nicht fähig ist. Wenn Du ihre Geduld erschöpft haben solltest, dann gewiß nicht durch Deine Untreue, die gar keine war, wie Margret wohl weiß.

Aber vielleicht gibt es einen andern Grund für sie, Dich nicht mehr zu schätzen und zu lieben, und diesen Grund übersiehst Du völlig bei Deinen Selbstvorwürfen. Es gibt etwas in Eurer Ehe, um dessentwillen Du wirklich Schuldgefühle haben könntest und solltest: Margret hat keine Kinder. Sag bitte nicht, daß sie keine wollte. Es war vielmehr so, daß sie, nachdem Du sie davon überzeugt hattest, Kinder seien ein Hemmschuh in Deinem Beruf, aus Liebe zu Dir Deine Ansicht übernahm und sie zu ihrer eigenen machte. Du hast Deine Frau für Dich allein haben wollen. Mit Haut und Haar hast Du sie aufgezehrt. Ich glaube, diese Selbstsucht rächt sich immer. Wenn Du Margret mehr geliebt hättest, so hättest Du gefühlt, daß sie Kinder haben wollte, und Du hättest ihr zuliebe darauf verzichtet, ihr einziges Kind sein zu wollen. Deine Liebe war voller Selbstsucht, darum hat sie schließlich Selbstsucht geweckt. Margret will Dich nicht mehr, weil sie sich selber will. Ihr Scheidungswunsch ist Rebellion gegen Dich und Deinen Egoismus.

Aber was wird sie sein, wenn sie »frei« sein wird? Was wird sie tun? Du wirst ihr Geld genügend geben, daß sie gut leben kann. Aber das will sie ja gar nicht. Was aber will sie? Will sie eine neue Liebe, einen andern Mann? Ich glaube nicht. Da sie Dich nicht mehr will, will sie auch keinen andern mehr. Will sie arbeiten nach einem Leben ohne wirkliche Arbeit? Sie hat nichts gelernt, sie kann in keinem Beruf irgend etwas Nützliches tun. Caritativ könnte sie arbeiten. Aber sie ist verwöhnt, sie hat niemals mit der Armut zu tun gehabt, sie ist eine Ästhetin, ihr wird schaudern

vor dem Elend. Und nur ein wenig am Rande der Not herum-
spielen, das würde sie nur noch unglücklicher machen.

Diese Scheidung wäre sinnlos, es sei denn, die ernsthafte, offizielle
Trennung von Dir würde meine Schwester lehren, daß ihr Platz
bei Dir ist. Willst Du den Versuch wagen? Willst Du sie gehen
lassen? Selbst auf die Gefahr hin, daß sie nicht mehr kommt?
Willst Du sie das Leben versuchen lassen? Du könntest ihr auch
den Vorschlag machen, ein fremdes Kind anzunehmen. Aber ich
glaube nicht, daß es dies ist, was ihr helfen wird, jedenfalls nicht
jetzt. Wenn sie zu Dir zurückkommt, wird dafür immer noch
Zeit sein.

Ich bin nicht sicher, daß mein Rat richtig ist. Doch glaube ich,
daß es keinen bessern gibt, wenn man Margret kennt. Wenn Du
wirklich in die Scheidung willigst, so schreib mir, wie Margret
Dein Eingehen auf ihren Vorschlag aufgenommen hat. Möglicherweise zieht sie ihn zurück. Schreib bald, ich bin in großer
Sorge.

[An Herrn C.]   *P., 25. Juni 1951*

Ich fürchte, dies wird ein langer Brief werden, ein Brief voll von
schweren Fragen. Wappnen Sie sich mit Geduld. Ich würde es
vorziehen, Ihnen nicht zu schreiben, ich meine: nicht gerade
Ihnen diese Fragen vorzulegen, und dies aus zwei Gründen: einmal, weil ich, trotz unsres so kurzen, aber so viel Eis schmelzenden
Treffens vor vierzehn Tagen, doch noch immer große Scheu vor
Ihnen habe, und zum zweiten (aber es ist wohl ein und derselbe,
der zweite Grund ist der Grund für den ersten!) fürchte ich, daß
ich von Ihnen nur eben jene Antworten hören werde, die ich nicht
verstehen oder vielmehr nicht annehmen kann, weil sie einer Welt
entstammen, die nichts erklärt, nichts beweist, sich niemals recht-
fertigt, sondern nur behauptet und blinden Glauben fordert. Ich
würde es vorziehen, jemand andern zu fragen, jemand, der außerhalb dieser Ihrer Welt lebt und objektiv zu sein vermöchte. Aber
ich fürchte, es gibt in diesem Bereich keine »Objektivität« in dem
Sinne, in dem ich sie wünsche. Und was Ihre Stärke und die
Stärke Ihrer Welt ausmacht, ist eben, daß Sie außerhalb Ihrer
Welt keine andere anerkennen, und daß keine andre Objektivität

73

Platz hat neben dieser, der Ihrigen. Vermutlich muß man, um Ihre Welt zu verstehen, auf jegliche »Objektivität« verzichten. Und so erwarte ich denn absurderweise von Ihnen etwas, was ich gerade von Ihnen nicht erwarten kann: Objektivität.

Das ist eine lange und überflüssige Einleitung zur wichtigsten meiner Fragen. Sie hat zunächst die Form einer Klage: A. M. ist vor drei Wochen ins Kloster der Benediktiner zu G. eingetreten. Sie werden, wenn Sie die erste Bestürzung überwunden haben, ausrufen: »Wie großartig. Deo gratias.« Aber ich, ich sehe nichts als Verlust. Er war mein Freund. Wir waren, über eine große Distanz hinweg, so eng verbunden, daß sein Fortgehen für mich ein sehr großer Schmerz ist. Sein Platz in meinem Leben bleibt leer. Aber dieser private Schmerz wird übertroffen von einem andern, unpersönlichen: warum verläßt uns dieser Mann? Warum wirft er seine Aufgabe weg? Warum läuft er fort von seinem Posten, von diesem Posten, den er, Sie wissen das, so unvergleichlich tapfer hielt – durch viele schwierige Jahre, und von dem aus er, soweit das heute möglich ist, ungemein viel Gutes wirkte. Sie kennen seine Aufsätze. Er hat die Dinge immer scharf beim Namen genannt. Er war kühn, und sein Pseudonym war zum Stein des Anstoßes geworden für die Halben, die Lauen, die Feigen, Unwahrhaftigen, die Heuchler, die Scheinheiligen. Er konnte es sich leisten, Wahrheiten zu sagen, die jedem andern Prozesse eingetragen hätten; von ihm ließ man sie sich sagen, und keiner wagte zurückzuschlagen, da das, was er sagte, unwiderlegbar war. Man fürchtete sein Wort wie ein Schwert, aber keiner war da, der es ihm aus der Hand hätte schlagen mögen. Man bedurfte seiner selbst dort, wo man ihn haßte. Er war der Mann der geistigen Ordnung. Und er war so lebendig, so warm, so hilfsbereit, er konnte lachen und auch trinken und Freund sein und lieben, er war das Leben in Person, freilich eines Lebens voll von Maß, Klarheit und Sammlung, aber gerade das war es, was es so menschlich machte, so vertrauenswürdig und kräftig und männlich. Er hatte eine so bedeutende Stellung, und er hatte eine noch größere Karriere vor sich. Sie wissen, man wollte ihn an Stelle von B. in der Regierung haben, obgleich man wußte, wie unbequem er war und wie so gar nicht bereit für Zugeständnisse, die der Schwäche oder Gewinnsucht entsprangen. Sie haben gewiß seinen glänzenden Kampf und Sieg im Falle H. verfolgt. Ach, ich finde kein Ende, diesen Mann zu rühmen. Aber Sie wissen so gut wie ich, wer er war und was wir an ihm verlieren.

Und nun meine Frage: Warum verließ er seinen Posten? Durfte er ihn verlassen? Ist es eine Kapitulation? Gibt er es auf, für eine verrottete, eine unheilbar zerfallende Welt zu kämpfen? Ist er müde geworden? Hat ihn der Weltekel erfaßt?

Ich habe ihn gefragt: Warum gehen Sie ins Kloster? Und was hat er geantwortet? »Aus Liebe zu Gott.« Da stehe ich nun mit diesen paar Worten und weiß, meiner ganzen katholischen Herkunft zum Trotz, ganz und gar nichts damit anzufangen. Ich kann verstehen, daß man um einer großen Idee willen ein großes Opfer bringt, etwa daß man sein Leben im Dienst der Kranken oder der Kinder verzehrt. Ja, wenn A. M. Seelsorger in einer großen und schlimmen Stadt würde, *das* könnte ich verstehen. Das würde seinen Gaben entsprechen. Aber mit all diesen Gaben, die ihn gleichsam als Naturtalent für die Öffentlichkeit bestimmen, ins Kloster zu gehen, wo er nichts mehr wird tun können von allem, wozu er begabt ist – wie soll ich das verstehen können. »Aus Liebe zu Gott . . .« Darf man »aus Liebe zu Gott« einfach seinen Platz verlassen? Darf man seine Gaben, die ja doch Gottesgaben sind, verkümmern lassen? Liebt man Gott, indem man die Welt sich selber überläßt? Ich kann nicht anders als »Liebe zu Gott« gleichzusetzen mit »Wirken für die Menschen«. Was tut A. M. im Kloster? Zunächst wird er Theologie studieren. Und dann? Dann wird er vielleicht Lehrer für Religion und Deutsch an einer Klosterschule sein. Er wird keine Zeile mehr schreiben, oder wenn er schreibt: wer wird ihn hören? Wer wird die radikale Geheimsprache des Katholizismus aus seinem Munde hören wollen? Bis dahin wird er längst unsern weltlichen Nöten entfremdet sein. Er wird nicht einmal mehr jene Ohren erreichen, die er bis jetzt in verständlicher Sprache zur Ordnung rufen konnte, zu Mut und Anständigkeit, zur geistigen Ehrlichkeit, zur Menschlichkeit.

Glaubt er, sich auf diese Weise retten zu können? Wird Gott ihn mit mehr Wohlgefallen ansehen, da er jene Welt verlassen hat, die Gott geschaffen und für die Gott ihn geschaffen hat? Ich verstehe nichts mehr, nichts. Werden Sie mir eine Erklärung geben können? Aber ich bitte Sie: gebrauchen Sie Worte, die für einen Menschen wie mich verständlich sind. Gebrauchen Sie keines jener Worte, die für Sie, der Sie Konvertit sind, einen so schönen frischen Klang haben, für mich aber abgebraucht und abgeschmackt sind, schäbig geworden vom Mißbrauch und ohne jede Wirkung auf meinen Geist und mein Herz.

Nun die zweite Frage, weniger schwer und hart: meine Schwester, seit drei Jahrzehnten verheiratet, ohne Kinder (weil ihr Mann keine wollte), will sich plötzlich scheiden lassen, um, wie sie sagt, »endlich frei zu sein« und weil sie »dieses Leben satt habe«. In Kürze: sie hat nichts zu tun, sie ist die Frau von A. D., sie hat Geld, ein gemäßigtes Temperament, nichts gelernt und ist nun überfallen von dem Gefühl, ein leeres Leben zu führen. Sie war ihrem Mann eine gute, das heißt eine bequeme, eine allzu bequeme Frau. Was ist zu raten? Wenn man sie in der Ehe hält, wird sie gewiß, nach dieser Krise, wieder brav sein und bis zu ihrem Tod sanft und zufrieden leben. Aber ist das wünschenswert? Soll man ihr, die niemals, wirklich niemals angefochten wurde von Zweifeln, Not und Erschütterungen, soll man ihr diese Anfechtung ausreden, soll man sie ihr wegleugnen und überspielen helfen, oder soll man nicht vielmehr dafür sorgen, daß sie ihre Erschütterung gründlich erlebt? Dabei kann die Ehe zerbrechen, aber meine Schwester gerettet werden. Soll man die Ehe riskieren? Der Mann ist gescheit, tüchtig, unverwundbar in seinem Selbstbewußtsein und ganz ohne Geist, ich meine: nur auf Vorteil, Glück, Leistung und Erfolg erpicht. Meine Schwester aber stammt, wie ich, aus einem alten Geschlecht von seßhaften, starken und ordentlichen Leuten, von reichen Bauern, die in jeder zweiten Generation irgendeinen Abenteurer hervorbrachten: Auswanderer, die verschollen sind, Erfinder, die ihre Habe vertaten im hartnäckigen und erfolglosen Suchen nach etwas Geheimnisvollem, und eines Tages jene verrückte Urgroßmutter, die man, weil sie die einzige Erbin des großen Hofes war, mit Gewalt aus dem Kloster holen und zur Heirat zwingen mußte, ehe sie den Schleier nehmen konnte. Irgendeiner von uns wird zu irgendeiner Zeit von dieser Unruhe gepackt und hinausgeschleudert. Fast alle diese Ausbrecher sind bisher »gescheitert«. Aber wer kann wissen, ob nicht sie die einzigen waren, die ihr Ziel gefunden haben? Was soll mit meiner Schwester geschehen? Wozu soll ich raten?

Und als dritte Frage diese: woher kommt es, daß es so bemerkenswerte Leute außerhalb der katholischen Kirche gibt, ich meine nicht nur »gute Menschen«, sondern wissende, noble, starke, während es im Katholizismus so viele muffige, kleinliche, unangenehme gibt? Woher kommt es, daß jene, die in besonderm Sinn als Erlöste gelten können, so penetrant unerlöst erscheinen? Auch an Ihnen, Herr C., ist etwas von jener Freudlosigkeit, der tristezza, der Härte, die gerade Christen, Katholiken, wesentlich nicht haben dürften.

A. M.'s Eintritt ins Kloster hat mich aufs äußerste erregt. Ich bin voller Angriffslust, und meine Augen sind schärfer denn je, und meine Ohren sind empfindlich für jede Lüge, und sei sie noch so klug getarnt. Entweder ist das, was A. M. »Liebe zu Gott« nennt, eine unerhört aktive Kraft und ein Wert, um dessentwillen man alles andre hinwerfen muß (muß, nicht nur darf), und dann ist jeder, der es nicht tut, ein geistiger Ignorant und ein armseliger Lebens-Dilettant, oder aber: A. M. folgt eben, wie jeder von uns, einer Illusion, die er zu seiner Wahrheit macht, und dann ist sein Leben keineswegs verbindlich.

Dieser A. M., was hat er mir angetan.

Wollen Sie mir antworten auf alle diese Fragen, auf alle? Können Sie es? Und wenn, dann bitte vergessen Sie nicht, Rücksicht zu nehmen auf meinen Trotz, meinen Geschmack und mein Bedürfnis nach äußerster Ehrlichkeit.

[An Ale D.]   *B., 2. August 1951*

Nein, Ale, Margret ist nicht bei mir. Ich habe seit vielen Wochen keine Nachricht von ihr. Sie hat Dir also gesagt, daß sie wahrscheinlich zu mir fahren würde. »Wahrscheinlich«, was soll das heißen? Ist sie denn einfach fortgefahren, ohne zu sagen oder ohne zu wissen, wohin sie eigentlich fahren wollte? Sie muß Dir doch irgendeine Adresse gegeben haben. Vielleicht kommt sie doch noch zu mir. Sie ist seit vierzehn Tagen unterwegs. Ich nehme an, daß sie eines Tages hier auftaucht. Sie weiß, daß wir während der Festspielzeit hier sind, und sie kann uns leicht finden. Du brauchst Dir keine Sorgen zu machen. Ich verstehe diese Reise sehr gut. Sie ist keineswegs so geheimnisvoll, wie Du glaubst. Meine Schwester ist einfach geflohen. Sie wollte versuchen, wie es ist, »frei« zu sein. So wie ich sie kenne, sitzt sie in irgendeinem Hotel, geht vormittags ins Museum, nachmittags ins Café und abends ins Kino. Es wird ihr einige Zeit Vergnügen bereiten, dann wird sie merken, daß sie nichts gewonnen hat, sie wird sich langweilen und zurückkehren. Laß sie also.

Versteh mich aber recht: was ich bagatellisiere, das ist nur diese kleine Reise, nicht aber die Ursache dieser Reise. Diese Reise wird zu nichts führen als dazu, daß Margret erfährt, daß es nichts nützt, die äußere Lage zu verändern. Ich kann nur hoffen, daß sie beginnt, wirklich zu leiden. Das wirst Du nicht verstehen. Du hast Deiner Frau bisher keine Gelegenheit zum Leiden gegeben. Selbst Deine Untreue war von einer Art, die kein ernstliches Leiden erzeugt. Ich glaube, daß ein Leben ohne Leid kein Leben ist. Man kann eher noch ohne Glück leben als ohne Leid. Vielleicht würde Dich Margret mehr lieben, wenn sie stärker an Dir hätte leiden müssen. Wenn sie also jetzt leiden will, so laß sie, und stör sie nicht.

Sobald sie bei mir sein wird, werde ich Dir ein Telegramm schikken. Gib auch Du mir sofort Nachricht, wenn Du von ihr gehört hast.

[An Professor F.]   *B., 10. August 1951*

Ihr Brief bringt mir zugleich Erleichterung und neue Sorge. So hat also meine Schwester bei Ihnen eine Zuflucht gesucht. Daß sie gerade zu Ihnen kam, ist kein Zufall. Sie weiß, daß Maurice bei Ihnen war, und da Sie ihn geheilt haben, mißt sie Ihnen die Kraft zu, auch ihr helfen zu können.

Meine erste Regung war, zu ihr zu fahren. Aber ich will Maurice nicht allein lassen, die Festspiele ermüden ihn sehr. Auch halte ich es nicht für richtig, meine Schwester jetzt einem andern Einfluß als dem Ihren auszusetzen. Aber ich will wenigstens versuchen, Ihnen die Lage meiner Schwester zu erklären, da sie selbst Ihnen nichts sagen will. Ich weiß, warum sie nichts sagt: sie hat nichts zu sagen, denn sie versteht ihre Lage nicht.

Sie sprechen von einer Nervenkrise. Was ist denn das: eine Nervenkrise? Es ist keine Krankheit, sondern nur der Ausdruck dafür, daß man so nicht mehr weiterleben kann, wie man bis dahin gelebt hat. Wie hat denn meine Schwester gelebt? Ich lege Ihnen ein Kinderbild meiner Schwester bei. Sie muß damals neun Jahre alt gewesen sein, ich war noch nicht geboren. Sehen Sie, wie artig sie dasteht, wie bemüht. Man hat ihr gesagt, wie sie es machen soll, und so hält sie nun die schwierige Pose, die ihr befohlen ist. Aber ihr Gesichtchen ist verzerrt vor Mühsal, und ihre Augen fragen ängstlich, ob man mit ihr zufrieden ist. Für diese Zufriedenheit tut sie alles.

Das ist meine Schwester: immer in der geforderten Pose, immer bereit, dem Bild zu entsprechen, das man sich von ihr gemacht hat. Als sie heiratete, war sie sehr jung. Sie heiratete einen Mann, der Geld hatte und ihr ein gutes Leben bot. Diese Heirat in den Wohlstand hinein war für sie die Erlösung von einer tristen Kindheit. Der Preis für den Wohlstand aber war die ermüdende Pose der lächelnden Zufriedenheit. Alle Welt hielt meine Schwester für eine liebenswürdige, harmlose, zufriedene und glückliche Frau. In Wirklichkeit war sie nichts von allem, und diese »Nervenkrise« ist nur der Ausbruch einer von langer Hand her vorbereiteten Rebellion. Meine Schwester will endlich sie selber sein dürfen. Sie will endlich leiden, ihre eignen Leiden. Sie will endlich nicht mehr lächeln müssen. Was werden Sie tun mit ihr? Werden Sie sie zur Ruhe bringen, zum Sich-Fügen? Auch ich habe ihr am Anfang zur »Vernunft« geraten, zur »Ordnung«, bis ich begriffen habe, daß es gerade ihre Vernunft ist, die sie zur wirklichen Ordnung führen möchte. Immer ist meine Schwester in die Richtung des geringsten Widerstandes gefallen. Ich weiß nicht, wie stark ihre Kraft der Rebellion ist. Ich glaube, daß sie leicht zurücksinken wird ins Gewohnte. Werden Sie diesen mühelosen Sieg erringen wollen? Werden Sie die gehorsame Kleine zurückschicken in das Gleichmaß und die stumpfe Zufriedenheit? Tun Sie es nicht. Verschärfen Sie vielmehr ihr Leiden. Darf ich Ihnen diesen Rat geben? Meine Schwester *soll* wissen, daß ihr Leben leer ist. Sie soll dieses Leben ändern.

[An A. M.]   *M., 10. September 1951*

Ich weiß nicht, ob ich Ihnen schreiben darf. Meine Vorstellung vom Klosterleben ist vielleicht ganz falsch, und Sie sind möglicherweise viel weniger vom »Leben« abgetrennt, als ich glaube. Aber Sie werden meine Scheu und Unsicherheit verstehen. Doch möchte ich Ihnen danken für die Übersendung Ihrer »Regula«. Sie haben keine Zeile beigelegt. Aber ich verstehe, daß mir die Regula Antwort auf jene Fragen geben soll, die ich einmal an Sie gestellt habe. Vielleicht glauben Sie, daß ich darin Antwort auf alle meine Fragen finden kann, auch auf solche, die ich nie vor Ihnen ausgesprochen habe. Vorläufig lese ich aus einem einzigen Grund darin: um herauszufinden, wie Sie jetzt leben und warum Sie dieses Leben gewählt haben. Wie weit entfernt ist jetzt mein Leben von dem Ihren.

Wenn Sie dürfen und können, so schreiben Sie mir einmal einige Zeilen und sagen Sie mir, ob ich Ihnen schreiben darf.

[An Herrn C.]   *M., 20. September 1951*

Seit Wochen versuche ich, Ihnen zu schreiben und auf Ihren langen und schweren Brief zu entgegnen. Ich konnte es nicht, ich fühlte mich Ihnen nicht gewachsen. Zudem hatte ich nicht die geringste Ruhe zum Schreiben. Auch die Stunde, in der ich Ihnen jetzt schreibe, ist keine Stunde der Ruhe und keineswegs eine Stunde, in der man gut daran tut, Briefe zu schreiben, aber selbst nach Ihrem letzten Brief, der mich in aller Schärfe erkennen ließ, daß wir uns nicht verstehen, bin ich hartnäckig überzeugt davon, daß wir uns verstehen könnten, wenn Sie nur davon absehen wollten, in einer Sprache zu mir zu sprechen, die für mich nichts Menschliches hat. Geben Sie es doch auf, diese Schablonensprache zu benützen. Jedes Wort beschwört Erinnerungen in mir, die sich zwischen mich und Sie stellen, und das bedeutet: zwischen mich und jene Macht, als deren Prediger Sie mit mir reden. Warum bringen Sie es nicht fertig, auf Worte zu verzichten, die Sie lieben, weil Sie Ihnen noch nicht zur Gewohnheit wurden, die aber mir in meiner Kinderzeit schon verleidet worden sind? Oder ist es Ihr Wille, Ihre Absicht, daß ich Anstoß daran nehme? Glauben Sie, daß Ihr eigensinniges Bestehen darauf, Ihren Geist und Ihr Herz nur mehr den Worten der Kirche, der katholischen Theologie auszudrücken, mich schließlich doch zu überwältigen vermöchte, so wie politische Parolen, tausendmal wiederholt, endlich Überzeugungen schaffen? Und doch, und trotz allem fühle ich in Ihnen etwas, das mich anzieht, so unsympathisch es mir auch ist. Vielleicht ist es die Unbedingtheit, mit der Sie glauben, nicht der Inhalt dieses Glaubens; denn dieser Inhalt ist mir ja bekannt, ich bin von ihm geformt, ich leugne ihn nicht, ich möchte ihn nicht entbehren, ich habe ihn niemals vergessen.

Ich weiß nicht, ob es gut ist, daß ich Ihnen gerade jetzt schreibe. Ich könnte in dieser Stunde vielleicht Dinge sagen, die ich später bereue. Ich bin übermüdet, ich bin erschüttert und durch zwei schlaflose Nächte äußerst empfindlich geworden. Und doch will ich gerade jetzt schreiben und gerade an Sie.

Ich wurde durch ein Telegramm meines Schwagers hierhergerufen. Meine Schwester sei schwer erkrankt. Ich fand sie bewußtlos. Sie hatte eine gewisse Dosis eines an sich harmlosen Schlafmittels genommen. Diese Dosis war keineswegs tödlich, kaum gefährlich, aber meine Schwester ist überhaupt nicht an Schlafmittel gewöhnt, und der Arzt nimmt eine besondere Empfindlichkeit gegen Barbitursäure bei ihr an. Sie wäre beinahe daran gestorben. Man hat das Übliche getan, man hat sie gerettet, sie war drei Tage bewußtlos, sie ist heute nach Mitternacht zu sich gekommen. Ich habe bei ihr gewacht, schon die zweite Nacht, ich habe mich seit drei Tagen kaum für einige Augenblicke von ihrem Bett entfernt; so war ich auch bei ihr, als sie erwachte. Sie sah mich an und fragte: »Warum bist Du hier?« Sie konnte sich an nichts erinnern. Ich sagte, sie sei krank. Sie wußte, daß irgend etwas geschehen war, aber es blieb ihr dunkel. Ich sagte ihr nichts, und sie sagte auch nichts mehr, und ich glaubte, sie sei wieder eingeschlafen. Aber eine Stunde später sagte sie: »Du weißt alles, nicht wahr?« Ich sagte: »Du hast sterben wollen. Ist es das?« Ich glaubte, sie wollte anfangen zu weinen, das wäre gut gewesen, und ich nahm ihre Hand, aber sie stieß mich schroff zurück, drehte sich zur Wand und sprach kein Wort mehr, stundenlang. Plötzlich fragte sie: »Weiß Ale es?« Ich sagte nein, obgleich ich annehme, daß er es ebensogut weiß wie ich, wenn er auch verzweifelt an dem Glauben festhält, es sei wirklich nur eine Vergiftung aus Versehen oder aus anormaler Empfindlichkeit gegen Schlafmittel. Ich habe noch nicht mit ihm darüber gesprochen, er sieht erbarmungswürdig aus, und er hat gerade in diesen Tagen einige wichtige Sitzungen.

Gegen Morgen begann meine Schwester wieder zu sprechen. Sie wollte etwas trinken. Und dann sah sie mich an und sagte: »Was soll ich jetzt tun?«

Was hätte ich ihr antworten sollen? Hätte ich sagen sollen: »Du hast einen Selbstmord versucht. Das ist eine schwere Sünde.« Oder: »Verzweiflung ist eine Sünde gegen die Hoffnung, eine der schwersten Sünden.« Oder: »Bereue, was Du getan hast.« Oder: »Gott hat Dich in diese Sünde fallen lassen, weil Du Dich niemals um ihn gekümmert hast.« Oder: »Diese Deine Verzweiflung ist ein Gnadenakt Gottes, eine Chance für Dich, ihn zu erfahren.« (Sie erkennen Ihre Sprache?) Glauben Sie, daß eines dieser Worte den verstörten Sinn meiner Schwester überhaupt erreicht hätte? Ich fühlte mich nicht zuständig zu predigen, nicht einmal zu trösten. Ich tat, was mir der Arzt für alle Fälle zu tun geraten hatte: ich gab ihr nochmals zu trinken, ich hatte ein Beruhigungsmittel ins Wasser gemischt. Sie schlief ein. Aber ihr friedlicher Schlaf ist schlimmer für mich als ihre Verzweiflung. Habe ich einen großen Augenblick versäumt? Hätte ich irgendein Wort finden müssen, das wirklich eine Antwort auf ihre Frage gewesen wäre? Wie heißt dieses Wort?

Ich habe mir von der Nachtschwester (ich bin im Hospital St. M.) ein Evangelium geben lassen. Ich habe verzweifelt nach einer Stelle gesucht, die ich meiner Schwester zuwerfen könnte als ein Seil, an dem sie sich retten könnte. Es gibt schöne Stellen, so das Gleichnis von den Lilien des Feldes und den Sperlingen, »Sorget Euch nicht«, oder jenes vom verlorenen Schaf und vom verlorenen Sohn, und viele andere. Aber damit solche Antworten etwas bewirken können, muß derjenige, der sie erhält, zuvor danach gefragt haben. Sie verstehen, was ich meine: man kann weder glauben noch lieben, wenn man nicht dazu begabt ist. Ach, fangen Sie nicht wieder mit dem Wort »Gnade« an. Sonst werde ich Sie angesichts meiner verstörten, gequälten Schwester fragen, warum etwa Sie die Gnade des Glaubens haben, aber meine Schwester nicht. Schon weiß ich Ihre Antwort: »Es ist nicht unsere Sache, dies zu wissen. Es ist eins der Geheimnisse Gottes.« Ach ja. Solche Worte werden verstanden von jenen, die schon glauben. Aber meine Schwester –? Seien Sie überzeugt, daß ich vieles dafür gäbe, wenn mir irgendein Wort einfallen würde, das ihr Hilfe brächte, Hilfe, das heißt – ja, was heißt das? Worin bestünde sie? Was wünsche ich meiner Schwester? Ich wünsche ihr, daß sie Kraft genug findet, das Leben weiterzuleben. Aber, o Gott, was für ein Leben? Ein Leben für nichts. Für diesen Hohlkopf von Ehemann, diesen ehrgeizigen, eitlen, gutaussehenden, erfolgreichen, alternden Hahn, der es nicht wert ist, daß man ihm ein Jahr, geschweige denn ein Leben opfert. Sagen Sie nicht, daß jede Seele wertvoll ist. (Wie mir Ihre Antworten im voraus bekannt sind. Ach, diese Klischees . . .) Gewiß steckt auch in ihm etwas Menschliches, und er hat sicher auch schon sein Zwiebelchen verschenkt. (Kennen Sie die russische Legende von jener bösen Alten, die in die Hölle kam, bis einer der Seligen sich erinnerte, daß sie ihm einmal ein Zwiebelchen geschenkt habe. Mit diesem Zwiebelchen in der Hand flog ein Engel in die Hölle, so tief, bis die Alte sich an das Zwiebelchen hängen konnte wie an einen Rettungsring.) Aber das ist eine Urteilsweise, die Gott zusteht, nicht mir. Für mich ist mein Schwager nichts als das große Hindernis für meine Schwester, zu sich selber zu finden. Oder soll sie (soll man) nicht zu sich selber finden? Soll man einfach blindlings opfern? »Wer sein Leben verliert, der wird es gewinnen . . .« Dieses furchtbare, geheimnisvolle Wort. Soll man nicht *wissen* wollen? Soll man das Leben leben, das einem gegeben ist, ohne zu fragen, so wie eine kleine törichte, fleißige Magd den Befehl ihres Herrn ausführt, ohne zu wissen, wie das, was sie tut, ins Ganze gefügt ist, ja selbst ohne zu wissen, ob es gut ist. Nein, ich kann das nicht annehmen. Ich will wissen, nicht glauben. Ich brauche Ihnen nicht zu sagen, daß ich damit nicht das Glauben für überflüssig halte. Aber es muß doch einen durchleuchteten Glauben geben, einen, der Beweis ist, nicht Annahme. Vielleicht ist der Glaube aber in jenem Augenblick Beweis, in dem man ihn blindlings annimmt? Ach, für Sie sind das dilettantische Fragen, Kinderfragen. Vielleicht sollte ich gar nicht versuchen, meiner Schwester von mir aus helfen zu wollen. Vielleicht soll ich einfach darauf warten, entweder daß »Gras über die Sache wächst«, das heißt, daß das Leben in seinem Fortgang von selbst für eine Lösung sorgt (fallen Sie mir nicht ins Wort; ich weiß selbst, daß »das Leben« nichts ist, was für sich allein besteht und von sich aus irgendeine Kraft hat; ich fahre ja schon fort:), oder zu warten, was durch jenen Riß, den Margret ihrem eignen Wesen zugefügt hat, eindringen wird.

Dieser Brief ist törichter und verworrener, als ich es bin, aber er ist weniger rebellisch auch, als ich wirklich bin. Ich fühle mich in der Situation eines Kindes, das einen großen, starken Baum, den es mit den Armen nicht umspannen kann, zu schütteln versucht, weil es im Laub noch einen Apfel vermutet. Ach, Sie und Ihresgleichen handeln unter Geheimbefehl, sie haben ihre Parolen, sie schreiben sich chiffrierte Briefe und unterhalten sich in Andeutungen wie altmodische Erwachsene in der Gegenwart Halbwüchsiger.

Nicht genug, daß ich mich mit der Tat meiner Schwester und mit Ihrem Brief auseinanderzusetzen habe: vor kurzem kam von A. M. als Antwort auf einen Brief von mir, der ihn noch vor Beginn seines Noviziats erreicht hatte, die Regula Sancti Benedicti. Ich habe viel Zeit damit verbracht, in dem kleinen Buch zu lesen. Ich lese im Hinblick auf A. M. So lese ich etwa, daß eine seiner wichtigsten Tugenden jetzt der Gehorsam zu sein habe und daß er keinen eigenen Willen mehr haben dürfe. Bedenken Sie: A. M., der Eigenwillige, der auf Gerechtigkeit Erpichte, der Scharfäugige, der Kluge, der Schlagfertige, Wortgewandte, Witzige, er wird schweigen müssen zu allen Ungereimtheiten, die er sehen wird. Gewiß wird er es können, wenn ihn seine Oberen absichtlich versuchen. Er ist männlich und tapfer. Aber die unabsichtliche, die als kindliche Herzenseinfalt getarnte Dummheit, die ihn vielleicht umgibt! Oder wenn er Oberen unterstellt ist, die ihm geistig unterlegen sind! Seine weltlichen Tugenden werden nicht so leicht aufgewogen durch ein paar christliche Sondertugenden alteingesessener Mönche. Die Vorstellung eines demütigen A. M. ist fast unerträglich. Aber meine Vorstellung von Demut ist vielleicht für Sie ebenso unerträglich. Zweierlei Sprachen, ach.

Nicht mehr lange, und die Sonne wird aufgehen. Ich sehe sie nicht, ich sehe nur über die Dächer hinweg auf S. C. Der Marmor beginnt zu schimmern. Mir schwindelt vor Müdigkeit. Verbrennen Sie diesen Nachtbrief, ich bitte Sie, und lassen Sie uns nie mehr über derlei sprechen. Ich glaube, für mich, für unsereinen ist es besser, wenn wir uns mit dem begnügen, was ich »menschliche« oder »natürliche« Tugenden nenne: Hilfsbereitschaft, Wahrhaftigkeit, Noblesse, Treue, und wie immer wir diese unter anständigen Leuten selbstverständliche Haltung nennen. Jeder Versuch, Menschen wie Sie und A. M. zu begreifen, bringt uns nur in Verwirrung.

Nun ist die Sonne aufgegangen. Ich werde schlafen. Die Nacht-gespenster werden alle mit mir einschlafen. Verzeihen Sie in christlicher Großmut alle meine Angriffe.

[An Maurice]   *P., 21. September 1951*

Verzeih, daß ich heute nacht so wenig sagte am Telefon. Ich hatte zwei Nächte kein Auge zugetan, und auch bei Tag nicht, und ich war eben eingeschlafen, als Du anriefst; ich war schlaf-trunken und kaum fähig zu denken. Zudem schlafe ich in Mar-grets Zimmer, das Telefon hatte sie geweckt, und ich war also nicht allein mit Dir.

Du hast mir Vorwürfe gemacht, weil ich Dich so lang allein lasse. »So lang«: es sind drei Tage! Meine Schwester, meinst Du, sei mir wichtiger als Du. Wie kannst Du so etwas sagen. Mein Telegramm hat Dir doch erklärt, daß Margret wirklich sehr krank ist. Sie war sogar dem Tod nahe. Eine Vergiftung. Ich wollte es Dir eigentlich nicht sagen, aber da Du mich herausforderst, muß ich es wohl sagen: Margret hat versucht, sich das Leben zu neh-men. Es wird Dir ganz unglaubhaft erscheinen. Margret, die Ausgeglichene, Heitere, Zufriedene, wie kam sie auf den Einfall, sich aus diesem für sie so behaglichen Leben wegstehlen zu wol-len? Ich habe einige Vermutungen, aber keinerlei Gewißheit. Niemand außer mir und vielleicht Ale (mit dem ich aber darüber nicht spreche) glaubt an Selbstmord. Man nimmt ein Versehen an: ein wenig zu viele Schlaftabletten bei großer Empfindlichkeit für Barbitursäure. Ale ist kopflos. Es war wirklich nötig, daß ich kam. Und es ist nötig, daß ich noch einige Tage bleibe. Bis jetzt war Margret kaum bei sich. Man konnte nicht mit ihr sprechen. Seit heute aber versucht sie, ihre Lage zu verstehen. Sie wird sicher in den nächsten Tagen mit mir reden wollen. Vielleicht kann ich ihr helfen. Ich habe Dir heute nacht gesagt, daß ich das tun möchte, und Du hast gesagt, ich täte besser daran, meine Finger zu lassen von einer so heiklen Angelegenheit, wie es eine fremde Ehe ist. Aber es ist nicht irgendeine Ehe, es ist die Ehe meiner Schwester, und zudem geht es nicht um diese Ehe nur, sondern um das, was Du so verärgert und anzüglich mein »plötzliches moralisches Interesse« genannt hast. Du wolltest mir absichtlich wehtun. Aber

85

Du kannst mir wirklich nicht wehtun. Ich verstehe Dich zu gut. Jeder Deiner Pfeile ist auf kein andres Ziel gerichtet als darauf, meine Liebe zu erproben, immer aufs neue. Ist das nötig? Ist es nicht ein wenig freventlich? Du weißt doch, welcher Art meine Liebe ist. Sie hat solche Stürme überstanden, daß ein kleiner Windstoß sie nicht einmal mehr bewegt. Um Deinetwillen aber möchte ich, daß Du es nicht tust. Ich bitte Dich auch, daß Du mich jetzt, dieses eine Mal, nicht drängst, heimzukommen. Meine Schwester braucht mich im Augenblick dringender als Du. Laß uns unsern Lebenskreis nicht allzu sehr verengen. Ich fürchte, wenn nichts mehr übrigbleibt als Du und ich, werden auch wir nicht übrigbleiben. Das ist wieder einer jener Sätze, von denen Du behauptest, sie nicht zu verstehen. Du verstehst sie wohl. Ich möchte nichts sagen und nichts tun, was Dich verstimmt. Jeder Hauch von Disharmonie zwischen uns macht mich traurig. Mehr als traurig. Und doch muß ich, um Deinetwillen, manchmal etwas sagen, was Dir nicht angenehm klingt. Verzeih, aber glaub mir: meine Liebe zu Dir wäre geringer, wenn ich blind wäre. Zwing mich nicht, einen Lebensbereich für mich allein zu haben. Laß mich alles mit Dir teilen, auch meine Sorgen, und versuch die Art meiner Liebe zu Dir zu verstehen. Manchmal denke ich, Du meinst Leidenschaft, wenn Du Liebe sagst. Aber was Du in Wahrheit von mir erwartest, das ist nicht Leidenschaft, sondern Liebe, und das ist etwas weit Simpleres und etwas weit weniger Poetisches, etwas viel Schwierigeres, aber etwas viel Nützlicheres. Aber Du wirst mich nicht verstehen wollen. Das macht nichts. Doch möchte ich, daß Du eines begreifst: es gab eine Zeit, da schien es mir die Vollendung unsrer Liebe, gemeinsam zu sterben; jetzt aber wünsche ich, gemeinsam mit Dir zu leben. Weißt Du noch unsere Fahrt mit B. nach K. in der Nacht und bei dem fürchterlichsten Gewitter, und wie wir uns glühend wünschten, der Wagen möchte in den Abgrund stürzen? Es war schön, und es war furchtbar, es war Verzweiflung und Lust. Möchtest Du es auch heute noch? Hast Du nicht schon Geschmack gefunden an meiner Nüchternheit? Wie gut Du weißt, was diese »Nüchternheit« bedeutet und woher sie kommt! Laß mich. Ohne sie wären wir verloren. Versuche mich nicht mehr.

Ich habe diesen Brief mit einigen Unterbrechungen geschrieben. Meine Schwester verlangte immer wieder nach mir, aber wenn ich an ihr Bett kam, sagte sie nur: »Ach, es hat ja doch keinen Zweck«, oder: »Ich bin jetzt doch zu müde zum Reden« oder auch: »Nein, ich brauche Dich nicht.« Ich weiß aber, daß sie reden möchte, und ich warte, bis sie es tut.

Noch einmal: hab Geduld. Länger als eine Woche bleibe ich auf keinen Fall mehr hier.

Drei Stunden später: eben ein Gespräch mit Margret. Ich bin erschüttert, doch nicht so sehr von ihrem Bekenntnis (das nichts Neues für mich enthielt), sondern von meiner Unfähigkeit, ihr zu helfen. Sie sagte, sie wollte sterben, weil es ihr unmöglich sei, ein so leeres, nutzloses, sinnloses Leben weiterzuführen. Was sollte ich ihr darauf sagen? Ihr Leben *ist* leer, es *ist* nutzlos. Ich wage nicht zu sagen, es sei sinnlos, denn ich glaube nicht, daß es dies gibt: ein sinnloses Leben. Aber wirklich: wofür lebt sie? Ohne Kinder, ohne Beruf, mit einem Mann, der ebenso erfolgreich und intelligent wie eitel und unwissend ist, ein Leben ohne äußeres und inneres Ziel, ein Dahinleben. Ich konnte sie nicht trösten, ich ließ sie reden und klagen. Aber ich kann ihr nicht helfen. Das ist bitter. Gibt es wohl Worte, die einem Menschen in Margrets Lage helfen können? Gibt es überhaupt eine andere Hilfe als jene, die aus der eignen Kraft kommt? Kann ein Mensch dem andern mehr geben als ein wenig Wärme, die ihn glauben macht, er sei nicht mehr allein? Wie schrecklich, zu denken, daß man mit aller Liebe die Einsamkeit eines andern Menschen um nichts vermindern kann. Ich kann es wirklich nicht glauben. Vielleicht aber nützt einem das Geliebt-Werden gar nichts, und nur das Lieben hilft.

Ach verzeih, schon wieder rede ich Dinge, die Dir Unbehagen machen.

Ich werde, wenn nichts mehr dazwischenkommt, am Dienstag hier abfahren. Nein: abfliegen. Du würdest es mir nicht verzeihen, wenn ich zwölf Stunden länger als unbedingt nötig von Dir getrennt bliebe, Ungeduldiger, Wilder.

Eben kommt Dein Telegramm. Gut, ich werde also schon Montag früh abfahren (in diesem Fall wirst Du mir erlauben zu fahren) und werde nachmittag vier Uhr in F. sein.

Sie wußten also, von wem die Rosen waren, obgleich ich sie ohne
Brief und Gruß an der Pforte abgegeben hatte. Ihr Buch ist Antwort und Dank. Ein wenig betrübt es mich, daß Sie keine einzige Zeile beigelegt haben. Vielleicht aber dürfen Sie jetzt nicht
schreiben. Wenn ich nur ein wenig mehr über Ihre neuen Ge-
pflogenheiten wüßte. Ich möchte nichts tun und wünschen, was
Ihnen Ungelegenheiten machen könnte.
Es war eine freundliche Fügung, daß ich nach G. kam. Ich habe
C. getroffen, als er hier einen Vortrag hielt. Er sprach über die
Freiheit des Willens. Was für ein Thema, ebenso alt wie ungeheuerlich und unausschöpfbar. Es war ein glänzender Vortrag,
aber C.'s Sicherheit ist schwer zu ertragen, selbst wenn man bedenkt, daß sie nicht wirklich aus ihm selbst kommt, sondern aus
der großen Tradition, aus der er lebt. Auf mich und viele andre
wirkt diese Unangefochtenheit erkältend. Es ist so unmenschlich,
zu glauben, daß man dem Irrtum absolut enthoben ist. Wer andere
von einer Wahrheit überzeugen will, der muß mit den Suchenden
suchen und leiden. Es ist mir nicht gegeben, C. wirklich zu verstehen, doch zieht er mich an. Wann begegne ich sonst einem
Manne wie ihm! Ich lebe unter Menschen, die für mich nie volle
Wirklichkeit haben. Es sind träumende, schimpfende, weinende,
vorlaute Kinder, die gehätschelt werden wollen.
Aber davon wollte ich nicht reden.
C. brauchte für eine neue Arbeit alte Handschriften, die er, wie
man ihm an der Staatsbibliothek gesagt hatte, in G. finden würde.
Da er nur sehr wenig Zeit hatte, brachte ich ihn hin (ich fahre jetzt
selbst Auto. So oft ich meine Tür zufallen lasse, erinnert mich
ein kurzer scharfer Schmerz an jenen Abschiedslaut in P. Er ist
unvergeßlich.) C. war so mit seinen Arbeitsplänen beschäftigt,
daß er nicht daran dachte, Sie in G. zu finden, und ich hütete mich,
ihn daran zu erinnern. So gehörte diese Stunde ganz mir. Ich
habe Sie in der Vesper gesehen. Ich habe Sie sofort wiedererkannt.
Ihre Größe und Ihre Haltung haben Sie mir verraten. Ich brauche
Ihnen nicht zu sagen, was für eine Erschütterung diese Begegnung
für mich war. Ich habe Sie dann noch einmal gesehen: vom Fenster des Sprechzimmers aus. Sie gingen über den Hof, und ich
mußte mit aller Kraft an mich halten, nicht nach Ihnen zu rufen.

Einmal werden Sie mir sagen, ob auch Sie mich in der Kirche erkannt haben. Vielleicht wird es mir einmal erlaubt, mit Ihnen zu sprechen. Vielleicht wäre es mir diesmal auch erlaubt gewesen. Ich habe nicht gefragt. Ich glaube, ich hätte nichts zu reden gewußt. Nichts von alledem, was mich bewegt, gehört zu Ihrem neuen Leben. Und was von Ihrem neuen Leben geht mich an?

Was für eine Anziehung hat ein Kloster! Diese Abgeschiedenheit und Stille, das Maß, die strenge tägliche Ordnung, der Geruch der alten Gärten, die niemand betreten darf außer Mönchen, diese ganze ein wenig hochmütige Exklusivität, diese aristokratische Geste eines geheimen Wissens, die äußerste Folgerichtigkeit Ihres Denkens und Lebens, dies alles erscheint mir begehrenswert. Aber ich fürchte, mein Bild vom Klosterleben ist recht unzulänglich, und ich verwechsle Form und Inhalt. Vielleicht sind mönchische Probleme gar nicht so verschieden von den unsern. Aber ich möchte, daß sie verschieden sind. Ich möchte, daß Sie das Außergewöhnliche leben. Ich möchte, daß Sie unsern Problemen entwachsen sind. Vielleicht erwarte ich von Ihnen, daß Sie meine und unser aller geheime Sehnsucht nach unbedingter Klarheit und Ordnung leben. Ein solches Leben wird uns ein Stein des Anstoßes sein. Es wird uns aufstören, aber wir sehnen uns danach, solcherart beunruhigt zu werden. Seit Ihrem Eintritt ins Kloster bedrängen mich gewisse Fragen, Fragen, die aus der Allgemeinheit geistiger Unruhe, ohne die ich nie war, herauswachsen und ganz bestimmte Umrisse annehmen. Es ist fast so, als ob alle meine Lebensumstände darauf zielten, mich auf Wege zu führen, die mir nicht gangbar erscheinen, nicht für mich. Ich habe immer neue Wege gesucht. Es widerstrebt mir auf eine unbeschreibliche Weise, die wohlbekannte, alte, von so vielen müden, mühseligen Füßen ausgetretene Straße zu wandern. Aber wenn Sie diesen Weg gehen, Sie, der Unkonventionelle, der Kühne, der gar nicht Mühselige, was dann? Was für ein Weg ist das?

Meine Schwester hat versucht, sich das Leben zu nehmen. Warum? Weil sie ihr leeres, nutzloses Leben, so sagte sie, nicht mehr weiterführen will. Eines Tages fragte sie mich, was sie nun tun sollte. Ich fand kein helfendes Wort. Das war beschämend. Wozu ist mein Verstand da, wozu meine Erfahrungen, wenn ich in ihnen nichts finde, was das Leben eines andern Menschen ordnen könnte? Konnte ich meiner Schwester sagen, daß eben ihre Ehe mit diesem Hohlkopf ihre Aufgabe sei und daß diese Ehe all ihrer Hingabe und ihres Opfers wert sei? Ich kann das nicht sagen, denn diese Ehe ist das ödeste Leben, das man sich denken kann. Oder sollte ich sagen, daß die Hingabe an diese wenn auch noch so sinnlos scheinende Aufgabe gerade jenes Leben ist, in dem sie selbst sich vervollkommnen könne? Auch das kann ich nicht sagen, denn ich glaube es nicht. Und doch müßte meine Antwort in diese Richtung zielen. Aber ach: wo bleibt, wenn man diese Richtung einschlägt, das Leben, die Fülle, die Glut, die Farbe? Alles auf einen einzigen Nenner zu setzen: bedeutet das nicht Verarmung, Trockenheit, geistige Enge, Härte, Unfreiheit? Erinnern Sie sich an das Sonett von Wordsworth:

>O Gott, ich wollte, ich wär
Dem alten Heidenglauben noch verfallen,
Dann fühlt' ich mich auf dieser schönen Welt
Auf Augenblicke wenigstens erhellt.<

Sie haben es mir einmal gesagt, vor Jahren, und Sie nannten mich ein Heidenkind, für das man Stanniol sammeln sollte, um es loskaufen zu können. Wir lachten darüber. Aber jetzt denke ich, was für einen tiefen Ernst sie scherzhaft tarnten. Sie müssen damals schon in großer geistiger Unruhe gewesen sein. Ich Blinde, Taube, Fühllose, ich habe nichts begriffen. Und auch jetzt begreife ich nichts.

Wenn Sie dürfen und können, so schreiben Sie mir ein paar Zeilen. Sagen Sie mir wenigstens, ob ich Ihnen schreiben darf.

[An Margret]   *M., 12. November 1951*

Endlich eine Nachricht von Dir. Der Brief, von dem Du sprichst, ist offenbar verlorengegangen, so weiß ich also nichts von allem, was sich ereignet hat, außer dem, was Ale mir vor Eurer Abreise telefonisch gesagt hat. Aus der Zeitung wußte ich, daß er zu Verhandlungen nach W. beordert war, und so wußte ich auch, daß Ihr so schnell nicht zurückkehren würdet. Dein Brief beruhigt und beunruhigt mich zugleich. Aber die Beunruhigung kommt wohl daher, daß ich die Erklärung für Dein Verhalten, die Du mir wohl in dem verlornen Brief gegeben hast, nicht kenne. So will ich denn annehmen, daß es Dir wirklich gutgeht. Es gefällt

Dir also im fremden Kontinent, und die Reise hat Dich und Deinen Mann wieder enger verbunden, wenn ich Dich recht verstanden habe. Dein Brief klingt zufrieden und angeregt.

Ich finde es rührend, daß Du an meine Belange denkst. Aber habe ich Dir denn nie gesagt, daß bereits zwei meiner Arbeiten ins Englische übersetzt sind und daß ich eine Agentin habe, die das alles für mich macht? Ich selbst würde keinen Finger dafür rühren. Es liegt ganz außerhalb meines Lebens.

Ich habe die letzten Wochen damit verbracht, ein Haus zu suchen. Maurice will durchaus ein eigenes Haus. Ich wünsche es mir nicht, ich meine: ich hätte für mich nicht das Bedürfnis danach. Aber da Maurice es sich wünscht, macht es mich glücklich. Bis jetzt habe ich noch nichts Passendes gefunden. Maurice hat einen Traum von einem Haus und dieses Traumhaus muß gefunden werden. Es kann nicht gebaut werden, denn es muß alt sein: ein Bauernhaus in einem großen Obstgarten. Wie soll ich so etwas in der Nähe der Stadt finden! Ich suche Tag für Tag, ich arbeite mit drei Maklern, ich lese täglich die Annoncen in fünf Zeitungen, und so hoffe ich denn, daß es mir gelingt, bis zum Frühling das Rechte zu finden. Vorläufig leben wir im Hotel. Die Kinder sind noch im Internat. Das macht mir Kummer. Ich habe so sehr gehofft, sie jetzt schon holen zu können. Aber man kann nichts erzwingen. Auch solche Dinge haben ihr Wachstum. Wenn Ihr zu Ostern zurück sein werdet, kann ich Euch hoffentlich in unser eigenes Haus einladen.

Meine Liebe, ich wünschte Dir so sehr, daß Dein Leben so wäre, wie es sein soll. Verzeih, wenn ich mich des Gefühls nicht erwehren kann, daß es nicht so ist. Was ist mit Dir geschehen, und was wird mit Dir geschehen bis zu Deiner Rückkehr und bis zum Wiedersehen?

[An A. M.] *M., 29. Dezember 1951*

Endlich ein Brief von Ihnen. Ein paar Zeilen nur, aber diese wenigen Zeilen wiegen einen langen Brief auf. Haben Sie Dank.

Sie hatten mich damals also erkannt, und Sie warteten darauf, daß ich Sie rufen ließ. Das ist schön. Es macht mich glücklich. Sie erinnern mich an meinen Brief. Ich weiß: ich sagte, ich wünschte, daß Sie das Außergewöhnliche leben. Und Sie sagen mir jetzt, daß Sie wünschen und erwarten, ich würde das Gleiche tun. Was für eine Forderung und was für eine Hoffnung setzen Sie in mich! Ach, ich bin fern davon, ein außerordentliches Leben zu führen. Ich habe nie ein weniger außerordentliches Leben geführt als jetzt. Das Ordentliche verbraucht mich. Ich lebe mein tägliches Pensum. Das ist keine Klage. Ich bin es gewöhnt, immer das zu tun, was getan werden muß. Auch das Ordentliche, das Gewöhnliche, das Mühsame hat einen glühenden Kern. Es kommt immer nur auf die Höhe des Einsatzes an, nicht auf den Gewinn. Ich habe, Gott sei Dank, niemals an den Gewinn gedacht, auch nicht in bezug auf jene »hohen Güter«, von denen Sie sprechen. Ich arbeite, ich liebe, ich denke, das ist mein Leben. Ob sich daraus irgendein Gewinn ergibt, weiß ich nicht. Doch ist Ihr Heidenkind längst nicht mehr »ungebrochen«. Ich bete das Leben nicht mehr an. Ich fühle mich nicht mehr eins mit der »Natur«. Lebte ich nur »natürlich«, so würde ich es leichter haben. Aber wollte ich es je leicht haben? Sagen Sie mir eines, wenn Sie mir wieder einmal schreiben: Muß man wissen, wofür man lebt? Muß man das Ziel kennen? Muß man jener Macht einen Namen geben, der man sich fügt? Ach, möchten Sie mich doch verstehen, ohne daß ich deutlicher werden muß.

Sie fragen, ob ich in jenem Buch gelesen habe, das Sie mir geschickt haben. Ja, ich habe darin gelesen, um Ihretwillen. Werden Sie betrübt sein, wenn ich Ihnen sage, daß ich aber gar kein Bedürfnis habe, eine Dogmatik zu lesen? Nicht als ob ich mich nicht »interessierte«, falls das Wort hier angebracht ist. Aber ich glaube, daß mir nicht Bücher nottun. Ein Wort von Ihnen ist unendlich mehr. Vergessen Sie das nicht. Daß ich damit vieles in Ihre Hand lege, werden Sie fühlen.

Sie fragen nach meiner Schwester. Sie ist im Herbst mit ihrem Mann nach Amerika gegangen und wird frühestens an Ostern zurückkommen. Sie schrieb mir zwei Briefe, die keine, auch nicht die zarteste Spur des Erlebten zeigen. Es sind zufriedene Briefe. Niemals werde ich mir verzeihen, daß ich meine Schwester in jener entscheidenden Zeit sich selbst überlassen habe. Was für eine Chance wurde versäumt, durch meine Schuld. Niemals hätte ich erlauben dürfen, daß »alles beim alten blieb«. Ich hätte das tiefe Unbehagen meiner Schwester tiefer und schärfer machen

müssen. Ich hätte es ihr bewußt machen müssen. Aber ich habe
es nicht getan, weil ich nicht gewußt habe, was ich ihr sagen sollte.
Früher hätte ich gesagt: geh fort, wirf Deinen Lebenskomfort
über Bord, riskiere etwas, tu was Du willst, nur nicht das Gewohnte, und lebe, lebe. Aber was ist »leben«? Tun, was man will?
Das glaubt man, wenn man jung ist. Leben, das bedeutet immer:
tun, was man soll. Ich glaube fast, es ist gleichgültig, was man
tut. Es kommt nur auf die Intensität an, mit der man es tut. Wer
diese Intensität nicht hat, der wird niemals erfahren, was leben
heißt, und der, der glüht, wird in allem, was er tut, »leben«. Aber
vielleicht ist auch das keine sehr tiefe Weisheit. Vielleicht kommt
es nicht auf die Intensität an, sondern auf das Fundament oder auf
die Richtung oder, um in Ihrer Sprache zu reden: auf »die gute
Meinung«. (Daß sich die Kirche oft so trockener, so hausbackener
Worte bedient, um etwas Großartiges auszudrücken!) In den
Evangelien steht derlei nicht. Da ist Poesie. Ich lese jetzt viel
darin, meist wenn ich bei M.'s Proben im Zuschauerraum sitze,
im Dunkeln, ausgerüstet mit einer winzigen Taschenlampe. Wenn
ich vorhin sagte, daß mir Bücher nichts nützen, so muß ich jetzt
hinzufügen, daß die Evangelien kein »Buch« für mich sind. Ich
habe im übrigen immer und auf jedem Gebiet die Quellen den
Kommentaren vorgezogen. Das war eine Abschweifung.
Ihr Eintritt ins Kloster und mein Versagen meiner Schwester
gegenüber, das sind zwei Erlebnisse, die ich vergeblich zu bewältigen suche. Beides bedürfte einer (und zwar vermutlich ein und
derselben) geistigen Erfahrung, die ich nicht besitze. Durch beides
aber ist mein Leben noch unbequemer geworden, als es von jeher
war. Aber es ist nicht das Augustinische »Mein Herz ist unruhig…«
Wer dieses Wort zu sagen vermag, der ist ja schon entschieden.
Ich aber bin im unerquicklichen Zustand des Nirgendwo-Hin-
gehörens. Und es gibt nichts, was ich mehr verabscheue als das
Halbe, Laue, Unentschiedene.
Schreiben Sie mir wieder.

[An Herrn C.]   *M., 18. Januar 1952*

Es tut mir außerordentlich leid, daß Ihr Besuch bei uns einen
solchen Verlauf nahm. Ich habe Sie gewarnt, aber nicht nach-

drücklich genug. Ich weiß, daß Maurice Sie nicht leiden kann. Er sieht in Ihnen, dem Onkel Alices, einen Teil seiner Vergangenheit. Er will nicht erinnert sein. Sie aber erinnern ihn. So galt also Maurices Ausfälligkeit Ihnen, nicht mir. Ich war nur das Ersatzopfer. Ich bitte Sie, den Vorfall zu vergessen und zu keinem Menschen darüber zu sprechen. Wären Sie zu einer andern Stunde gekommen statt am Tag der Premiere, also mitten in Maurices Lampenfieber hinein, so wäre das alles vermutlich nicht geschehen. Bitte, legen Sie an Maurice nicht einen gewohnten und gängigen Maßstab an. Sein Wesen und Geschick ist mit mehr Dunkelheit belastet als das der meisten andern Menschen. Ich bitte Sie, ihn zu verstehen, und ich bitte Sie, zu schweigen und vor allem: nicht zu denken, daß dies die übliche Art ist, mit der er mich behandelt. Er ist gut und rücksichtsvoll, so sehr, wie ich es mir wünschen kann.

Ich hoffe, daß dieser Vorfall nicht trennend zwischen Ihnen und mir stehenbleiben wird. Schreiben Sie mir ein Wort darüber.

[An Professor F.] *M., 28. Januar 1952*

Ihr Brief ist nicht gerade ein Vorwurf, auch sagen Sie wirklich kein Wort des Tadels, und doch fühle ich, daß Sie mir mein Schweigen übelnehmen, trotz meiner Erklärung vom vorigen Jahr. Ich kann und will Ihnen keine Lageberichte schicken. Aber ich kann Sie für heute beruhigen: M. ist gesund, es ist kein Grund zu irgendeiner Befürchtung vorhanden. Er singt sehr viel in der Oper, und er hat auch schon mehrere Liederabende gegeben, er füllt die Häuser, es ist wie immer und überall: Erfolg über Erfolg. Nachts schläft er meist ganz gut, wenn auch mit Schlaftabletten, aber das war von jeher so. Das ist alles, was ich Ihnen erzählen kann.

Sie fragen nach meiner Schwester. Sie ist mit Ihrem Mann seit einigen Monaten in den Staaten. Es scheint, als habe sie wieder ganz in ihre Ehe zurückgefunden und in ihre Art von Leben, also in eine gewisse Ordnung. Ich glaube aber, daß diese Ordnung nur eine scheinbare ist und daß diese Rückkehr keineswegs hätte erfolgen dürfen. Doch möchte ich nichts weiter darüber sagen, ehe ich sie nicht wiedergesehen habe. Vielleicht begehe ich einen

Irrtum, indem ich an andere Menschen Forderungen stelle, die ich nur mir selbst stellen darf.

Verzeihen Sie meine Kürze. Sie hat ihre Ursache einfach darin, daß ich das Gefühl habe, diesen Brief hinter M.'s Rücken zu schreiben. Es ist wie eine Verschwörung *gegen* ihn, auch wenn sie *für* ihn ist. Sie werden mich verstehen.

[An Herrn C.]   *M., 1. Februar 1952*

Gleichzeitig mit Ihrem Brief kam einer von Alice. Sie schrieb nur zwei Zeilen: der Kleine sei sehr krank, er habe Diphtherie, er liege im Hospital. Maurice wollte am nächsten Morgen nach L. fliegen, obgleich das wenig Sinn gehabt hätte, da das Kind ja, wie wir annahmen, im Hospital lag und niemand zu ihm durfte, und um Alices willen mußte Maurice auch nicht reisen, da sie ja einen andern Mann hat. Zudem klang Alices Brief keineswegs so angstvoll und dringend, wie er es hätte tun müssen. Auch hatte Maurice am Abend eine Premiere, und so sagten wir uns, es genüge, wenn er am Tag darauf fliegen würde, nachdem er vorher noch einmal mit Alice telefoniert haben würde und falls sie sein Kommen wünschte. Aber nach Ihrem Brief war der Kleine in jener Nacht schon im Sterben. Maurice versuchte, Alice telefonisch zu erreichen, aber den ganzen Tag war niemand zu Hause, und Alice hatte nicht geschrieben, in welchem Hospital der Kleine lag, sie hatte überhaupt nichts Näheres geschrieben. Heute nun das Telegramm mit der Todesnachricht. Maurice ist sofort abgeflogen. Er war außer sich. Und dabei wußte er nichts von den näheren Umständen. Ich hatte ihm nichts von Ihrem Brief gesagt. Wenn er wüßte – nicht auszudenken, was für eine Katastrophe es gäbe. Hoffentlich findet niemand den Mut, es ihm zu sagen. Das Kindermädchen hat am wenigsten schuld. Aber daß Alice die Kinder einfach monatelang allein mit diesem Mädchen ließ, mit einem solchen Mädchen! Ist denn Beate nicht angesteckt? Vielleicht kann Maurice wenigstens dieses Unglück verhüten. Am liebsten wäre es mir, wenn er die Kleine mitbrächte. Aber das wird Alice nicht zugeben. Ich überlege, ob man ihr Beate nicht mit gerichtlichen Mitteln wegnehmen könnte, falls die nähern Todesumstände des Kleinen bekannt würden. Aber ich wage Maurice nichts davon zu sagen. Glauben Sie, daß Alice diese Kinder haßt? Ich habe den schrecklichen Verdacht, daß sie Maurice in ihnen haßt. Fast traue ich ihr ein solch abgründiges Gefühl nicht zu, und doch scheint es mir möglich. Ich bin voller Angst. Wie wird die Begegnung zwischen Alice und Maurice verlaufen! In dieser Situation! Wie wird Alice ihren Kopf aus der Schlinge ziehen? Auch zittere ich vor einer Begegnung zwischen Ihnen und Maurice. Hoffentlich reizt die schreckliche Gelegenheit, bei der sie sich wiedersehen, ihn nicht zu erneuten Ausfällen. Könnte ich Sie nur anflehen, zu schweigen, ganz gleich, was er Ihnen sagen mag! Es ist für Sie so schwer, ihn zu verstehen. Sie sind in eben dem Maß Franzose, wie er Slawe ist. Sie sind logisch, er ist es ganz und gar nicht. Seine Worte und Handlungen kommen aus einem Abgrund, in dem für Sie wie auch für mich nur ein Chaos zu sein scheint. Mir hilft die Liebe, ihn zu verstehen. Seine Fremdheit ist mir vertraut, ohne je weniger fremd zu sein. Aber für Sie ist er das ganz und gar Unbegreifliche. Zwischen Ihnen beiden wird es niemals eine Brücke geben.

Vier Tage später: ich ließ diesen Brief liegen, weil ich erst Maurices Rückkehr abwarten wollte, ehe ich ihn abschließen würde. Er kam gestern nacht an, unangemeldet, und er brachte Beate mit. Ich weiß nicht, ob Alice sie ihm freiwillig mitgegeben hat oder ob er sie entführt hat. Ich wage nicht, ihn zu fragen. Er ist verstört. Wissen Sie, was geschehen ist? Es muß, außer dem Tod des Kleinen, noch irgend etwas vorgefallen sein.

Beate ist ein scheues, schwieriges Kind. Sie spricht nur französisch, das erschwert unsere Annäherung. Zudem ist sie gänzlich unerzogen. Sie ist wie ein wildes, verschüchtertes Tierchen. Ich darf sie nicht einmal streicheln, sonst läuft sie weg und verkriecht sich in eine Ecke. Sie läßt sich nur von ihrem Vater bedienen. Ich weiß nicht, wie das werden soll. Heute müssen wir erst einmal Kleider und Wäsche für sie kaufen, denn Maurice brachte nichts dergleichen mit. Ich bin auf schwierige Wochen gefaßt, aber ich glaube, ich werde dieses Kind sehr lieben, es gleicht Maurice. Nur weiß ich nicht, ob wir es behalten dürfen. Wenn es Ihnen möglich ist, mit Alice zu sprechen, so versuchen Sie doch, bitte, ihre Absichten zu erforschen. Ich werde nun jedenfalls M.'s Hauspläne möglichst rasch verwirklichen, damit die Kleine ein Heim bekommt und damit ich auch meine Kinder heimholen kann.

(Vorläufig wohnen wir in einer Pension.) Haben Sie Einfluß auf Alice? Wollen Sie sie bewegen, uns die Kleine freiwillig zu überlassen? Tun Sie es, bitte. Es wäre Maurice ganz gewiß eine große Beruhigung, aus mehr als einem Grund.

[An Margret]   *M., 20. März 1952*

Du hast recht, Dich über mein Schweigen zu beklagen. Du wirst Dich auch über die Kürze dieses Briefs zu beklagen haben. Aber Du wirst wenigstens verstehen, warum ich nicht schreiben konnte noch kann. Wir haben im Februar endlich ein Haus gefunden. Es entspricht zwar in nichts Maurices Traum von einem alten Bauernhaus, es ist vielmehr das, was man eine komfortable Villa nennt, und eigentlich müßte ein Bankdirektor darin wohnen. Aber das ist jetzt gleichgültig. Maurice hat das Haus gefunden, und so ist es denn das unsere geworden. Seit vier Wochen sind wir damit beschäftigt, im Innern auszubauen. Ich bin von früh bis abends bei den Handwerkern. Seit Anfang Februar haben wir auch Maurices zehnjährige Tochter hier. Wir haben sie nach dem Tod ihres kleinen Bruders zu uns genommen, wissen aber nicht, ob sie bei uns bleiben darf. Sie gewöhnt sich langsam ein. Es war ziemlich schwierig für sie und uns. Im Mai oder Juni, sobald das Haus fertig ist, werde ich auch meine Kinder heimholen können.
Wenn Du etwas für mich tun willst, so ruf K. an (Miss D.) und sag, ich lasse darum bitten, mir das noch ausstehende Honorar über den Verlag bald zu schicken. Wir brauchen dieses (und anderes, vieles!) Geld für das Haus. Maurice besitzt zwar ein Bankkonto, von dessen Höhe er keine Ahnung hatte, aber es reicht bei weitem nicht. Manchmal habe ich schlaflose Nächte. Aber ich habe mich nun einmal in all dies Neue gestürzt wie ein Nichtschwimmer ins Wasser. Ich kann nur hoffen, daß die Flut mich trägt.
Daß es Dir so gut geht, ist mir im Augenblick eine große Beruhigung. Ich freue mich, Dich im Somner hier zu sehen.

Dieser Brief wird Sie, so hoffe ich, am Morgen Ihres Geburtstags
erreichen, zusammen mit den Rosen. Wenn Sie die Blumen nicht
behalten dürfen oder wollen, so möchte ich, daß Sie sie vor eine
bestimmte Statue im Kreuzgang stellen. Ich kenne die Heilige
nicht, die sie darstellt, aber Sie werden sofort wissen, welche ich
meine: sie hält die beiden Arme hoch, die linke Hand ist abge-
brochen, aber man sieht, daß sie in beiden Händen etwas trug,
etwas, das sie nach oben anbot, die rechte Hand, Handfläche nach
oben offen, zeigt deutlich die Gesamtgebärde. Was hat sie getragen? Man hat es ihr genommen. Ich meine nicht, daß es verloren-
ging, als die Statue beschädigt wurde. Das ist gleichgültig. Auf
jeden Fall bot sie etwas an, und es ist ihr abgenommen worden,
so heftig, daß auch noch die Hand mitgerissen wurde. Aber das
erfüllt diese Heilige offenbar mit Entzücken. Sie sieht so glücklich aus, fast übermütig. Wissen Sie jetzt, welche ich meine? Ich
bin damals lange vor ihr gestanden. Sie hat etwas ansteckend
Fröhliches. Vielleicht ist es gar keine Heilige, sondern eine höchst
weltliche Person, die Sie da stehen haben? Was sie auch sei: Flo-
rete, flores . . .
Ich habe keine Antwort von Ihnen bekommen auf meinen Brief
vom Dezember, aber die beiden Bücher, von denen das eine zu
Ostern, das andre zu meinem Geburtstag kam – die müssen von
Ihnen sein. Nicht wahr: sie *sind* von Ihnen gekommen? Ich hätte
bei B. anfragen können, wer der Auftraggeber war, aber ich
glaube, ich weiß ohnehin, daß Sie es sind. Ich danke Ihnen. Ich
danke Ihnen vor allem dafür, daß Sie auf diese Weise unsre alte
Freundschaft fortsetzen, und ich danke Ihnen auch für die ebenso
zarte wie intensive Fürsorge um mein – ach, wenn ich sage
»Seelenheil«, so klingt das fast ironisch, aber ich meine dies und
nichts anderes. Werfen Sie nur Ihr Netz aus, immer wieder, auch
wenn nichts darin hängenbleibt als etwas so Schäbiges wie meine
Klage darüber, daß ich keine Zeit habe, um über irgend etwas
nachzudenken. Ich habe auch kaum Zeit zum Lesen. Bücher dieser
Art erfordern eine ganz andre geistige Haltung als jene, die ich
einnehme. Wissen Sie denn, wie ich lebe? M. hat ein Haus gekauft. Wir haben es ausbauen lassen. Ich richte es zur Zeit ein.
Meist bin ich vom Morgen bis zum Abend dort. In vierzehn Ta-

gen ziehen wir ein. In meinem Kopf hat nichts anderes Raum als Zahlen: Längenmaße und Preise, Lohnabrechnungen und Termine. Dazu haben wir auch noch M.'s Tochter aus der ersten Ehe hier, eine kleine Französin, die ganz M.'s Kind ist und sehr behutsam behandelt werden muß. Ich bin es gewöhnt, viel zu arbeiten und keine Zeit für mich zu haben. Aber so viel Arbeit zu haben, wie ich jetzt habe, ist fast betäubend. Und doch weiß ich, daß es gut ist so. Hin und wieder werfe ich einen Blick in die Biographie der großen Teresa von Avila. Warum haben Sie gerade dieses Buch ausgewählt? Um der Mystik dieser Heiligen willen oder ihrer irdischen Vitalität wegen? Sie sind sehr gefährlich für mich, lieber Freund. (Darf ich noch so sagen oder ist das unschicklich jetzt? Wie aber, mit welch anderem Wort, sollte ich das ausdrücken, was ich für Sie empfinde?) – Ja, Sie sind gefährlich für mich. Sie rühren an meine Kindheit. An meine Kindersehnsucht. Ich war ein frommes Kind, eine kleine Ekstatikerin. Wie anders hätte mein Leben verlaufen können! Womit habe ich mir diesen Weg verbaut? Vorbei, zu spät, reden wir nicht mehr davon. Ich habe gewählt, und so habe ich zu tun, was eben zu tun ist. Aber was bleibt, was aus einer solchen Kindheit bleibt, ist unverlierbar und tut bisweilen weh. Jedes Zeichen von Ihnen tut weh. Ich bitte Sie: halten Sie die Angel ganz ruhig, ziehen Sie nicht daran, ich bin ein ganz normaler Mensch, der Schmerzen fürchtet. Ich möchte glücklich sein. Ich glaube nicht, daß ich im Glück schlechter wäre als ichs bin. Aber ich bitte Sie, lesen Sie aus diesen Zeilen nicht, daß ich unglücklich bin. Gewiß nicht. Wenn ich von »Glück« spreche, meine ich bereits etwas anderes, als ich etwa vor zwei oder drei Jahren meinte. Ich bin fest überzeugt davon, daß Sie für mich beten. Dies ist, so glaube ich, Ihre Form der Freundschaft.

Nun wird es bald ein Jahr, daß wir Abschied nahmen. Das Jahr Ihres Noviziats ist beinahe abgelaufen. Manchmal frage ich mich, ob es hart ist für Sie, gehorsam zu sein. Aber Sie hatten immer eine so generöse Art, sich ganz zu geben, ohne Rückendeckung und Hintertür, und Sie waren immer groß genug, sich zurückzunehmen um einer Notwendigkeit willen. Aber dies waren freie Entscheidungen. Und jetzt haben Sie, nachdem Sie einmal Ihr Ja gesagt haben, keine Freiheit mehr. Jetzt ist jeder Akt des Gehorsams nur mehr die Folge dieses einen Ja. Wie erträgt das ein

Mann Ihrer Art? Ich möchte wissen, was Demut ist. Darin scheint mir ein Geheimnis zu stecken. Ich hasse dieses Wort, und doch zieht es mich fast magisch an. Sagen Sie: liegt für sehr selbstbewußte, starke Menschen nicht ein fast unerlaubter Reiz darin, zu erproben, wie weit man in der Selbstaufgabe gehen kann? (Selbst wenn der Gegenstand, welchem die Hingabe gilt, groß ist.)

Was für Gedanken. Müßige Gedanken vielleicht. Gleich wird man wieder an meine nüchterne Alltagsvernunft eine nüchterne, vernünftige Forderung stellen: ich muß sehen, einen Bankkredit zu bekommen. Unser Bargeld ist zu Ende, und das Haus verschlingt große Summen. Ich, an Sparsamkeit gewöhnt und vor Schulden schaudernd, muß gänzlich umlernen. Ach, Sie haben weder Eigentum noch Schulden, weder ein Haus noch Möbel. Was für ein beneidenswerter Zustand. Wenn ich irgendeine Forderung der Evangelien begreife, so diese: »Verschenke Deine Habe.« Aber statt sie zu verschenken, sammle ich, baue ich, kaufe ich Möbel, richte mich im Irdischen häuslich ein, als gäbe es sonst nichts zu tun. Dieses Haus, lieber Freund, Ihnen kann ich es ja sagen: dieses Haus ängstigt mich. Ich gehe durch die schönen Räume und fühle: »Hier werden wir nicht bleiben.« Oder ich denke: »So ein Aufwand für ein Leben, das all dessen nicht bedürfte um menschenwürdig zu sein.« Aber M. wünscht sich dieses Haus, und darüber bin ich glücklich, denn es ist ein Zeichen dafür, daß das Nomadische in seinem Wesen zur Ruhe kommen will. Auch wird das Haus bald von drei Kindern belebt sein, dann wird alles gut werden.

Gedenken Sie meiner, so wie ich Ihrer gedenke. Meine Wünsche zu Ihrem Geburtstag sammeln sich in einem einzigen Wort. Es heißt: Friede.

[An Margret]   M., 29. Juni 1952

Ich muß Dich bitten, Euern Besuch hier zu verschieben. Es hat sich Unvorhergesehenes ereignet. Wir sind in großer Aufregung. Du weißt, wir hatten M.'s kleine Tochter hier. Alice schien damit einverstanden. Jedenfalls hat sie niemals den Versuch gemacht, die Kleine zurückzuholen. Vorgestern plötzlich erschien sie hier, mit ihrem neuen Mann, und forderte das Kind zurück. M. war gerade nicht da (das hatte sie so eingerichtet), und so nahm sie die Kleine kurzerhand mit. Es war eine herzzerreißende Stunde. Die Kleine, die sich sehr an mich angeschlossen hat, wollte nicht weg, und doch hängt sie an ihrer Mutter. Ich rief M. im Theater an, er war nicht zu erreichen. Ich dachte daran, die Polizei zu alarmieren, aber Alice hat das Recht auf ihrer Seite. Sie wollte durchaus nicht warten, bis M. nach Hause kam, begreiflicherweise. Was sollte ich tun? Die Kleine in ein Zimmer sperren, sie mit Gewalt zurückhalten? Mir steht das nicht zu. So mußte ich sehen, wie Alice die Kleider der Kleinen aus dem Schrank riß und einpackte und schließlich das völlig verwirrte Kind fortführte. M. kam Stunden später. Er tobte. Die Polizei weigerte sich einzugreifen. Das Flugzeug nach P. war bereits fort, das Kind ist für uns verloren. M. will die Kleine um jeden Preis zurückhaben. Es wird sehr schwierig sein, ich halte es sogar für ausgeschlossen. Aber Du wirst begreifen, warum ich Euch bitte, erst später zu kommen, sobald M. sich beruhigt hat.

Meine Kinder sind nun auch hier, das ist schön für mich. Ich habe sie so lange entbehren müssen. Unser Leben könnte jetzt gut und schön sein: wir haben das komfortable Haus, einen großen Garten mit alten Bäumen und vielen Blumen, M. hat unerhörte Erfolge, meine Kinder sind glücklich und begabt, M. versteht es gut, mit ihnen umzugehen, selbst die Geldsorgen sind durch eine ganz unerwartete Erbschaft M.'s zum Teil behoben. Aber ich beginne zu glauben, daß das Gesetz, das meine Liebe zu M. von Anbeginn regierte, niemals wird aufgehoben werden: Unruhe und Unsicherheit... Aber ich habe nie etwas anderes erfahren im Leben, und so habe ich Übung darin, derlei zu bestehen, und vielleicht ist mir dies so zur Gewohnheit geworden, daß ich einen andern Zustand nicht ertragen würde. Ich könnte sonst aus dem Gleichgewicht geraten.

Ich schreibe Dir, sobald unsre Verhältnisse wieder geordnet sind.

[An A. M.]   *M., 1. Juli 1952*

Dank für Ihre kurze Nachricht und das kleine Buch.
Ich schreibe diese Zeilen in jener Stunde, in der Sie Ihre Gelübde

ablegen. Ich bin glücklich darüber, daß Sie mir durch das Buch die Möglichkeit geben, aus der Ferne teilzunehmen.

Ob man wohl den Altar mit den Blumen geschmückt hat, die ich gestern nach G. gebracht habe? Es sind Blumen aus meinem Garten. Ich war in großer Eile, darum gab ich sie nur an der Pforte ab. Aber es war nicht meine Eile, die mich davon abhielt, Sie sehen zu wollen. Ich war nicht allein, M. S. war bei mir, ich hatte ihn gebeten, mitzufahren, denn ich möchte, daß er an allem teilnimmt, was mich bewegt. Eine Begegnung mit ihm wäre aber für Sie störend gewesen. Vermutlich durften Sie in diesen Tagen keinen Besuch empfangen. Wie gern aber wäre ich heute morgen wieder nach G. gefahren. Es war unmöglich. So sind wenigstens meine Blumen bei Ihnen.

Eben jetzt wird man Ihnen einen neuen Namen geben, und Sie legen Ihre Profeßurkunde in die Hand Ihres Abtes. Darf ich Ihnen sagen, daß ich das Gefühl habe, als legte auch ich etwas in diese Hände: meine Freundschaft zu Ihnen. Mehr noch. Aber das geht über mein Begreifen hinaus.

Für drei Jahre haben Sie sich gebunden. Ich weiß, Sie werden nie mehr zurückkehren. Ich schäme mich nicht, Ihnen zu sagen, daß ich jetzt weine. Es ist nicht nur der Abschied von Ihnen, der mir diese Tränen erpreßt. Es ist die Größe Ihres Entschlusses, die mich erschüttert.

Ich kann Ihnen nichts weiter sagen, nichts mehr, was von Belang für Sie wäre. So sage ich Ihnen denn das Schlußwort Ihrer Feier: Confortet te Deus.

[An Maurice] *M., 10. Juli 1952*

Ich bitte Dich, jetzt zurückzukommen. Die Proben für P. haben längst begonnen. W. ist äußerst ungehalten, bei aller Rücksicht, die er Dir zukommen läßt. Aber Du kannst doch nicht den ganzen Betrieb stören. Du hast einen Anwalt, der alles tun wird, was zu tun ist. Ich würde an Deiner Stelle auch C. einschalten, gleichgültig, ob er Dir unangenehm ist oder nicht. Er ist klug, fast gerissen, er hat Beziehungen überallhin, und er mag Alice nicht, er schrieb im letzten Brief ein ebenso scharfsinniges wie zorniges Urteil über sie, und er verzeiht ihr niemals, was sie getan hat: weder die Indiskretion, Dich betreffend, noch daß sie ihn so sehr getäuscht hatte über ihre Stellung zu dem, was ihm das Teuerste ist (ich meine seinen Katholizismus), noch die zu rasche zweite Heirat (wiederum seiner katholischen Ansicht zuwider), noch vor allem den Tod des Kleinen. Er wird alles tun, damit wir Beate bekommen. Geh zu ihm, um der Kleinen willen überwinde Deine Abneigung. Übergib ihm die Führung dieser ganzen Angelegenheit. Vergiß nicht, mich als Zeugin dafür zu nennen, daß die Kleine Striemen von Schlägen hatte, die ihr das Dienstmädchen versetzt hatte.

Und dann komm. Du kennst W. Er ist imstande und setzt den Vertrag außer Kraft. Und er wird ein Recht dazu haben, das weißt Du. Es wird Dir ungemein schaden. B. wird für Dich verloren sein. Sag nicht, daß Du darauf pfeifst (oder wie Du Dich ausdrücken willst). Ich bin fern davon, ehrgeizig zu sein, weder für mich noch für Dich. Aber man muß doch so viel Ordnung im Leben wahren, wie es nur irgend möglich ist.

Du wirst diesen Brief in zwei Tagen spätestens haben. Dann rufst Du mich an, nicht wahr? Du kannst bis St. fliegen, von dort gibt es ein Flugzeug nach N., ich erwarte Dich in N. mit allem, was Du brauchst, und so werden wir dann gerade noch rechtzeitig ankommen zu den wichtigen Proben für P. und T.

Ich bitte Dich: sei vernünftig. Du kannst die Sache nicht erzwingen. Es wird ein langer Prozeß werden. Jetzt arbeiten die Gerichte dann ohnehin nicht. Du kannst also frühestens im September damit rechnen, daß Deine persönliche Anwesenheit den Verlauf des Prozesses beschleunigt. Jetzt ist B. Deine wichtigste Aufgabe. Also: komm.

[An Frau H.]   *M., 3. November 1952*

Wenn ich nicht wüßte, welch warme Freundschaft Sie meinem Mann und mir entgegenbringen, hätte ich Ihren Brief verbrannt, ohne darauf zu antworten. Aber die Gesinnung, die Ihnen diesen Brief diktiert hat, ist so lauter, daß ich es als meine Pflicht empfinde, Ihnen zu erwidern.

Zunächst muß ich einen Irrtum berichtigen: ich habe es keineswegs besonders schwer in meiner Ehe. Daß ein Mann wie M. S.

in großen und quälenden Spannungen lebt und daß man von ihm kein Moderato erwarten kann, ist selbstverständlich. Er ist ja nicht nur ein Sänger mit einer schönen Stimme, er ist vielmehr ein großer Schauspieler, das wissen Sie, die Sie so oft seine Partnerin auf der Bühne sind. Daß er, besonders an Premierentagen, gereizt ist oder sich in finstere Schweigsamkeit hüllt, dürfte Sie nicht befremden. Er leidet viel mehr unter Lampenfieber als Sie. Im übrigen ist er nur in Gesellschaft unausstehlich. Sie wissen, daß er menschenscheu ist. Wenn wir allein sind, ist er keineswegs unleidlich, wir sind vielmehr sehr oft fröhlich. Als wir noch in W. waren, haben sich die Leute in unserer Pension über unser vieles Gelächter beschwert, freilich immer nur so lange, bis sie erfuhren, daß es das berühmte Lachen M. S.'s war, was sie gestört hatte. Dann störte sie es nicht mehr. Aber selbst, wenn M. S. sich so zu mir verhielte, wie Sie meinen, wäre das kein Grund für mich, unglücklich zu sein. Eine Ehe ist dazu da, daß »einer des andern Last trage«.

Was Sie über Elisabeth M. schreiben, ist mir nichts Neues. Ich weiß, daß das Mädchen hingerissen ist von meinem Mann. Auch er findet sie bezaubernd. Das ist sie wirklich. Sie ist mit ihrer Natürlichkeit ein Labsal inmitten der verbrauchten Theatergeschöpfe, das finden auch Sie. Daß mein Mann gern mit ihr zusammen ist, weiß ich, und es ist gut so. Ich freue mich, wenn ihm etwas begegnet, was ihn fröhlich macht. Gewiß besteht die Gefahr, daß das Mädchen sich ernstlich in ihn verliebt. Das täte mir leid für sie, denn es würde eine äußerst unglückliche Liebe, und eine einseitige, davon dürfen Sie überzeugt sein. Mein Mann und ich haben uns unter größten, viele Jahre dauernden Schwierigkeiten gefunden; das bindet. Diese Bindung würde selbst dann bestehen bleiben, wenn mein Mann sich in Elisabeth verlieben würde. Für ihn wäre es eine Affaire, für das Mädchen aber eine Katastrophe. Ich kann nichts tun in dieser Angelegenheit. Wenn ich meinen Mann warne, so klingt das wie Eifersucht, und ich zerstöre die schöne Unbefangenheit. Wenn ich das Mädchen warne, so wird es vergeblich sein. Derartige Gefühle sind für vernünftige Argumente nicht erreichbar. Ich lasse den Dingen ihren Lauf und hoffe, daß kein Unglück für das Mädchen daraus entsteht. Ich will versuchen, ihr auf beiläufige, aber immerhin deutliche Weise zu zeigen, was die Ehe zwischen M. S. und mir ist.

Im übrigen sind wir beide, Sie und ich, meine Liebe, alt und erfahren genug, um zu wissen, daß man nichts verhüten kann, was geschehen soll, und daß es keine menschliche Beziehung gibt, die ohne Schmerzen wäre. Woran wachsen wir denn, wenn nicht an unseren Schmerzen?

Bitte, sagen Sie nichts zu Elisabeth M. und auch nichts zu meinem Mann. Menschen wie M. S. brauchen nichts so sehr wie das Gefühl, daß man ihnen unbedingt vertraut, und das tu ich. Bitte, sehen Sie davon ab, mir Briefe zu schreiben. Ich lese die Post immer in Gegenwart meines Mannes, und wenn er fragt, wer mir schreibt, sage ich es ihm. In Ihrem Fall müßte ich ihm sagen, was der Inhalt des Briefes ist, und das hätte keine guten Folgen. Nicht wahr, Sie verstehen mich.

[An Herrn C.]   *M., 9. Dezember 1952*

Ich bin in großer Sorge: der Prozeß um Maurices Tochter ist in der ersten Instanz verloren, Sie werden es vielleicht durch den Anwalt wissen. Ich habe das vorhergesagt. Alice lebt in »geordneten Verhältnissen«, es besteht kein Grund, ihr das Kind wegzunehmen, das ihr einmal zugesprochen wurde. Daß sie ihre Fürsorgepflicht vernachlässigt hat, als sie ein halbes Jahr auf Reisen war und die Kinder der Obhut eines unzuverlässigen, von einem Tag zum andern engagierten Mädchens überließ, scheint dem Gericht nicht Grund genug zu sein, ihr das Kind wegzunehmen. Jede Frau muß ohne die Kinder verreisen dürfen, so denkt man. In der Tat: so ist es. Daß der kleine Sohn als Folge dieser Vernachlässigung starb, ist nichts weiter als ein bedauerlicher Zufall. Ich muß gestehen, daß ich den Ausgang des Prozesses nicht nur vorhergewußt habe, sondern ihn nicht einmal als ungerecht empfinden kann. Kinder gehören zu ihrer Mutter, und meist ist eine schlechte Mutter noch besser als keine. Im übrigen wage ich nicht zu behaupten, daß Alice eine schlechte Mutter ist. Vielleicht geben ihr die Ereignisse dieses Jahres zu denken.

Etwas anderes aber ist Maurices Antwort auf den Ausgang des Prozesses: er ist aufs äußerste empört oder vielmehr niedergeschlagen, auf seine maßlose Art. Es scheint mir fast, als ginge es ihm nicht mehr nur um das Kind, sondern darum, seinen Willen durchzusetzen. Aber warum ihm das so verzweifelt wichtig ist, das muß einen tieferen Grund haben als die Unfähigkeit, eine Niederlage zu erleiden. Ich fürchte fast, aus einigen Bemerkungen schließen zu müssen, daß er diese Niederlage als ein Gleichnis oder Omen empfindet, etwa in diesem Sinne: wenn es ihm nicht gelingt, das Kind zurückzuerobern, so wird er auch weiterhin Niederlagen erleben. Das wäre also eine Art Gottesgericht. Ich weiß nicht, wie er auf diesen Gedanken verfallen konnte. Er wird nun den Prozeß von neuem aufgreifen. Nichts kann ihn davon abhalten, auch nicht die strikte Auskunft seines Anwalts über die Unmöglichkeit eines Sieges. Er wird eben einen andern Anwalt nehmen, und zwar den offenbar berühmten B. Kennen Sie ihn? Ich bitte Sie, mit ihm zu sprechen, damit er Maurice von der Sinnlosigkeit dieses Unternehmens überzeugt. Ich werfe meine ganze Hoffnung auf Sie. Maurice will, sobald er kann, noch in diesem Monat, nach P. kommen. Ich kann ihn nicht zurückhalten. Wenn er von einem Plan besessen ist, so führt er ihn aus, um jeden Preis. Ich möchte ihm auch nicht abraten, denn er ist von Natur mißtrauisch und könnte glauben, ich wollte die Kleine nicht bei mir haben. Ich möchte das übrigens sehr gerne, um Maurices willen, und auch um meinetwillen, denn ich habe sie liebgewonnen, sie fehlt mir. Aber wir werden sie nicht bekommen. Ich bitte Sie, tun Sie bei B. was Sie können, um Maurice eine zweite Niederlage zu ersparen.

[An Maurice]   *M., 16. Dezember 1952*

Ich bin überzeugt davon, Du hast vergessen, daß übermorgen Dein Liederabend im H. S. ist. Sollte Dich dieser Brief über den Anwalt nicht erreichen und auch das Telegramm nicht, das ich gleichzeitig an ihn abschicke, und sollte ich morgen keine Nachricht von Dir haben (ich weiß nicht einmal Dein Hotel!), so werde ich von mir aus den Abend absagen. Ich werde V. sagen, Du habest einen Autounfall gehabt, das Konzert müsse verschoben werden. Es ist sehr unangenehm, das weißt Du. Wenn Du mich nur anrufen wolltest. Von Stunde zu Stunde warte ich auf Nachricht. Für morgen hast Du auch zwei Schüler bestellt, ich werde sie heimschicken müssen. Verzeih, daß ich mahne und dränge, aber

Du weißt ja selbst, wie nötig es ist, daß wir Ordnung halten. In großer Eile nur diese wenigen Zeilen.

[An Herrn C.]   *M., 10. Januar 1953*

Ihr Weihnachtsgruß ist mir eine große Freude. Besonderen Dank für die Widmung, die mir als unverdientes und überraschendes Geschenk erscheint, wie überhaupt diese ganze Verbindung zu Ihnen als etwas Überraschendes und fast Befremdendes in mein Leben kam.

Es ist nicht eigens vermerkt, aber ich glaube, ich irre mich nicht: Ihr Buch ist eine Auswahl aus Ihren Vorlesungen. Das Kapitel über die Freiheit jedenfalls habe ich wiedererkannt. Es war Ihre Antrittsvorlesung in M., nicht wahr? Sie haben uns damals heftig beschäftigt. Sie sagten, wir müßten aufhören, Freiheit und Vorherbestimmung als Gegensätze zu sehen. Freiheit beziehe sich wesentlich nicht auf das Tun des Menschen, sondern auf seine geistige Haltung. Unsre Freiheit besteht nicht darin, zwischen zwei Handlungen zu wählen (denn wir haben keine Wahl), sondern nur darin, ja oder nein zu sagen zu dem uns Gesetzten. Ich war damals nicht sicher, ob sich diese Ansicht mit der katholischen Theologie vertrage, aber sie entsprach meinem eigenen Glauben. In meine Sprache übersetzt hieß Ihre These: es gibt eine Vorherbestimmung, es gibt sogar nichts außerhalb des Vorherbestimmten; alles, was geschieht, geschieht mit Notwendigkeit und ist ein winziges Zahnrad in einem riesigen Uhrwerk, das unaufhaltsam abläuft. Wir können nicht wählen, wir können uns nur dazu verhalten, etwa so: ein Kind muß seinen Brei essen, auf jeden Fall, aber es kann sich verschieden verhalten. Es kann schreien, um sich schlagen, den Brei verschütten; vergeblich, man wird ihm einen neuen Brei bringen und es füttern. Oder aber es kann den Brei »freiwillig« hinunterwürgen, ergeben oder aus Angst vor Strafe, und er wird im Magen zu einem Stein werden, der drückt und nicht nährt. Oder aber es kann den Brei wohlschmeckend finden und ihn fröhlich löffeln, entweder weil er ihm wirklich schmeckt oder weil es sich einredet, er sei nach seinem Geschmack. Vielleicht gibt es auch Kinder, die so artig einsichtig sind, daß sie in liebendem Gehorsam essen.

Ich meine heute, daß niemand eine ganz eindeutige Haltung hat. Als Studentin habe ich einmal den Begriff der »Verknäuelung der Motive« geprägt. Kein schönes Wort, aber gewiß ein zutreffendes, der Erfahrung entsprechendes. Wenn ich mich frage, warum und wie ich bisher meinen Brei gegessen habe, so muß ich sagen: deshalb, weil er mir angeboten wurde und weil ich dachte, er enthielte Kräfte, die ich brauchte, ganz gleich, ob mir der Geschmack behagte oder nicht; aber ich aß auch aus Neugierde und oft auch aus Trotz, oder um mir zu beweisen, wie tapfer ich sei.

Nun sagen Sie, das einzig würdige und richtige Verhalten sei, sich als »frei« zu erkennen. Das heißt also: man muß glauben, daß man den Brei wirklich freiwillig ißt. Man muß diese Freiheit einfach »sich setzen«. Ist es so? Ich muß gestehen, daß ich Ihnen hier nur schwer folgen kann, obgleich ich das Kapitel mehrmals gelesen habe. Wie kann ich glauben, daß ich frei bin, wenn ich nicht mit Bestimmtheit sagen kann, daß ich derjenige oder dasjenige bin, aus dem der Anstoß kommt zur »freien Tat« (in Ihrem Sinn: zum freien Ja oder Nein dem Vorherbestimmten gegenüber). Wenn ich ja sage zur Tugend, bin dann wirklich ich es, die ja sagt? Oder bin ich nicht vielmehr getrieben von etwas, das in Ihrer Sprache »Gnade« heißen könnte? Und wenn ich schon in dieser Sprache weiterspreche (ich erinnere mich wohl meines Katechismus: Gnade erfordert die Bereitschaft und Mitwirkung des Menschen), so muß ich fragen: Woher kommt mir der Anstoß oder die Kraft dazu, bereit zu sein für die Gnade?

Sie verstehen, daß für mich diese Frage wichtig ist, ach, mehr als wichtig, und Sie wissen warum. Denn ich war einmal in einer Lage, in der ich mich unbedingt als Passivum fühlen mußte; ich hatte keine Wahl, ich nahm das Angebot an, weil ich nichts anderes tun konnte, und ich sagte schließlich ja. Dieses eine Ja war das Ende einer Kette und zugleich der Anfang einer neuen (für mich, für den Zuschauer ist es natürlich ein und dieselbe Kette). Aber jedenfalls war schon das nächste Glied der Kette die Folge dieses ersten Ja. War ich nun, als ich mich entschloß, M. zu heiraten, »frei«? Es war mir so bestimmt. Mein Ja aber war ebenso vorherbestimmt wie die Tat (ich sehe da praktisch keinen Unterschied, in meinem Fall). Wo aber bleibt da Raum für Gut und Böse? War dieses Ja etwas Gutes oder etwas Böses? Was immer es auch war: das Ja, das ich jeden Morgen von neuem spreche – wird das in

Freiheit gesprochen? Welchen Sinn oder Wert hat nach Ihnen überhaupt die Tugend, wenn die Gnade der Anstoß zum Tugendhaft-Sein ist? (Wieso kommt mir dieses Wort immer wieder in die Feder, dieses muffige Wort aus alten Gebetbüchern? Tugend, das ist eine fromme alte Jungfer mit einem Innenleben, ebenso reinlich, kühl und ungemütlich wie ihr Zimmer. Tugend, das ist das gleiche wie Selbstzufriedenheit. Ich muß gestehen, daß mir tugendhafte Leute verdächtig sind.)

Aber lassen wir das. Es wäre schön, zugleich tugendhaft und groß sein zu können. (Verträgt sich Ordnung mit Großartigkeit?)

Statt Dinge zu schreiben, die Ihnen äußerst ungereimt erscheinen müssen, sollte ich längst auf einen Punkt Ihres Briefes eingegangen sein, der dringend einer Antwort bedarf. Sie sprechen von meiner Tapferkeit und bringen Sie in Zusammenhang mit meiner Ehe. Es müßte mir eigentlich angenehm sein, in Ihren Augen die Rolle des Opferlamms zu spielen und von Ihnen dafür bewundert zu werden und getröstet. Aber ich muß Sie enttäuschen: ich bin nicht unglücklich; ich bin kein Lamm; ich fühle mich nicht geopfert; ich habe meine Heirat niemals bereut, und die Verbindung zwischen Maurice und mir ist so eng wie je. Sie können ruhig das Wort Liebe dafür gebrauchen. Ich weiß nicht, wer das Gerücht verbreitet, Maurice behandle mich nicht gut. Es kommt wohl daher, daß er in Gesellschaft mit mir kaum ein Wort spricht und daß er überhaupt häufig finster vor sich hinschweigt. Aber das ist seine Maske; er weiß, daß sie ihm steht und daß man von ihm erwartet, daß er sie trägt. Zudem ist er tatsächlich menschenscheu und erfüllt seine gesellschaftlichen Pflichten nur zähneknirschend. Was wir beide uns zu sagen haben, ist von einer Art, die kein fremdes Ohr angeht. Maurice haßt es, seine Gefühle zu zeigen. Vor allem sein Gefühl für mich verbirgt er unter eben jener Maske des Unbeteiligtseins. Die guten Leute aber meinen, er sei nur ein tyrannischer, launenhafter, unleidlicher Ehemann. Nichts von allem.

Ich habe nur eine einzige Sorge: das ist dieser sinnlose Prozeß um Maurices Tochter. Ich verstehe nicht, daß ein angeblich so gerissener Anwalt wie dieser B. einen derart aussichtslosen Fall übernimmt. Im März ist der zweite Termin. Maurice wird natürlich wieder nach P. fahren. Vergeudete Zeit, vergeudete Kraft, vergeudetes Geld. Aber was kann ich tun? Könnten Sie nicht noch einmal mit Alice sprechen oder, noch vorteilhafter, mit ihrem Mann? Vielleicht findet er aus irgendeinem Grund, daß es besser ist, das Kind uns zu überlassen, und vielleicht überredet er Alice? Aber ach, ich habe keine wirkliche Hoffnung. Und doch bitte ich Sie, es zu versuchen, das Kind auf diese Weise für Maurice zu retten.

[An Elisabeth M.]   *M., 10. März 1953*

Werden Sie mir böse sein, wenn ich Sie »liebes Kind« nenne trotz Ihrer fünfundzwanzig Jahre? Aber diese Anrede drückt am besten die Gesinnung aus, in der ich Ihnen auf Ihren Brief antworte. Aber lesen Sie nicht zu allererst jene Überlegenheit heraus, die ich ganz natürlicherweise durch mein Alter und meine Lebenserfahrung Ihnen gegenüber habe, sondern spüren Sie meine Sorge um Sie.

Ihr Brief rührt mich. Wie sehr erinnert er mich an mich selber! Vor vielen Jahren war auch ich in einer solchen Lage, und es war auch M. S., der, ebenso unverschuldet, mich in diese Lage gebracht hatte. Sie sagen, Sie lieben ihn. Das glaube ich Ihnen gerne. Er hat eine sehr große Kraft der Anziehung. Diese Anziehung hängt mit seiner schauspielerischen Begabung zusammen: er hat viele Masken, und man weiß nie (außer wenn man ihn so kennt, wie ich ihn kenne), ob er darunter auch noch ein eigenes Gesicht hat. Er ist kaum zu durchschauen. Das gibt ihm den Anschein des Geheimnisvollen, und das ist's, was viele Frauen anzieht. Auch mich hat es einmal berückt und gebannt. Einem solchen Mann verfällt man leicht mit Haut und Haar. In ihm glaubt man die Erfüllung einer großen Sehnsucht zu finden. Ein so geheimnisvoller Mann muß, so denkt man, alle geheimen Wünsche einer Frau erfüllen. Er wird unerschöpflich sein wie das Leben selbst, niemals so wie andre Männer, und selbst seine Schwächen und Alltäglichkeiten werden noch interessant und aufregend sein. Es ist seltsam, daß Frauen auf solche Männer »fliegen«. Schwermut und Dunkelheit scheinen weit mehr Anziehungskraft für viele Frauen zu haben als das Gerade, Gesunde, Einfache, Klare. Das wundert denjenigen nicht, der weiß, daß auch das Böse weit größere Faszination hat als das Gute. Immer ist man geneigt, im

Dunkeln mehr Geheimnis zu suchen als im Hellen. Aber das Helle ist um nichts weniger geheimnisvoll und interessant als das Dunkle. Glauben Sie mir: das, was Sie als Geheimnis in meinem Mann anzieht, ist lange nicht so geheimnisvoll, wie Sie meinen. Sie sind doch selbst Schauspielerin. Sie müßten doch schon aus Erfahrung wissen, daß Schauspieler gern posieren, wenn sie Zuschauer haben. Das Spielen ist ihre Lebensäußerung. Sobald sie keine Zuschauer haben, legen sie die Maske ab. Darunter ist ein ganz einfaches, erschöpftes menschliches Gesicht, nichtssagend vor Müdigkeit, um so nichtssagender, je bedeutender die Maske ist. Denn ein guter Schauspieler gibt sich im Spiel aus, er verzehrt sich darin, er ist das Opfer seines Spiels. Der Preis, den er für sein Glück und seine Ekstase während des Spiels bezahlt, ist die entsetzliche Leere, die ihn befällt, sobald er nicht mehr spielt. Wissen Sie es nicht von sich selbst? M. S. ist zu Hause ein müder, schwermütiger, an seiner Begabung zweifelnder Mensch, weitab von allem Geheimnisvollen. Ich sage Ihnen die Wahrheit. Was Sie lieben, ist ein Bild von M. S., ein liebevoll geträumtes Bild, doch nicht M. S., so wie er wirklich ist. Ich kann nur wünschen, sehr von Herzen, daß Sie bald, sobald wie möglich, das Traumgespinst zerreißen.

[An Alice S.]   *M., 14. März 1953*

Möchte Sie dieser Brief doch in einer guten Stunde erreichen, liebe Alice. Denn ich bitte Sie um Ihre Hilfe, um Ihre Güte, Ihre Einsicht.

Von C. erfuhr ich, daß Sie ein Kind erwarten. Ich wünsche Ihnen von Herzen, daß es Ihnen gutgehen möge und daß Sie glücklich sind. Die Tatsache dieses erwarteten Kindes gibt mir den Mut, Sie zu fragen, ob es Ihnen unter diesen veränderten Bedingungen nicht möglich wäre, Beate freiwillig M. zu überlassen, wenn auch nicht grundsätzlich und für ganz und immer, sondern nur vorläufig, vielleicht für die Zeit Ihrer Schwangerschaft und Ihrer Erholung. Beate ist ein so lebhaftes und schwieriges Kind, daß sie Ihnen sicher in dieser Zeit auf die Nerven fällt. Daß sie es bei uns gut haben wird und daß ich sie liebgewonnen habe, brauche ich Ihnen nicht eigens zu sagen. Ich bitte Sie aber nicht um meinetwillen, sondern in ernster Sorge um M. Für ihn ist die Frage, ob er Beate haben wird oder nicht, zum Brennpunkt seines Lebens geworden. Sie wissen, wie heftig er ist in seinen Wünschen und wie jeder Wunsch ihn zu einem Besessenen macht. Er führt diesen Prozeß gegen meinen Willen und wohl auch gegen seine eigene Einsicht. Ich möchte, daß wir, Sie und ich, ihm die große Niederlage ersparen, die der Ausgang dieses unwürdigen Prozesses für ihn sein wird. Können Sie sich auf eine menschliche Weise mit ihm einigen, etwa nach meinem Vorschlag? Es müßte doch möglich sein, die Kleine ein halbes Jahr hier, ein halbes Jahr bei Ihnen zu lassen. Wenn Sie und M. in Frieden sich einigen, wird es für das Kind sehr gut sein, beide Eltern zu haben, wenn schon nicht gleichzeitig, so doch grundsätzlich.

Darf ich Ihnen, nur Ihnen, liebe Alice, sagen, daß mich die Besessenheit M.'s von diesem Prozeß betrübt. Sie betrübt mich um Ihretwillen, denn gerade jetzt ist Ihnen eine derartige Aufregung höchst unzuträglich, auch finde ich es häßlich, einer Mutter ihr Kind wegnehmen zu wollen, selbst in Ihrem Fall. Aber noch mehr Sorge macht sie mir um M.'s Gesundheit willen. Sie verstehen mich. Sie wissen, wie schlecht er Niederlagen verträgt. Sie wissen, welche Gefahr besteht. Sie waren M.'s Frau, Sie sind jetzt die Frau eines andern Mannes; zwischen Ihnen und M. könnte Frieden sein. Ich bitte Sie um die Geste der Großmut: einigen Sie sich friedlich mit M. Sie werden ihm helfen, Sie werden eine große Gefahr aus dem Wege schaffen. Nur Sie können es. Ich setze meine ganze Hoffnung auf Sie. Es wäre wohl die schönste Lösung, wenn Sie mit ihrem Mann und Beate hierherkämen, einige Tage unsre Gäste wären und Beate für eine gewisse Zeit uns überließen. Wir würden sie Ihnen wiederbringen. Auf diese Weise würden Sie und wir uns große Aufregungen und unwürdige Szenen ersparen. Ich bitte Sie, sich diesen Vorschlag oder vielmehr diese Bitte gut zu überlegen. Lassen Sie es zu dem Prozeßtermin nicht kommen.

[An Elisabeth M.]   *M., 20. März 1953*

Ich habe gefürchtet, daß Sie mir diese Antwort geben würden. Sie glauben, Sie könnten meinen Mann erheitern, seine Schwermut heilen mit der Kraft Ihrer Jugend und Liebe, ihn glücklich machen?

Werden Sie mir aufmerksamen Geistes zuhören können, wenn ich nun versuche zu überdenken, unter welchen Umständen dies möglich wäre. Es geht um ganz reale, ganz einfache Fragen. Daß Sie kein Wort von Ehe, Scheidung und dergleichen schrieben, beweist mir, wie rein Ihr Gefühl für meinen Mann ist, aber auch wie gefährlich für Sie.

Wie denn denken Sie sich die Verwirklichung Ihrer Liebe zu meinem Mann? Wenn Sie auch im Augenblick noch derlei Überlegungen nicht machen oder doch nur uneingestanden und flüchtig, so wird ohne Zweifel der Tag kommen, an dem Sie sich die Frage stellen: was denn soll nun werden. Es gibt zunächst nur zwei Möglichkeiten (von einer dritten wird am Schluß die Rede sein), vorausgesetzt, daß mein Mann Sie wiederlieben würde: entweder ließe er sich von mir scheiden, um Sie zu heiraten, oder aber die Ehe bestünde weiter, und Sie würden seine Geliebte. Ich glaube nicht, daß unsre Ehe von einer Art ist, die Scheidung zuließe. Eher hielte ich es für möglich, daß Sie die Geliebte meines Mannes würden. Erschreckt Sie dieses Wort? Doch *muß* ich die Dinge nicht beim rechten Namen nennen?

Ich liebe meinen Mann in einem Grad und auf eine Weise, die es durchaus für möglich erscheinen lassen, daß ich mein Einverständnis dazu gäbe, wenn er Sie zur Geliebten nehmen würde. Ich begrüße alles, was ihn glücklich macht. Lassen Sie uns nun überlegen, ob ihn eine Liebschaft mit Ihnen glücklich machen könnte. Gesetzt den Fall, er wäre überzeugt davon, daß ich nichts wüßte (was natürlich an einem Theater völlig unmöglich wäre, denn jeder würde es mir sofort erzählen), aber gesetzt diesen Fall: das peinliche Gefühl, seine Frau zu hintergehen, würde sein Glück mit Ihnen so vergiften, daß es keins mehr wäre. Gesetzt den andern Fall: er handelte mit meinem stillschweigenden oder ausdrücklichen Einverständnis; das käme also auf eine Art Ehe zu dreien hinaus. Aus Erfahrung weiß man, daß derlei absurde Verhältnisse nie von Dauer sind. Eines Tages gibt es Streit und viel Häßliches, und eine der beiden Frauen wird verlassen, fast immer ist es die Geliebte, die mit großem Leid zu bezahlen hat. Davon abgesehen: es würde eine außerordentliche Größe der Geliebten voraussetzen, immer doch nur eben die »Nebenfrau« zu sein. Am

Anfang erträgt man derlei gern, aber bald empfindet man es als Demütigung, und dann begeht man den Fehler, die Ehefrau übertrumpfen und sich an ihren Platz spielen zu wollen. Dabei verliert man alles, was der Mann schätzte: Anmut, Liebenswürdigkeit, Absichtslosigkeit, Großmut; und man bekommt alle Eigenschaften, die ihn abstoßen: Streitsucht, Berechnung, Kleinlichkeit, Mißgunst, Eifersucht und Habgier. Und dann hat man das Spiel verloren. Gesetzt den dritten Fall: der Mann vermöchte zu begreifen, daß die Ehefrau so unendlich tief liebt, daß sie ganz und gar von sich absehen kann um des Glücks des Mannes willen. Die Antwort darauf wird je nach der Artung des Mannes verschieden sein. Entweder wird er durch die Großmut seiner Frau beschämt, und seine Liebe zu ihr wird zurückkehren und sich verdoppeln, und die Geliebte wird von ihm verlassen. Oder aber er fände einen Anlaß zum Mißtrauen in der Großmut und begänne anzunehmen, daß seiner Frau die Großmut leichtfalle, da das erotische Band zerstört sei. Wenn er seine Ehefrau noch liebt, so wird ihn dieses Mißtrauen unglücklich machen, und er wird die Geliebte für seine Enttäuschung büßen lassen, oder er mag ein so von Gnaden der Frau gegebenes, leichtes Glück nicht mehr. (Bedenken Sie, daß der Reiz des »Seitensprungs« für viele Männer darin liegt, ein Abenteuer zu haben, ein Geheimnis vor der Ehefrau, ein Versteck, das ihnen allein gehört. Das Verbotene lockt, das Gewährte aber schmeckt fade.) Gesetzt den vierten Fall aber: er würde Sie mehr lieben als die Ehefrau, also als mich, so würde ihn das Innewerden dieses Gefühls tief verwirren und vor eine Entscheidung stellen, die er nicht zu bewältigen vermöchte. Ich gebe Ihnen zu bedenken, daß mein Mann und ich unter so großen Schwierigkeiten heiraten konnten, daß weder ich noch auch er (der weit Schwierigeres als ich zu bestehen gehabt hatte) die Kraft und den Elan aufbrächten, eine Wiederholung zu erleben.

Auf keinen Fall aber, wie wir die Angelegenheit auch betrachten, würde ihn ein Verhältnis mit Ihnen noch überhaupt mit einer Frau glücklich machen. Wenn es ihn nicht glücklich machen kann, so wird es ihn unglücklich machen. Sie würden ihn also mit Vorbedacht unglücklich machen wollen. Kann man einen Menschen unglücklich machen wollen, den man liebt? Das wäre eine seltsame Liebe, es wäre allenfalls eine Leidenschaft fragwürdiger, zerstörerischer Art. Liebe, das ist wesentlich der Wunsch, den

Geliebten glücklich zu sehen, nicht für eine Nacht oder einen Tag und nicht für eine unbestimmte Zeit der Lust, sondern für immer. Das Glück des Geliebten ist sein Friede. Ich meine nicht seine unbedrohte Gemütsruhe. (Manchmal kann eine Erschütterung große Kräfte freimachen.) Der Friede, den ich meine, ist das Bewußtsein, »in Ordnung« zu sein. Eine Ehe ist Ordnung. Ein Liebesverhältnis ist Unordnung. In der Ordnung wächst man, in der Unordnung verzehrt man die besten Kräfte, ohne etwas zu gewinnen. Jeder Gewinn, den man aus der Unordnung zu schöpfen glaubt, erweist sich schließlich als trügerisch. Ein Mädchen, das einen verheirateten Mann aus der Ordnung seiner Ehe reißt, beweist, daß es nicht liebt, sondern nur besitzen will. Sie sagen, Sie lieben meinen Mann. Nun: so beweisen Sie es. Machen Sie ihn glücklich, indem Sie das, was sein Glück ausmacht: die Ordnung, nicht stören. Dies ist die dritte Möglichkeit der Liebe, von der ich zu Anfang dieses Briefes sprach.

Doch weiß ich, daß diese Möglichkeit fast einer Unmöglichkeit gleichkommt, so schwer ist sie zu leben. Ich fühle, daß dieser Brief noch Fragen offenläßt. Wollen wir uns nicht treffen? Rufen Sie mich übermorgen früh an?

[An Herrn C.]   *M., 26. März 1953*

Statt daß ich auf Ihren ausführlichen Brief, der eine Privatvorlesung über »Freiheit und Gnade« ist (ein kostbarer Besitz für mich), eingehen kann, bleibt mir nur eben so viel Zeit, um Ihnen zu sagen, daß Maurice jetzt doch nicht nach F. kommt. Der Termin ist verschoben worden, da Alice sehr unter ihrer Schwangerschaft leidet. Der neue Termin ist Anfang Mai.

Hat Ihnen Alice etwas davon erzählt, daß ich sie, ich möchte sagen: kniefällig, darum bat, uns Beate für einige Zeit gutwillig zu überlassen? Sie schrieb mir darauf den Brief, von dem ich eine Abschrift für Sie machte. Sie liegt bei. Was für ein Haß spricht daraus! Unbegreiflich. Ich hätte nie gedacht, daß Alice derart heftiger und böser Gefühle fähig ist. Ich habe sie unterschätzt. Was den Ring anlangt, den sie von Maurice zurückverlangt, so bitte ich Sie, ihr zu sagen, daß ich ihn niemals in seinem Besitz gesehen habe; sie möchte mir aber durch Sie den vermutlichen

Wert des Ringes mitteilen lassen; ich werde, soweit ich es vermag, von meinem Geld ihn ersetzen. Sie möchte aber Maurice nichts davon sagen. Ich werde ihr nicht mehr schreiben. Es gibt keine Brücke zwischen ihr und uns. Das ist offene Feindschaft. Maurice wird sein Kind nie, niemals zurückbekommen. Er wird es nicht verwinden. Sobald ich Zeit habe, mehr.

[An Elisabeth M.] *M., 28. März 1953*

Sie wollen nicht zu mir kommen. Ach, Sie trotziges Kind. So muß ich Ihnen denn noch einmal schreiben. Sie sagen es nicht geradezu in Ihrem kurzen, heftigen Brief, aber ich fühle, was Sie meinen: eine jede Liebe ist blind, sie darf sich nicht um den Ausgang kümmern, sie hat ihr Gesetz in sich. Nicht wahr, das wollten Sie mir sagen? So wären Sie also bereit, sich in ein Liebesverhältnis einzulassen, das vielleicht, in einem größern Zusammenhang gesehen, nur eine Affaire ist? Nun, ich kann Sie nicht daran hindern, zu versuchen, meinen Mann zu verführen. Es ist kein Kunststück, einen Mann zu verführen, wenn man jung, hübsch und begabt ist; glauben Sie mir: die meisten Männer sind beschämend anspruchslos. Was wäre dann? Sie hätten eine Nacht mit ihm, oder mehrere Nächte oder viele (die Zahl macht keinen Unterschied). Eines Tages wäre es aus. Glauben Sie, es bliebe Ihnen eine wunderbare Erinnerung? Ach, glauben Sie es nicht. Was Ihnen bliebe, wäre die Bitterkeit der Verlassenen, es wäre Beschämung, vielleicht Haß. Für einen lächelnden Verzicht sind Sie viel zu jung und zu heftig. Was Ihnen ferner bliebe, wäre das peinliche Gefühl, versucht zu haben, eine Ehe zu zerstören. Und zudem würde die Kraft, die Sie auf eine im Grunde fruchtlose Liebe verschwenden, Ihnen fehlen in jenem Augenblick, in dem eine echte Liebe in Ihr Leben kommen möchte.
Sie haben ein liebes, gutes, sauberes Gesicht. Noch sind Sie gut. Noch haben Sie Ihr Leben in Ihrer eigenen Hand. Über kurz oder lang wird Ihnen der Mann begegnen, den Sie lieben dürfen und sollen. Würden Sie es nicht bereuen, vorher schon sich vergeudet zu haben? Auch würde Ihnen der Klatsch, der sich unweigerlich ergäbe, großen Schaden zufügen.
Es wird hart sein für Sie, dies alles einzusehen. Ihr Herz wird rebel-

lieren. Sie werden zornig sein auf mich und alles. Sie werden sich betrogen fühlen um das Schönste in Ihrem Leben. Aber wenn Sie mir folgen, so werden Sie eine unerwartete Frucht ernten: der bewußte Verzicht auf meinen Mann wird Sie stark und glücklich machen. Er wird auch Ihrer Begabung zugute kommen, denn Begabung ist vor allem eine Sache des Charakters, das werden Sie später verstehen.

Ich bitte Sie: nehmen Sie all Ihren Stolz, Ihren Mut, Ihre Klugheit und auch Ihren Ehrgeiz zusammen und verbieten Sie sich, meinen Mann zu begehren. Sie werden den Lohn dafür mit Sicherheit ernten. Wenn Sie wüßten, welche Stürme ich zu überstehen hatte, so würden Sie keinesfalls gleich bei Ihrem ersten verzweifeln.

[An Maurice]   *M., 13. Juni 1953*

Wie viele tausend Kilomter bist Du von mir entfernt in dieser Stunde? Wieviel lieber würde ich es Dir sagen statt es zu schreiben, aber Du hast mich so dringend gebeten, es sofort zu schreiben, daß ich keinen Tag länger zögern möchte: es ist so, wie Du es Dir gewünscht hast. Du wirst also ein Kind haben. Freust Du Dich? Wird es Dich trösten? Ach, möchte es doch so sein. Ich bin glücklich, wenn Du es bist.

V. rief mich an, er hatte schon Nachricht von Deinen großen Erfolgen. Ich bin stolz und freue mich, obgleich ich es nicht anders von Dir gewöhnt bin.

Eine kleine Sorge: von L. kam eine Frage, wann der neue Flügel gebracht werden soll. Ich wußte nicht, daß Du einen bestellt hattest. Er ist noch nicht bezahlt. Ich weiß nicht, wovon wir ihn bezahlen sollen, denn unser Bankkonto ist recht klein geworden. Aber vielleicht bringst Du Geld mit. Ich werde L. jedenfalls bitten, uns möglichst günstige Bedingungen zu machen. Kann ich Deinen alten Flügel in Zahlung geben? Ich würde Dich aber bitten, mir zu gestatten, den Auftrag, den Du P. gegeben hast (die alten englischen Stiche betreffend) zu vertagen. Aber dies ist alles nebensächlich, und Du wirst gar keinen Kopf für dergleichen Alltägliches haben, und ich habe ihn auch nicht dafür, eigentlich, aber wer, wenn ich ihn nicht habe, sollte ihn dann haben in unsrer Ehe? Kehren wir zum andern, zum Wichtigen zurück. Ich zähle

Mai, Juni, Juli und so fort; Januar also. Ich kann mir nach so langen Jahren gar nicht mehr denken, wie es ist, ein kleines Kind im Arm zu halten. Ich komme mir ziemlich alt vor. Kann ich wohl noch richtig damit umgehen? Jedenfalls werde ich weniger Fehler in der Erziehung machen als bei Ruth und Martin. Damals war ich jung und voller Unruhe und Verwirrung. Jetzt aber, da ich an jener Stelle bin, an die ich gehöre, werde ich ruhig sein können. Maurice, wir wollen alles gut machen, so gut wir es vermögen. Daß wir ein Kind haben werden, ist mir wie ein Versprechen, ein Unterpfand, ein Beweis. Für dieses Kind werden wir alles tun. Noch zwei Wochen, dann bist Du wieder hier.

[An A. M. (Frater B.)]   M., 29. Juni 1953

Lange habe ich überlegt, ob ich nicht nach so langer Zeit Sie besuchen sollte. Zwei Jahre sind vergangen seit unserm Abschied. Niemals fällt eine Autotür ins Schloß, ohne daß ich durch einen kurzen scharfen Schmerz an Sie, an jenen Abschied und an Ihre Wahl erinnert werde. Das wird immer so sein. Ich möchte mit Ihnen reden. Aber ich habe nicht den Mut dazu. Und doch werde ich es eines Tages tun, wenn es Zeit dafür ist, und ehe ich ein allzu schäbiges, ein abgelegtes Zeug geworden bin.
Ich möchte nicht einmal eine Fahrt nach G. wagen, um nicht in die Gefahr zu kommen, doch zu Ihnen zu gehen. Darum, und nicht weil es bequemer so wäre, lasse ich Ihnen die Blumen (sie sind selbst gezüchtet) zum Jahrestag Ihrer Profeß durch einen Boten bringen. Verstehen Sie es richtig. Werden Sie mir eine Zeile schreiben?
Ich erwarte ein Kind. Es wird im Januar zur Welt kommen. Werden Sie sein Pate sein, wenn es ein Bub ist?

[An Professor F.]   B., 23. Juli 1953

Diesen Brief schreibe ich schweren Herzens, denn M. weiß nichts davon, und er soll auch von Ihrer Antwort nichts erfahren, darum bitte ich, sie mir hauptpostlagernd hierherzuschicken. Was für eine beschämende Heimlichkeit, was für eine Zurücknahme meines hochmütigen Wortes davon, nie etwas hinter M.'s Rücken zu tun. Aber genug der einleitenden Worte.

Ehe ich zum eigentlichen Punkt meines Briefes komme, möchte ich, teils um Zeit zu gewinnen, teils weil mich auch diese Sorge schwer bedrückt, von meiner Schwester erzählen. Jemand von der Oper (der sie hier kennengelernt hatte) erzählte mir, er habe sie gesehen, zufällig, in P. Sie ging allein den Boulevard St. M. entlang, in der Mittagshitze, ganz langsam. Er folgte ihr, um sie anzusprechen, aber sie war so völlig abwesend, daß sie weder seinen Gruß hörte noch bemerkte, daß er, als er ihr schließlich in ein Café folgte, sie in auffälliger Weise beobachtete. Sie bestellte etwas zu trinken, aber sie trank nicht. Sie tat gar nichts, sie schaute vor sich hin in einer Weise, die es ihm unmöglich erscheinen ließ, sie anzusprechen. Was ist geschehen? Warum ist sie in dieser fürchterlichen Jahreszeit in P.? Kein Mensch ist dort. Es ist unerträglich heiß. Ihr Mann ist wieder in den Staaten, er schrieb mir von dort ganz kurz, und er meinte, Margret würde mit uns nach B. gehen zu den Festspielen. Aber sie blieb in P. und schrieb mir keine Zeile. Ich versuche, mich zu beruhigen, indem ich mir einrede, daß ihr Zustand einfach die Folge der großen Hitze ist; denn sie hat Hitze nie vertragen. Ich versuche mir auch einzureden, daß ihr Aufenthalt in P. zu dieser Jahreszeit nichts Beängstigendes hat. Sie hatte es vorgezogen, im heißen P. zu bleiben, statt ihrem Mann ins noch heißere N. Y. zu folgen. In P. hat sie ihre Wohnung mit dem Blick auf den Fluß. Es ist kühler dort als anderswo. Wohin auch sollte sie gehen jetzt, da alle Welt auf dem Lande ist und alle Bäder von Menschen wimmeln. Was, so frage ich mich, ist Besonderes oder gar Ergreifendes dabei, wenn eine nicht mehr junge Frau an einem heißen Tag allein durch eine Stadt geht und von der Hitze mitgenommen aussieht?

Aber ich weiß, daß meine Schwester nicht allein in P. wäre, wenn sie nicht unglücklich wäre. Ich weiß, daß sie mehr als unglücklich ist. Ich habe vorausgefühlt, daß die »Heilung« damals nicht von Dauer sein würde. Erinnern Sie sich meines Briefes an Sie? Damals war meine Schwester aus ihrem schläfrigen Dasein aufgewacht. Sie sah, daß ihr Leben, so wie es bis zu jenem Tag des Erwachens verlaufen war, nicht zählte. Damals war sie bereit, dieses ihr Leben zu ändern. Sie wußte nicht, wie. Niemand konnte ihr sagen, was an ihrem Leben falsch war und wie es zu ändern

gewesen wäre. Sie kam zu Ihnen. Sie sind derjenige, von dem sie
Aufschluß erwartete. Was haben Sie getan? Sie haben Sie zur
Ordnung ihres Lebens zurückgeführt. Diese Ordnung ist trügerisch. Es ist keine Ordnung. Es ist nur das Gewohnte, es ist die
Beschränkung aufs Bequeme. Es ist so wie manche Leute auf-
räumen: sie stopfen alles, was sie nicht brauchen können, in irgendeinen Winkel; sie legen unerledigte Briefe in Kartons und ver-
stecken sie. Das Zimmer ist aufgeräumt, aber die Unordnung ist
um nichts geringer geworden.

Sie sind Nervenarzt. Sie sind ein berühmter und wahrscheinlich
zu Recht berühmter Arzt. Jedenfalls haben Sie eine fast unheimliche Art, Menschen auch ohne Analyse zu durchschauen. Ich bin
überzeugt davon, daß Sie meine Schwester durchschaut haben.
Sie haben das Mittelmäßige in ihr erkannt, das Träge, das Bürger-
liche, oder wie immer wir das nennen wollen, was sie unfähig
macht, eine große Entscheidung zu treffen. Sie wissen sicher noch
besser als ich, wie meine Schwester ist. Aber wissen Sie denn, wie
sie sein soll? Sie werden sagen, das ergebe sich aus dem, was sie
ist, und man könne einen Menschen nur in dem Maß entwickeln,
in dem seine Anlagen es gestatten. Das ist wohl so, wenn man das
Leben eines Menschen als Entwicklung auffaßt und wenn man
an Kausalität glaubt. Ich glaube nicht daran. Ich möchte fast sagen, es würde mich langweilen, daran zu glauben. Es erschiene
mir als grauenhafte Verengung und Verarmung des Lebens. Ich
werde versuchen, Ihnen zu erklären, was ich meine, ohne gewisse
geläufige Wörter zu gebrauchen.

Ich glaube, daß jeder Mensch das ist, was er ist, aber mehr noch
das, was er sein kann oder vielmehr soll, und das, was er sein soll,
ist nicht einfach abzuleiten aus dem, was er ist. Der Mensch ist
zugleich eine Gegebenheit und eine vom Gegebenen unabhängige
Möglichkeit. (Ich rechne das Unbewußte, mit dem Sie operieren,
samt den dort gebundenen und vielleicht freigemachten Kräften
zum »Gegebenen«.) Kurz gesagt (und nun gebrauche ich doch ein
geläufiges Wort, weil es kein anderes dafür gibt): ich glaube an
das Wunder. Ich meine so: der Lebensweg eines Menschen
scheint im allgemeinen seine Richtung beizubehalten; es gibt
aber Wege, die plötzlich abbrechen, der Mensch ist »am Ende«,
er kommt nicht weiter, er ist verzweifelt, er gibt es auf, weiter-
zugehen. Im Augenblick der tiefsten Verzweiflung aber geschieht

etwas. Der Mensch begreift nicht. Aber eine Weile später sieht er sich zu seinem Erstaunen auf einem neuen Weg. Wer hat ihn dorthin gebracht? Gleichviel: er kann weitergehen. Der neue Weg ist sehr verschieden vom alten und sehr weit weg.

Meine Schwester war am Ende ihres Wegs, aber man ließ ihr nicht Zeit genug, völlig zu verzweifeln. Hätten Sie damals das Gefühl der Verzweiflung bis zur wirklichen Erkenntnis ihres Zustands vorgetrieben, so hätte meine Schwester vermutlich auf irgendeine Weise den neuen Weg gefunden. Sie aber haben den alten Weg ein wenig verlängert, aber er ist schon wieder zu Ende. Meine Schwester ist viel zu früh der »Ordnung« zugeführt worden; sie hätte mehr und länger leiden müssen. Jetzt holt sie nach, und das ist gut. Aber sie weiß heute gewiß so wenig wie damals, was ihr Zustand bedeutet. Und doch: bestünde nicht die Möglichkeit der Rettung, so hätten sich in ihr nicht Zweifel, Unruhe, Sehnsucht gemeldet. Was aber soll man ihr sagen? Wie ihr helfen, daß dieser neue Ausbruch nicht wieder mit der kläglichen Rückkehr des davongelaufenen Schulmädchens endet?

Nun zu der andern Frage. Als wir heirateten, sagten Sie mir, ich sollte auf jeden Fall vermeiden, ein Kind von M. zu bekommen. Ich tat es. Aber es kam ein Augenblick, in dem von meiner Zustimmung oder Ablehnung M.'s Leben abhing. (Ich weiß, was ich sage.) Ich erwarte nun ein Kind. Wird dieses Kind belastet sein? M. scheint, ich spreche das Wort mit Zögern aus, geheilt zu sein. Nicht die geringste Neigung zu einem Rückfall ist zu bemerken. Die Hoffnung auf das Kind macht ihn glücklich. Wir waren beide nie so glücklich, wie wir es jetzt sind. Alles scheint sich zum Guten zu wenden. Was mich bedrückt, wissen Sie. Sagen Sie mir, was ich von diesem Kind zu erwarten habe. Sollten Sie ernsthafte Befürchtungen haben, so möchte ich es wissen, damit ich mich langsam darauf vorbereiten kann.

Wenn Sie hierher kommen könnten, so würde Ihnen erspart bleiben, einen Brief zu schreiben. Es wäre gut, wenn wir dies alles mündlich besprechen könnten. Wenn Sie wollen, besorgen wir Ihnen eine Karte für irgendeine Aufführung, aber lassen Sie es mich bald wissen. Da Maurice jetzt so glücklich ist, besteht keine Gefahr, daß er Ihr Kommen mißdeutet.

[An Margret] B., *28. Juli 1953*

Du schreibst nicht, Du schreibst einfach nicht. Von A. kam ein
kurzer Brief. Du bist also in P. Aber was, um Himmels willen,
tust Du jetzt dort? Kein Mensch ist im Juli in der Stadt, in dieser
Stadt! Die heißen Straßen, der Gestank nach heißem Öl, die un-
durchdringlich heiße Schicht von Staub und Traurigkeit über den
Dächern. Ich versuche zu erraten, wie Du jetzt lebst, ich sehe Dich
allein in irgendeinem alten, verstaubten Park spazierengehen, ich
sehe Dich in einem Café sitzen und ein Journal lesen und in der
Tasse rühren, ich sehe Dich daheim auf dem Bett liegen, hinter
geschlossenen Jalousien, und an die Decke starren oder einen Roman lesen, ich sehe Dich im Kino, Abend für Abend, bis Mitternacht. Margret, sag, daß es nicht so ist! Aber ich weiß, daß es so
ist. Seitdem Du damals, als ich Dich so nötig brauchte, augenblicklich kamst, um mir zu helfen, hat sich unser Leben verbunden. Ich kann nicht glücklich sein, wenn ich Dich unglücklich
weiß. Ich bitte Dich: packe sofort Deine Koffer und komm mit
dem nächsten Zug hierher nach B. Du kannst bei uns wohnen,
ich habe hier und jetzt mehr Zeit als zu Hause, wir können reden,
Du wirst Ablenkung haben, solange Du Ablenkung brauchst. Es
wäre mir eine Freude, Dich hier zu haben. Telegrafiere sofort
Deine Ankunft.

[An Elisabeth M.] M., *15. September 1953*

Ihr Brief macht mir viel Kopfzerbrechen, ich sollte fast sagen:
Herzzerbrechen. Daß Sie einer so außerordentlichen Tapferkeit
fähig sind, habe ich immer gefühlt. Aber bitte, übereilen Sie jetzt
nichts.
Als ich hörte, daß Sie in dieser Spielzeit nicht mehr hier wären,
wußte ich, was in Ihnen vorgegangen ist. Es ist etwas äußerst
Wichtiges. Ihr Entschluß, jeder Versuchung aus dem Weg zu
gehen, entsprang Ihrer Neigung zu Sauberkeit und Ordnung. Es
ist gut, was Sie getan haben. Es ist gut für uns, vor allem aber für
Sie. Aber Sie sollen Ihre Tapferkeit jetzt nicht so weit treiben,
daß Sie einen Mann heiraten, der vielleicht nicht der Richtige ist.
Ich weiß zu genau, daß Ihre Liebe zu meinem Mann eine echte

Liebe war, eine, die Ihr ganzes Wesen erfaßt hatte. Es ist nicht wahr, daß Sie damit »fertig« sind. Sie lieben Ihn noch, ich spüre das aus jedem Satz Ihres Briefes. Solange Sie ihn lieben, dürfen Sie keinen andern Mann heiraten. Das wäre ein großes Unrecht an diesem Mann und ein Verrat Ihrer Liebe und der Liebe überhaupt. Glauben Sie nur nicht, daß eine überstürzte Heirat Sie vor Ihrer »alten« Liebe retten würde! Sie würden diese Liebe als Geheimnis mit sich tragen; Sie könnten Ihren Mann nicht teilnehmen lassen; er würde spüren, daß Sie ihm nicht wirklich gehören; die Ehe würde schlecht werden. Eine Ehe führen heißt: nichts für sich allein haben, sich rückhaltlos geben, kein wirkliches Geheimnis haben.

Bitte, warten Sie; warten Sie auf jeden Fall mit der Heirat und auch mit der Verlobung. Vielleicht werden Sie den Mann mit der Zeit lieben; dann ist es gut. Vielleicht aber werden Sie erkennen, daß Sie ihn niemals lieben können; dann trennen Sie sich von ihm, ehe es für ihn zu spät ist. Ziehen Sie es vor, allein zu sein, statt in einer Ehe, die nicht wirklich eine Ehe ist. Ehe, das ist eine vollkommene Gemeinschaft für immer, ganz gleich, wie die natürlichen Gefühle sich entwickeln späterhin. Man kann das alles gar nicht ernst genug nehmen. Ich bitte Sie noch einmal: tun Sie keinen übereilten Schritt, Sie sind jung, Sie können warten. Bleiben Sie sich selber treu. Eines Tages werden Sie wirklich lieben. Dann wird die Ehe keine Flucht vor Ihrer Liebe zu meinem Mann sein, sondern die Erfüllung Ihrer ganzen Sehnsucht. Wenn Sie aber bei strenger Prüfung wirklich glauben, Herrn L. so zu schätzen, daß Sie ihn einfach aus Achtung lieben lernen würden, so tun Sie, was Sie vorhatten: kommen Sie mit ihm zu mir. Ich bin nächste Woche allein, mein Mann hat zwei Gastspiele in W., und ich reise nicht mit, weil ich ein Kind erwarte und mich nicht wohlfühle. Ob Sie nun kommen oder nicht: bleiben Sie klar und hart, aber trotzen Sie nicht. Sie werden die Früchte Ihres Verzichts auf jeden Fall ernten. Sie werden erfahren, daß das Leben noch ganz andere Freuden hat als erfüllte Wünsche. Das werden Sie nicht verstehen, aber Sie werden es erfahren.

Das Gespräch mit Ihnen hat mich beruhigt, und trotzdem: trotzdem werde ich dieses Gefühl der Bangnis nicht los. Sie meinen, das sei einfach eine Begleiterscheinung der Schwangerschaft. Vielleicht. Ich bin nicht launisch und depressiv, auch nicht eigentlich ängstlich, und doch ist mir, als läge irgend etwas im Hinterhalt, etwas Unfreundliches, Schwieriges. Doch lassen wir es, wo es ist. Ich werde versuchen, gegen dieses Gefühl anzukämpfen. Sollte das Kind durch M.'s angeborene Schwermut belastet sein, so darf nicht auch ich noch schwermütig sein.

M. ist so glücklich. Er ist rührend zu mir. Es geht mir gesundheitlich nicht sehr gut; ich bin doch vielleicht nicht mehr jung genug für diese Anstrengung. Noch vier Monate. Sie haben mir angeboten, in Ihre Klinik zu kommen, damit ich gute Pflege hätte in dieser Zeit. Dafür danke ich Ihnen von Herzen. Aber es ist mir unmöglich, M. jetzt allein zu lassen. Er überwacht sozusagen das tägliche Wachstum des Kindes. Ich dürfte ihm diese Freude nicht entziehen. Er wäre übrigens imstand, seinen Vertrag Vertrag sein zu lassen, um mir nachzureisen. Sie kennen sein Ungestüm und seine großzügige Unvernunft. Ich möchte, daß sein Leben ganz im Gewohnten bleibt. Das äußere Gleichmaß des Alltäglichen ist es, was ihn in Ordnung hält. Sein inneres Gleichmaß ist allzu leicht störbar, als daß ich wagen möchte, es einer Prüfung auszusetzen. Sie werden das besser verstehen als irgendein anderer Mensch.

Vier Wochen sind vergangen seit Deinem Besuch. Ach, dieser Besuch hat Dich nicht glücklicher gemacht, ich weiß. Wärst Du damals, im Sommer, nach B. gekommen, wäre alles schöner für Dich geworden. Ich hätte viel mehr Zeit gehabt für Dich, und das eben hättest Du gebraucht.

Aber es ist, wie es ist. Es war trotz allem schön, daß wir wieder beisammen waren, und wenn ich Dir nun auf Deinen Brief antworte, so rede ich nicht mehr ins Ungefähre, wie ich's vorher tun mußte, sondern zu einem leibhaftigen Wesen, das mir ganz lebendig gegenwärtig ist.

Zuerst über das weniger Wichtige. Du schreibst, Du hättest bei Deinem Hiersein den Eindruck bekommen, daß ich von meinem Leben aufgezehrt würde. Du meinst, es bliebe mir keine Zeit mehr für mich selbst. Es ist wahr: ich habe kaum Zeit für mich. Aber was heißt das? Wofür habe ich keine Zeit? Wozu müßte ich Zeit haben? Um nichts zu tun? Zeitschriften durchzublättern? Spazierenzugehen? Im Café zu sitzen und zu plaudern? Ach, Margret, zu derlei Dingen habe ich nie in meinem Leben Zeit gehabt. Immer war ich angespannt, immer war ein Stundenplan da, nach dem ich habe leben müssen; daran bin ich gewöhnt, und das ist recht und gut so. Glaubst Du, man müßte Zeit »für sich« haben? Also Zeit, in der man nicht für andere da ist? Ich glaube, mein Leben, so wie es ist, ist »für mich«. Ich will kein anderes Leben daneben. Ich lebe inmitten meiner Arbeit und des alltäglichen Betriebs in unserm Haus durchaus »für mich«. Alles, was ich tu, geschieht zugleich für meine Familie und für mich. Ich weiß, daß mich dieses Leben »verzehrt«, wie Du schreibst. Aber ich wünsche mir nichts anderes. Ich kann mir nichts Besseres wünschen. Denn wofür ist Leben da außer dafür, daß es verzehrt wird? Wofür soll ich es sparen? Indem es mich verzehrt, fühle ich es intensiv. Und das eben nenne ich »leben«.

Du schreibst, daß Du glaubst, ich hielte diese Art von Leben nicht lange aus. Doch, ich werde, so hoffe ich, sie lange aushalten. Man hält immer aus, wenn man das, was man tun soll, gern tut. Das ist eine simple Wahrheit, aber eben eine Wahrheit. Du meinst, diese Ehe sei doch eine große Last für mich, und Du sagst in diesem Zusammenhang, M. sei recht schwer zu ertragen. Nun, Du kennst das Wort: »Daß einer des andern Last trage.« Das ist eben die Ehe, und keine Ehe ist leicht, das wissen wir doch alle; und wer glaubt, seine Ehe sei leicht, der macht sie sich eben leicht, das heißt bequem, und dann weiß er eben nicht, was Ehe sein kann, wenn man sie sich *nicht* leicht macht. Aber was M. anlangt, so irrst Du, wie alle, die uns zusammen sehen. M. mag es um die Welt nicht, wenn jemand Zeuge seines Gefühls für mich wird. Er ist so sehr Schauspieler, daß er meist nichts ist als das. Er lebt immer vor einem Publikum. Aber das Stück, in dem nur er und ich spielen, das spielen wir hinter geschlossenen Vorhängen. Sobald aus Versehen der Vorhang sich öffnet, verstummt er, tritt ab, geht in die Garderobe, zieht sich um und kommt im Kostüm

Hamlets oder irgendeiner andern düstern, schweigsamen Gestalt wieder. Niemals wird darum jemand ihn in unserm Stück sehen. Verstehst Du: was Du gesehen hast, ist nicht unsere Ehe. Es ist nur M.'s Maske für die Zuschauer. Wenn Du mich also bedauerst, so habe ich gar keine Verwendung für dieses Bedauern.

Aber nun zu dem eigentlichen Inhalt Deines Briefs. Es macht nichts, daß Du diese Frage bei Deinem Besuch hier nicht aufgeworfen hast. Ich hätte nicht darüber sprechen mögen. Ich habe eine große Scheu davor. Brieflich geht das leichter, obgleich auch hier meine Scheu mich zwingen wird, spröde zu sein und einsilbiger, als ich es sein könnte.

Du fragst mich rundheraus, ob ich glaube, daß Du in der Religion Trost fändest. Diese Fragestellung setzt mich in Verlegenheit. Ich glaube nicht, daß man schlicht und einfach Trost darin findet. Ich glaube auch nicht, daß man Religion benutzen darf wie eine neue Medizin oder eine aparte Heilmethode, wenn die andern Mittel alle versagt haben. Ich glaube nicht, daß Religion ein Hüttchen ist, in das man sich flüchtet, wenn es draußen regnet, und in dem man es sich so recht behaglich machen kann. Religion ist kein Experiment, kein Trost, keine Medizin. Was ist sie? Darüber nachher.

Du sagst, Du hast in letzter Zeit viele Bücher über östliche Religionen (meinst Du Buddhismus?) gelesen, und sie enthielten herrliche Weisheiten. Ja, das ist wohl so. Auch ich habe derlei gelesen, früher, und ich habe einigen erkenntnismäßigen und auch moralischen Nutzen davon gehabt, aber je mehr ich gelesen habe, desto klarer wurde es mir, daß wir niemals wirklich das Wesen dieser Philosophien und Religionen begreifen. Wir biegen sie für unser Bedürfnis zurecht. Dabei verlieren wir aber das, was eben ihr Wesen ausmacht. Soweit es sich um Philisophie handelt, mag das hingehen. Aber wenn wir uns an die Religion wagen, so werden wir nichts daraus gewinnen. Denn eine Religion muß ganz und gar gelebt werden, nicht nur mit allen ihren ethischen Forderungen, sondern im absoluten Glauben an ihren Wahrheitskern (und zwar so, wie er gerade in dieser Religion Form angenommen hat) und mit der unbedingten Unterwerfung unter ihre kultischen Vorschriften. Eine Religion ist ein ebenso strenggefügtes wie lebendiges Ganzes. Wer denkt, er könnte sich ein paar Sonder-Wahrheiten daraus nehmen, der wird gar nichts haben.

Ich glaube auch nicht, daß »Christian Science« Dich befriedigen wird. Frau H. hat Dich stark beeinflußt, merke ich. Die Tatsache, daß Frau H. und Frau R. und noch einige, die der C. S. anhängen, bewundernswert tüchtige, liebenswerte, kluge Frauen sind, scheint Dir Beweis genug für den Wert der C. S. Da möchte ich doch, ungeachtet unsrer Kindheitserfahrungen, sagen: warum ist Dir dann die Tatsache, daß andre Leute, die katholisch sind und dabei ebenso bewundernswert tüchtig, liebenswert und klug, nicht Beweis für den Wert des Katholizismus? Ich glaube, wir müssen zwischen der Religion und ihren Anhängern scharf trennen, um zu erkennen, was Religion ist. Aber das ist wohl nur meine eigene Art, zu denken.

Ich möchte mit alledem nur sagen, daß ich es für falsch, für dilettantisch halte, in die Religion zu flüchten, wenn man des »Lebens überdrüssig ist«. Das hieße nur: aus einer Täuschung in eine andre flüchten (in eine viel gefährlichere, wie mir scheint). Wenn ich je mich entschieden in dieses furchterregende Gelände wagen würde, dann möchte ich es aus keinem andern Beweggrund tun als aus dem der vollkommenen Einsicht in das Wesen dieser Religion. Ich möchte nicht mit leeren Händen kommen, sondern diese meine Einsicht in der Form unbedingter Verehrung und Liebe mitbringen. Ich nehme an, daß ich diese Liebe nur einer einzigen Religion entgegenbringen könnte. Vielleicht liegt der Grund dafür in der Tatsache, daß diese eine Religion die mir vertrauteste ist, die Religion meiner Kindheit, diejenige, die sich am meisten Mühe gibt, mich abzustoßen und zugleich mich unablässig mit ihrer Anziehung zu beunruhigen. Ich gestehe Dir, daß ich ziemlich anfällig bin für derlei und daß ich Dich darum sehr gut verstehe, aber gleichzeitig Dich so wenig ermuntern kann, Dich in jene beunruhigende Richtung zu wenden. Ich fürchte, wer sich dorthin wendet (besonders in Deinem und auch in meinem Alter), der tut es auf Gedeih und Verderb, und ich glaube, es ist kein Vergnügen, »religiös« zu sein, so wie ich auch glaube, daß »Gnade« nichts besonders Freundliches ist, sondern etwas ungeheuerlich Anspruchsvolles, und daß »der liebe Gott« nicht allzu lieb ist, sondern vielmehr streng wie der Abt eines mittelalterlichen Mönchsordens, und »in seiner Güte leben« heißt vermutlich: nie mehr, für keinen Augenblick mehr, Ruhe haben. Wer sich ernsthaft mit der Religion einläßt, geht gewissermaßen in die furchtbarste Einsamkeit. Da ist kein Trost. Der Trost kommt vielleicht später, es sei denn, man vermöchte die schmerzhafte Anspannung, die ein religiöses Leben bedeutet, als trostreich zu empfinden.

Ich habe mehr gesagt, als ich wollte. Ich bereue es nicht. Du siehst, daß ich mich stärker, als Du vielleicht denkst, mit derlei Fragen herumquäle. Mit alledem will ich Dir nur sagen: ich fürchte, Du wirst von der Religion ebenso enttäuscht sein wie vom »Leben«, wenn Du Trost erwartest. Aber mehr kann ich Dir nicht sagen. Ich glaube, Du solltest einmal mit einem klugen und frommen Priester reden. Schade, daß A. M., jetzt Frater B., noch nicht Priester ist. Aber vielleicht könnte er Dir trotzdem einiges sagen, Du weißt ja seine Adresse. Doch gibt es gewiß in P. sehr erfahrene Priester.

Ich habe diesen Brief noch einmal überlesen, und ich bin sehr verlegen. Was für ein Gespräch zwischen uns. Was ist geschehen, daß wir derlei zu reden vermögen? Und einmal habe ich vor Zorn auf Deinen Brautschleier gespuckt, weißt Du noch? Ich war zehn Jahre alt, und Du warst eine Dame und Frau A. L., und man hat Dir eine glückliche Zukunft prophezeit und mir ein meinem bösartigen Charakter entsprechend aussichtsloses Leben. Und was ist aus uns geworden? Ich weiß es nicht. Manchmal ist mir, als seien wir, wir alle, gezwungen, nach einem Hexen-Einmaleins zu leben: »Aus eins mach zehn und zehn ist keins . . .« Im übrigen geht es mir gesundheitlich nicht allzu gut. Was würde aus Maurice und meinen Kindern, wenn ich sterben sollte? Es darf nicht sein, aber was heißt das: »es darf nicht sein«? Es geht, wie es eben geht. Schreib wieder, meine Liebe.

[An A. M. (Frater B.)]   *M., 25. Oktober 1953*

Dank für Ihre Zeilen. So werde ich denn zum vorgeschlagenen Termin kommen, ein wenig ängstlich, aber voller Freude. Doch läßt mich M. keine Fahrt mehr allein machen. Er wird also mitkommen, und es ist mir recht so. Aber ich bitte Sie um eines: richten Sie es so ein, daß Sie ihn mit P. A. bekannt machen. Er soll M. die Orgel zeigen und mit ihm über Musik sprechen. Dann werde ich eine ganz kurze Zeit mit Ihnen allein sein können. Das ist ein kleines Komplott, aber Sie werden, wenn ich gesprochen habe, sicher verstehen, daß es so und nicht anders gehen muß.

[An Maurice]   *M., 28. November 1953*

Man hat es mir heute gesagt. Das Kind ist tot. Ich schreibe Dir, damit Du weißt, daß ich jetzt weiß, was Du mir bis heute verheimlicht hast. Laß uns in den nächsten Tagen noch nicht darüber reden. Aber hab Geduld, hab Mut, hab Vertrauen: wir werden es noch einmal wagen, sobald ich erholt bin.
Komm heute nicht, erst morgen, bitte.
Dank für die Orchidee. Sie ist wunderbar.

[An A. M. (Frater B.)]   *M., 18. Januar 1954*

Erinnern Sie sich meiner Vorahnung? Doch nicht ich bin tot, sondern das Kind. Es kam zu früh, und es starb bei der Geburt, Mitte November. Ich war lange krank. Ich konnte bis jetzt zu niemand davon sprechen. Auch jetzt bin ich, selbst Ihnen gegenüber, noch ein Stein und stumm. Es ist nicht der Tod des Kindes, was mich so entsetzt, sondern die Wirkung dieses Todes auf M. Seien Sie mit der Kraft Ihrer Gedanken bei mir, aber schreiben Sie mir nicht, bis ich mich wieder melde. Ich bin Ihrer Teilnahme auch ohne eine Zeile von Ihnen sicher.

[An M. K.]   *M., 1. Februar 1954*

Es ist mir durchaus kein Geheimnis, welcher Art die Freundschaft zwischen Ihnen und meinem Mann früher war. So kann es mir auch durchaus kein Geheimnis sein, was das Wiederaufleben dieser »Freundschaft« gerade jetzt bedeutet. Sie haben mit dem untrüglichen, teuflischen Spürsinn, der allen Mitgliedern Ihres Ordens der Verzweiflung eigen ist, genau jenen Augenblick für Ihr Auftauchen gewählt, in dem Sie meinen Mann anfällig fanden für Ihre Verführung. Ich lebe lange genug mit ihm, um in diese tristen und bösen Praktiken eingeweiht zu sein. Noch ist es Ihnen nicht gelungen, meinen Mann wiederzugewinnen. Aber ich weiß so gut wie Sie, daß es Ihnen gelingen kann. Ich weiß, daß Ihnen an nichts so brennend gelegen ist wie daran, seiner wieder habhaft zu werden. Sie betrachten es geradezu als »Ehrenpflicht«. Ich weiß, warum Sie das, was Sie wollen, mit solch fürchterlicher Kraft wollen. Was ich Ihnen jetzt sage, weiß ich nicht von meinem Mann noch von irgend jemand anderm; ich weiß es, seit ich Sie, von Ihnen unbemerkt, gesehen habe, wie Sie vor drei Tagen am Bühnenausgang auf ihn warteten, und ich Sie augenblicklich erkannte nach jenem Bild, auf dem Sie, mein Mann, Ihre Schwester und M. T. zusammen aufgenommen sind und das mir mein Mann bei unsrer Heirat gab, damit ich es verbrennen sollte. Ihr Gesicht hat sich mir derart eingeprägt, daß ich Sie ohne Zweifel auch noch zehn Jahre später erkannt haben würde. Ich bin diesem Gesicht gestern gefolgt, als sie M. von der Probe abholen wollten und Sie hörten, daß die Probe noch eine weitere Stunde dauern würde. Ich weiß jetzt, in welchem Hotel Sie wohnen. Ich weiß aber jetzt auch noch das: da mein Mann für das eine Ihrer beiden Laster nicht zu gewinnen war, haben Sie ihn zum andern überredet. Das war Ihre Rache. Daher Ihre verbissene Zähigkeit. Sie entspringt dem Haß, der eigentlich Liebe ist oder vielmehr Begehren. Ich halte das für einen verständlichen, aber verabscheuungswürdigen Beweggrund.

Ich weiß, was ich von Ihnen zu erwarten habe und was nicht. Ich habe auf keinen Fall Verständnis zu erwarten für meine eigene Lage und für die unwiderrufliche Tatsache, daß Maurice in einer Ehe lebt und infolgedessen Verantwortung für mich trägt. Das ist Ihnen nicht etwa nur gleichgültig, sondern vielmehr ein Reiz und Ansporn mehr, wenngleich es mir doch ein recht kläglicher Reiz zu sein scheint und Ihrer Klugheit nicht würdig. Aber Sie sind nicht wählerisch, ich weiß. Ich erwarte von Ihnen nicht einmal Vernunft in bezug auf M. Ihre Vernunft müßte Ihnen sagen, daß M.'s erneute Einwilligung in Ihr Angebot unweigerlich das Ende seiner Laufbahn bedeutet. Sie erinnern sich selbstverständlich genau jener von Ihnen heraufbeschworenen Szene in Z., als M. seine Partie nicht zu Ende singen konnte, weil er einen »Herzkollaps« hatte. Nun, Sie wissen so gut wie er und ich, was es in Wirklichkeit war. Heute wäre kein Intendant mehr so naiv, sich über M.'s Zustand täuschen zu lassen. Sie haben dafür gesorgt, daß man überall eindringlich genug Ihrer Freundschaft mit M. gewahr wurde. Jedermann an den deutschen Theatern (und ich fürchte, auch an andern) weiß, was es heißt, mit Ihnen »befreundet« zu sein. Sie haben es zu einer seltsamen, geschmacklosen, widerwärtigen Art von »Berühmtheit« gebracht. Sie haben sich auf erschreckende Weise erniedrigt, und Sie haben es erreicht, daß man Sie kaum mehr irgendwo empfängt. Warum? Ehe ich von meinem Mann weiterspreche, will ich von Ihnen sprechen. Ich habe Ihr Gesicht gesehen. Es ist gewiß gezeichnet von der Art, in der Sie Ihr Leben zerstören und das einiger andrer; aber ich habe noch mehr darin gesehen: Ihre Traurigkeit. Sie wissen mit aller Schärfe, was Sie tun, und Sie wissen, daß Ihnen keinerlei Vergnügen und keine Art von Gewinn daraus erwächst. Sie wollten einmal ein großer Schriftsteller werden. Sie haben es längst aufgegeben. Warum? Ihre Begabung war groß genug, damit Sie zumindest ein guter Schriftsteller hätten werden können. Aber Sie fanden es unbequem und langweilig, zu arbeiten. Es gab eine bequemere Art berühmt zu werden: sich an Berühmte zu hängen. Das taten Sie, als Sie jung waren. Es konnte Sie nicht befriedigen, dazu waren Sie viel zu ehrgeizig und auch zu aktiv. Da verfielen Sie darauf, Menschen in Ihre Macht zu bekommen. Der einfachste Weg dazu war die Verführung aller, die durch irgendwelche Umstände traurig, trostbedürftig, verzweifelt oder gelangweilt waren und die ihr Leben nicht bewältigen konnten. Sie haben Ihr Leben bis heute damit verbracht, kranke, nervöse, schwache, unglückliche Menschen, Schiffbrüchige also, zu unterjochen. Was für ein Ruhm für Sie! Sind Sie sehr stolz darauf, den armen kleinen K. verrückt gemacht zu haben? Er wäre auch ohne Sie verdorben, seien Sie sicher; es bedurfte Ihrer Anstrengung nicht. Und warum, genau besehen, Ihre Anstrengung? Weil das »normale« Leben Sie langweilte. Das Böse hat Sie fasziniert. Sie haben geglaubt, durch das Böse zu jener Größe zu gelangen, die Ihnen auf »normale« Weise unerreichbar schien. Sie waren sich dessen früher nicht ganz bewußt, denn Sie waren nicht nur Täter, sondern auch Opfer. Sie wurden in die Rolle gedrängt durch Ihre Triebhaftigkeit, aber auch durch das Gefallen, das Sie zu erregen vermochten. Man gestand Ihnen eine Begabung zu, die Sie anfänglich gar nicht in diesem Maße hatten: andre zu verführen und zu tyrannisieren. Sie fanden diese Art von Leben eine Weile großartig. Sie fanden sich selbst großartig. Sie waren fasziniert vom Bösen, von der Zerstörung, und Sie waren fasziniert von Ihrer Kühnheit, böse zu sein. Sie sind aber nicht wirklich böse, sondern verzweifelt. Schon längst haben Sie gemerkt, daß das

Böse auf die Dauer langweilig ist. Es verliert so rasch seinen Reiz. Die Menschen, die Sie verführten, sind Ihrer Anstrengung gar nicht wert. Neurotiker, Hysteriker, was weiter. Ihr Gesicht ist traurig vor Überdruß und Langeweile. Aber endlich fiel Ihnen wieder einer ein, bei dem sich die Mühe lohnte: mein Mann. Sie haben allerlei über ihn gehört, von seiner Scheidung, von seinem verlorenen Prozeß um das Kind, von seiner Heirat mit mir und dergleichen. Nun: auf denn nach M.! Es gibt etwas zu tun. Die Langeweile ist zu Ende.

Sie treffen jedoch auf mich. Maurice ist nicht mehr allein. Er ist nicht mehr, der er war. Ich bin nicht töricht genug, um nicht zu wissen, daß M. anfällig für Sie ist, besonders jetzt, da er einige Niederlagen erlitten hat. Es würde Sie freilich mehr Anstrengung als früher kosten, ihn zu verführen, aber es würde Ihnen mit einiger Beharrlichkeit gelingen. Das hieße, daß M. alsbald nicht mehr singen könnte, daß sein Erfolg, seine Laufbahn, sein Leben zu Ende wären. Würde Sie das freuen? Würde es Sie glücklicher machen? Sie wissen aus vielfacher Erfahrung, wie enttäuschend Ihre Siege sind und wie rasch die Langeweile wiederkehrt. Immer wieder belügen Sie sich, immer wieder fallen Sie auf ein Versprechen herein, von dem Sie doch längst wissen, daß es niemals eingehalten wird. Vielleicht aber würde es Sie reizen, einen Gegenversuch zu machen, um zu erfahren, ob es Sie nicht befriedigen würde, einmal nicht töricht zu sein, sondern realistisch, das heißt: nicht unnütze Mühe zu verwenden auf etwas, das Sie doch nur unglücklich macht. Glauben Sie, daß ich dies aus einer gewissen Listigkeit heraus sage? Ich bin nicht unerfahren genug, um hoffen zu können, Sie auf solche Weise von M. abzulocken. Ich hätte ein ganz anderes Mittel, ein prompt wirkendes: ich könnte die Polizei verständigen und bewirken, daß man Sie des Landes verweist. Sie wissen, auf Grund welcher Vorkommnisse ich das könnte. Ich möchte es aber vermeiden, denn damit wäre für Sie nichts gewonnen. Ich möchte, daß Sie aus eigener Einsicht, aus Noblesse und um Ihrer selbst willen wieder aus M.'s Leben sich entfernen. Ich glaube, Sie würden damit eine Erfahrung machen, die Ihr Leben verändern könnte. Ich kann Ihr Gesicht nicht vergessen: es hat sich etwas bewahrt, was ich kaum benennen kann, was mich aber davon abhält, Sie zu verachten. Vielleicht ist es Ihre ursprüngliche Anlage zum Guten, die durch unglückselige Umstände ins Böse verkehrt wurde. Ich müßte Sie hassen, aber ich habe Sympathie für Sie. Lassen Sie uns beide großmütig sein. Seien Sie es um Ihrer selbst willen. Darin läge etwas von jener Größe, von der Sie träumten als Sie jung waren und die Sie so mißverstanden haben.

[An Professor F.]   *M., 2. Februar 1954*

Ich schicke Ihnen eine Abschrift eines Briefes an M. K., der plötzlich hier auftauchte. Mein Brief klingt sehr überlegen und sicher, und ich bin auch sicher, was das Grundsätzliche anlangt, das ich M. K. sagte, und ich bin sogar sicher, daß es zunächst eine Wirkung auf ihn hatte. Jedenfalls ist er am nächsten Tag abgereist, genau gesagt, er ist nicht mehr in seinem Hotel und hat dort angegeben, er reise nach Frankreich zurück. Er hat sich auch tatsächlich eine Flugkarte besorgen lassen. Aber das heißt noch nicht viel. Er kann noch in M. sein. Er kann sogar tatsächlich abgeflogen sein, aber eines Tages wiederkehren. Er kann auch für immer abgereist sein, jedoch seinen Einfluß auf M. bereits so weit gefestigt haben, daß alles zu befürchten ist. Es kann alles und nichts geschehen sein. M. ist im Augenblick äußerst depressiv, seitdem unser Kind, zu früh geboren, bei der Geburt gestorben ist. Er ist sehr anfällig für den Trost, den M. K. zu bieten hat. Dies ist das erstemal seit Jahren, daß ich ernstlich in Sorge bin. Noch bitte ich Sie nicht, zu kommen. Ich glaube, für diesmal noch selbst fertig zu werden. Aber ich möchte, daß Sie wissen, was geschehen könnte. Ich werde Sie sofort anrufen, wenn wirklich Gefahr ist. Leider bin ich jetzt doch in die Rolle der unaufhörlich Beobachtenden gedrängt worden. Aber ich vertraue M. Ich vertraue einfach seiner Liebe zu mir.

[An Herrn C.]   *M., 11. Februar 1954*

Ich weiß nicht, auf welchem Weg Sie über unser Mißgeschick unterrichtet worden sind. Die Tatsache, daß ich Ihnen noch nichts darüber geschrieben habe, hätte Ihnen zeigen können, wie empfindlich die Wunde noch ist. Um so bestürzender wirkt Ihr Brief.

Ich habe eine Woche seit Ankunft dieses Briefes vergehen lassen, um Zeit und Ruhe zu gewinnen, für die Antwort und um ganz sicher zu sein, Ihnen nicht unrecht zu tun. Aber je mehr Zeit darüber vergeht und je ruhiger ich Sie zu beurteilen vermag, desto tiefer wird meine Empörung.

Wäre Ihr Brief nicht gekommen, so hätte ich Ihnen gewiß in diesen Tagen geschrieben, und ich hätte wohl Worte der Klage geschrieben, denn es war sehr schlimm, das Kind nicht behalten zu dürfen. Es war so schlimm, wie Sie es gar nicht wissen können.

Nun aber kam Ihr Brief. Was schreiben Sie mir? Daß ich mit dem Tod dieses Kindes den Preis zu zahlen habe, den ich Gott schulde für alles begangene Unrecht meines Lebens. Das sind Ihre Worte, Herr C.! Ich nehme nun an, daß Sie das nicht sagen, um mich zu beschimpfen, sondern um mir eine Ihrer Wahrheiten nahezubringen. Die Gelegenheit scheint Ihnen günstig. Eine Frau, die ihr Kind verloren hat, ist, so meinen Sie, empfänglich für solche Wahrheiten. Sie wollen mir sagen, daß ich den Tod des Kindes in Demut hinnehmen soll als Buße für meine Sünden, vor allem dafür, daß ich schuld bin an M.'s Scheidung und schuld an dem in Ihren Augen ungesetzlichen, weil ungeweihten, sündhaften Zusammenleben mit M. Das steht ziemlich deutlich in Ihrem Brief. Warum sagen Sie nicht auch noch, daß ich schuld bin am Tod des kleinen Jungen, den Alice ihrem Dienstmädchen überließ? Warum zählen Sie nicht alle Sünden meines Lebens auf, soweit Sie sie wissen? Und deshalb, glauben Sie, mußte mein Kind sterben? Das ist absurd. Wissen Sie denn, was der Tod dieses Kindes bedeutet? Wissen Sie denn, warum ich dieses Kind haben wollte? Glauben Sie denn, es ist Zufall, daß es gezeugt wurde, nachdem M. seinen Prozeß um Beate endgültig verloren hatte? Was für eine Aufgabe, denken Sie, hatte ich mir gestellt? Und wie, glauben Sie, trifft der Tod des Kindes Maurice? Soll auch er diesen Tod als Buße betrachten? Nun, von ihm fordern Sie das nicht, wohl aber von mir. Warum? Welche Schuld habe ich auf mich geladen, als ich M. heiratete, allen meinen Wünschen entgegen, meinem Bedürfnis nach Einsamkeit, Arbeit und Ordnung entgegen und entgegen allen meinen Befürchtungen? Einmal haben Sie mich als Opferlamm gesehen. Liegt darin nicht ein Widerspruch zu Ihrem Brief? Doch ich begreife. Ich begreife sozusagen gegen meinen Geschmack, gegen meinen Willen. Sie sind jahrelang auf der Lauer gelegen vor meinem Leben. Sie haben mit Beharrlichkeit auf den Augenblick gewartet, in dem ich, so wie ein Tier endlich vom Hunger getrieben seinen versteckten Bau verläßt, mich in Ihren Machtbereich begeben würde. Sie haben geduldig gewartet, bis mich ein Unglück treffen würde und ich, halb betäubt vom Schlag, überrumpelt zu werden vermöchte. Dann, so war Ihr Plan, würden Sie mich fangen und halten und mürbe machen, bis ich so glauben würde, wie Sie glauben, und bis ich, ganz klein geworden, reif wäre für Ihre Wahrheiten.

Wie schlecht Sie mich kennen! Ich verabscheue nichts so sehr als jene Leute, die in die Religion flüchten, weil das Leben sie in die Knie gezwungen hat. »Zu Kreuze kriechen«, nein, das ist nichts für mich, und ich glaube nicht, daß Gott sich einer so unfairen Methode mir gegenüber bedienen würde, um mich für sich zu gewinnen. Er weiß genau, daß er mich durch Schicksalsschläge (ich habe deren viele erfahren) nur trotzig macht, aber niemals klein. »Demut« ist etwas anderes als dieses Klein-Werden, dieses Resignieren. Demut hat A. M., jetzt Frater B. Als er ins Kloster ging, trieb ihn kein Schicksalsschlag. Er verließ die Fülle, er warf sich seinem Gott hin, ohne alt, krank, gebrechlich, skeptisch, enttäuscht, betrogen und armselig zu sein. Das ist die einzige Art, zur Religion zu kommen, die ich anerkenne; jedenfalls ist sie die einzige, die ich mir gestatten würde, und das sage ich sogar jetzt, in einem Augenblick, in dem ich stärker leide als je zuvor in meinem Leben. Ich werde nicht durch Leiden gut, sondern durch Einsichten, die unabhängig sind von meinen Leiden. Ich habe bis jetzt diese meine Leiden immer ganz simpel als Folgen meiner unüberlegten Handlungen betrachtet und sie dementsprechend simpel getragen, ohne dafür die Metaphysik zu bemühen und schon gar nicht den Katholizismus. Ich werde es auch weiterhin so halten.

Daß ich auf einem ganz andern Weg weit näher an das herangelangt bin, wozu Sie mich so dringlich zu bekehren wünschen, ist Ihnen entgangen. Ihr Eifer macht Sie wahrhaft blind. Werden Sie denn nie verstehen, daß Ihre Terminologie (für Sie so frisch, so gebrauchsfertig, so eindeutig, so als blitzende Waffe geeignet) für unsereinen weit mehr ein Hindernis als Hilfe ist? Sagen Sie »Sünde«, so erleben Sie vermutlich einen tiefen Schauder vor dem

Bösen. Sagen wir »Sünde«, so riechen wir das Holz eines alten Beichtstuhls, sehen das gleichgültige Gesicht irgendeines Pfarrers halbverborgen hinter seinem weißen Tuch, und hören seine gleichgültigen Ermahnungen, »am laufenden Band« gesprochen. (Und wer will es ihm zum Vorwurf machen angesichts der langen Reihe von Wartenden!)

Glauben Sie: Einen Heiden, einen Juden, sogar auch einen Protestanten zum Katholizismus zu verlocken, ist ein Kinderspiel gegen das Unterfangen, einen Katholiken, der seiner Kirche müde geworden ist, zu ihr zurückzuführen. Wir kennen das alles ja, es hat keinen Reiz mehr für uns. Das klingt in Ihren Ohren blasphemisch, aber unterschätzen Sie nicht die Rolle des Fremdartigen, das der katholische Kult und gewisse paradoxe Wahrheiten innerhalb der katholischen Lehre für interessierte Außenstehende spielt. Ein müde gewordener Katholik ist für eine aparte, aus allerlei Weltweisheiten zusammengebraute »neue« Lehre weit eher empfänglich, weil sie ihm fremd ist.

Wenn einer von uns »Alt-Eingesessenen« zur Kirche zurückkehrt, so bedeutet das, daß er sich selber völlig überwinden muß. Er hat alles vergessen müssen, was er in seiner Kirche geliebt und gehaßt hat. Er muß von vorn anfangen. Und was muß er vergessen? Erinnerungen, Erfahrungen, die ebenso lächerlich wie beinahe unüberwindlich und schrecklich sind: die bigotte Tante, die ihr Vermögen einem reichen Kloster vermachte und die Angehörigen bis zu ihrem Tod glauben ließ, sie bekämen es zum Dank für die Pflege, die man ihr hatte angedeihen lassen; den glaubensstrengen, hartherzigen Vater; den Pfarrer, der mit seiner Köchin schlief; den hilflosen Religionslehrer, der jede Frage seiner sehnsüchtig und brennend forschenden Schüler abtat mit dem Hinweis darauf, daß Glaubenszweifel sündhaft seien; die frommen Politiker, die mit dem Rosenkranz um die Hand geschlungen bei der Fronleichnamsprozession dem Allerheiligsten folgen, dicht hinter dem Bischof, als wären sie Gottes nächste Verwandte, und die doch ausgehöhlt sind von Ehrgeiz, Neid, Haß und Machtgier; das Ärgernis, das die Kirche in der Geschichte gab, indem sie ihr Reich durchaus von *dieser* Welt sein ließ; die geistige Ohnmacht der Kirche von heute mit ihren Versuchen, eine schon so gut wie verlorene Position zu retten, einerseits durch absurd erscheinende neue Dogmen, andrerseits aber (was für ein Widerspruch und wie bezeichnend für ihre Hilflosigkeit!) durch die unwürdigste Anpassung an die »Fortschritte« und die »Bedürfnisse« unserer Zeit, an die »Wissenschaft«, an den »Intellekt«; vergessen muß er auch den Fanatismus der Besten dieser Kirche und vergessen alle bewußte Heuchelei und alle Dämonie, die dem höchsten Wissen beigemischt ist (vor Augen und Ohren der einfältig Frommen sorgsam verborgen und als heiliges Geheimnis getarnt). Vergessen muß er das alles, aber nicht für immer; denn hat er einmal seinen Fuß wieder auf jenes Land gesetzt, so muß er sehen, was sich dort begibt; er muß kämpfen Seite an Seite mit denen, die er durchschaut und nicht liebt; und er muß lieben! Er muß die Kirche lieben in all ihrer Unzulänglichkeit. Er darf nicht einmal das Menschliche darin vom Göttlichen trennen; er muß lieben, was ist und wie es ist. Was für eine ungeheuerliche Forderung. Es ist etwa so, als verlangte man von einem Ehemann nach drei Jahrzehnten Ehe, er müsse seine zänkische, unordentliche, fettgewordene Frau genauso innig und glühend und vorbehaltslos lieben, wie er einst seine schöne Braut liebte.

Nun: Sie können wenigstens als Plus buchen, daß ich nicht von irgendeiner Religion spreche, sondern höchst verbindlich von der katholischen Kirche, die ebenso die Ihre wie die meine ist, und Sie können sehen, daß meine Überlegungen konkreter Natur sind.

Niemals aber werden Sie erreichen, daß ich, wenn und weil ich leide, mein in Reuetränen gebadetes Gesicht im Schoß der Kirche berge und Trost von ihr erwarte. Wenn ich je Trost von ihr erbitten würde, so erst dann, wenn ich etwas für sie getan hätte, also wenn ich bereits eine Art Recht hätte (das Recht des Kindes auf Mutterliebe), von ihr getröstet zu werden. Aber nicht so, nicht jetzt. Mögen Sie mich für sündhaft stolz halten. Ich nenne es anders. Wir sprechen zwei verschiedene Sprachen. Niemals werden wir uns verstehen. Aber Sie mögen wissen, daß man auf Ihre Art nicht Menschen fangen kann, wenigstens nicht solche, wie ich einer bin.

[An den Sänger F. D.]   *M., 25. März 1954*

Ich schreibe Ihnen diesen Brief im Auftrag meines Mannes, der sich gestern bei dem betrüblichen Zwischenfall seine rechte Hand verstaucht hat. Er läßt Ihnen sein Bedauern aussprechen und Sie um Entschuldigung bitten. Er erinnert sich der Szene kaum mehr, denn er war betrunken. Er ist überarbeitet, Sie wissen, er singt fast jeden Abend, die häufigen Reisen strengen ihn sehr an; dazu kam nun gestern die über Gebühr lange Generalprobe mit dem unseligen F., der ihn ebenso verärgerte, wie er Sie wütend machte, und als er dann, ohne etwas gegessen zu haben, rasch und über sein Maß trank, da war er eben »fertig«. Ein Wort von Ihnen genügte, ihn seine Fassung verlieren zu lassen. Sie wissen, wie sehr mein Mann Sie schätzt. Sie können unmöglich annehmen, daß er Sie vorsätzlich kränken wollte. Er wußte einfach nicht mehr, was er sagte und tat.

Bitte, betrachten Sie diesen Brief als offizielle Entschuldigung. Es würde meinen Mann sehr schmerzen, wenn Sie ihm diesen Zwischenfall nachtragen würden. Lassen Sie uns durch eine Zeile wissen, daß Sie versöhnt sind.

Wenn ich Sie noch um etwas bitten dürfte, so wäre es dies: spielen Sie vor meinem Mann nie mehr auf diesen Vorfall an. Es gibt eine Art von Scham bei einem Manne, die man achten muß. Ich werde Ihnen sehr verbunden sein, wenn Sie meine Bitte erfüllen.

[An Margret]   M., 4. April 1954

Du hast recht, erstaunt und auch ärgerlich zu sein über mich. Drei Briefe ließ ich ohne Antwort. Aber Du wirst mir verzeihen, wenn Du hörst, daß Deine Vermutung zutrifft: ich war krank, ich war sogar sehr krank und sehr lange, und ich bin immer noch nicht ganz erholt. Noch schlimmer: unser Kind ist tot, bei der Geburt gestorben. Ich kann es selbst jetzt, nach Monaten, noch nicht ertragen, darüber zu sprechen oder etwas darüber zu hören. Ich bitte Dich, weiterhin so zu tun, als wäre nichts dergleichen geschehen.

Nun zu Deinen Briefen (ich ziehe die Summe aus allen dreien). Du schreibst, »alles ist wieder beim alten«, Du seist mit Deinem Mann zusammen wieder in P. und Du habest Dich »mit allem abgefunden«, denn Du habest endgültig eingesehen, daß Du unfähig seist, ein anderes als eben Dein Leben zu führen. Das sind Deine Worte. Sie klingen beruhigend, aber mich treffen sie furchtbar. Weißt Du denn, was Du damit sagst? Es ist nicht viel besser als eine Todesanzeige. Wer in solcher Art von sich selber spricht, der gibt sich auf, der gibt das Spiel verloren, der hört auf, irgend etwas besser machen zu wollen, vor allem sich selber. Wie, um Himmelswillen, wirst Du leben? Du wirst alle Vorteile genießen, die Dir die Stellung und das Geld Deines Mannes bieten. Du wirst alles tun, was Dir Vergnügen macht, und wirst vorsätzlich jene Stimme ersticken, die hin und wieder sich meldet, um Dir zu sagen, wie unglücklich Du bist. Du sagst, auch das Lesen religiöser Bücher habe Dich nicht im geringsten befriedigt. Aber wer spricht von »befriedigen«? Liest man derlei, um sich zu befriedigen? Lebt man, um zufrieden zu sein? Du hast in den beiden letzten Jahren gelitten. Ist denn alles umsonst gewesen? Du warst so nah daran zu »erkennen«. Was zu erkennen? Ganz einfach dies: daß Du nicht Dein Leben, sondern Dich selber ändern müßtest. Ach, wie soll ich mich Dir nur verständlich machen! Du meinst, Du seist eben nur für ein »kleines« Leben bestimmt. Was ist das? Was ist klein und was ist groß? Wer will das wissen. Unser Leben ist immer so klein oder so groß, wie wir es machen. Du meinst, mein Leben habe ein ganz anderes Maß als das Deine. Aber wieso? Was habe ich denn bisher getan? War da irgend etwas »groß«? Ich habe nur niemals aufgehört, »erkennen« zu wollen. Ich meine damit, daß ich unaufhörlich bereit war, mich ergreifen und verwandeln zu lassen. Ich war niemals zufrieden. Ich habe jedem ruhigen Tag mißtraut, ich habe vor allem jedem Tag mißtraut, an dem ich mit mir zufrieden war und mich und mein Leben »genossen« habe, und ich habe mit einer Art von Glücksgefühl jede neue Aufgabe begrüßt. Das ist freilich kein hübsches Leben, kein behagliches, ach nein. Es ist abscheulich unbehaglich, immer in der Anspannung auf ein Ziel hin zu leben, das man gar nicht kennt. Früher habe ich diesem Ziel Namen gegeben, etwa »vollkommen ich selber werden«, das heißt eine »Persönlichkeit« (was ich mir darunter vorstellte, war etwa die unangefochtene, schöne Harmonie aller meiner Gaben); oder ich nannte es (als ich noch meine künstlerische Begabung für meine stärkste hielt) »eine große Künstlerin werden« (ich dachte nicht an Erfolg, sondern an die Qualität meines Werkes); als ich ein Kind war, nannte ich es sogar »eine Heilige werden«. (Das alles war wohl im Grunde dasselbe.) Jetzt nenne ich es gar nicht mehr, aber es ist trotzdem da; es ist da wie ein Magnet, der zieht und zieht – wie der Magnetberg in »Tausendundeiner Nacht« (und ich kann nur hoffen, daß mein Schiff nicht an ihm scheitert!). Und weil mein Leben ein Ziel fühlt, darum scheint es Dir größer als das Deine. Von diesem Ziel her bekommt jede kleine Handlung ein Gewicht und einen Sinn, der keinen Namen zu haben braucht.

Hast Du kein Ziel? Mußt Du denn nicht das gleiche werden wie ich? Kannst Du Deinem Leben nicht einen Kern geben, einen festen Mittelpunkt? Kannst Du ihn Dir nicht (scheinbar willkürlich) setzen? Ich gebe Dir jetzt einen Rat, der geradezu kindlich klingt, und doch enthält er eine Wahrheit. Als Kind war ich eine kleine Asketin. Ich habe Dinge getan, die mir unangenehm waren, und angenehme unterlassen. Das war nichts als Vorübung für mein Leben. Das Ziel habe ich nicht gekannt. Wenn Du nun für Deinen Mann derlei tun würdest? Wir wissen doch beide, daß Dein Mann, ein wenig oberflächlich besehen, einer solchen liebenden Anstrengung nicht wert ist. Aber gerade darum! Du könntest Dein Leben dadurch in Zucht und Form bringen. Der äußeren Übung folgt leicht die wirkliche Einsicht. Ferner: Gibt es in Deinem Lebensumkreis nicht Menschen, denen Du, indem Du Dir eigene Wünsche versagst, Freuden bereiten könntest?

Ach, Margret, verzeih, wenn ich rede wie ein Pfarrer oder eine fromme alte Tante. Aber glaub mir: es geht einfach darum, daß wir unser Leben auf etwas beziehen, was außerhalb unsrer Wünsche liegt. Nenn es, wie Du willst. Es läuft immer auf ein und dasselbe hinaus, und eines Tages stellt sich der richtige Name von selber ein. Wir beide können nichts Großes tun, wir können das Kleine aber in höchster Intensität tun und es ins Große heben. Und was das »Lesen religiöser Bücher« betrifft, also alle Deine Bemühung in dieser Richtung, so bitte ich Dich, nichts davon aufzugeben. Vielleicht kommt es hier nicht auf das Finden an, sondern nur auf das Suchen. Für unsereinen gibt es ohnedies auf diesem Gebiet keine Erfüllung, sondern nur Sehnsucht.

Ich fühle immer Scham, wenn ich mit Dir über solche Fragen spreche, und nicht nur deshalb, weil meine Briefe so überlegen klingen, so als wüßte ich vieles (ach, ich weiß nichts, ich suche nur und ahne) – sondern weil ich überhaupt nicht über solche Fragen sprechen mag. Und doch werde ich immer wieder gezwungen, es zu tun. Es ist wie eine Verschwörung. C. zwingt mich durch seine Aggressionen (er ist ein seltsamer Mann, ein Fanatiker, genial und zielsicher, aber er verengt das Leben so sehr, daß es nur mehr eine Brücke zu sein scheint, und er setzt alles auf eine einzige harte Spur). Auch A. M. zwingt mich, auf seine Weise, einfach durch seine stille, eindringliche Existenz in meinem Leben. Und Du tust es auch. Ich weiß nicht, worauf das alles zielt. Jedenfalls ist es nicht dazu angetan, mich zur Ruhe kommen zu lassen. Das Leben eines Hasen während der Treibjagd ist nicht vergnüglich.

Wir sind viel unterwegs, M. hat Gastspiele und Konzerte, und ich beginne wieder mitzureisen. Ende Mai sind wir in P., nur zwei Tage. Wir werden uns also sehen. Ich freue mich darauf. Vorher sind wir in R. Ich war niemals dort. Wie sehr habe ich mir früher gewünscht zu reisen, gerade nach R. Vor vielen Jahren hat mir eine Handleserin gesagt, ich würde alles bekommen im Leben, was ich mir wünsche; ich hätte »Wunschgewalt«. Ich frage mich, ob sie recht hat. Ich glaube ja. Aber welche meiner Wünsche hat sie gemeint? Wie tief hat sie in mich hineingesehen? Wie sehr unterscheiden sich unsre vermeintlichen Wünsche von unsern wirklichen. Die wirklichen Wünsche zu erkennen ist schwer. Wir erkennen sie nur aus der tiefen Unruhe, die uns befällt, wenn wir unsre vermeintlichen Wünsche erfüllt sehen und um nichts glücklicher geworden sind.

[An A. M. (Frater B.)]   *P., 29. Juni 1954*

Diesmal werde ich zu Ihrem Jahrestag nicht in G. sein können. Aber ich habe dafür gesorgt, daß man Ihnen Blumen aus meinem Garten bringt: meine Kinder werden es tun; aber da sie wochentags nicht freihaben, können Sie erst am Samstagnachmittag kommen, also zu spät. Ich brauche Ihnen aber nicht zu sagen, daß ich am ersten Juli in besonderer Art und mit besonderer Intensität an Sie denken werde.

Ich habe nur wenige Minuten Zeit für diesen Brief, ich schreibe ihn unterwegs, ich hole M. von der Oper ab, er hat eine kurze Probe, während der ich einkaufen mußte, und ich habe mich sehr beeilt, um den kleinen Umweg über N. D. machen und diese

Zeilen genau an jener Stelle schreiben zu können, an der Sie mir damals mit so viel Widerstreben und Begier von Ihrem künftigen Klosterleben erzählten. Drei Jahre. So lange sind Sie im Kloster, und etwas länger bin ich verheiratet, und unsre Wege sind so verschieden, daß es sich für Sie wohl gar nicht mehr lohnt, den meinen zu verfolgen.

Dank für das Buch, das Sie mir als Antwort auf meine Nachricht vom Tod unsres Kindes geschickt haben. Wie gut Sie sind. Ich möchte jetzt gerne weinen, aber ich darf nicht, ich muß gehen.

Ich habe gehofft, Ihnen mehr und anderes schreiben zu können. Ich kann es nicht. Später. Ein anderes Mal. Nur so viel: es gibt Augenblicke, in denen einzig der Gedanke an Sie mich in Ordnung zu halten vermag.

[An den Intendanten W.] M., 28. August 1954

Wir sind Ihnen zu außerordentlichem Dank verpflichtet. Ich hoffe, mein Mann hat beim Abschied von Ihnen ebenso warme Worte gefunden, wie er sie jetzt findet, wenn er von Ihnen spricht. Darf auch ich Ihnen danken. Ich habe mit großer Bewunderung beobachtet, wie Sie meinen so schwierigen Mann zu behandeln verstanden. Man weiß ja, daß Sie durch langen Umgang mit Theaterleuten erfahren geworden, sich eine besondre Geschicklichkeit in ihrer Behandlung erworben haben. Aber mein Mann hat Ihre Geduld auf eine Weise herausgefordert, die über das Ihnen gewohnte Maß hinausging; ich weiß das. Sie kamen mir manchmal vor wie ein Dompteur, der den müden oder auch aufsässigen Löwen mit leisem, aber äußerst bestimmten Zureden dazu bringen wollte, durch den brennenden Reifen zu springen. Es ist Ihnen gelungen, ihn zu bewegen. Er sprang, und er sprang gut, besser als je. Das ist Ihr Verdienst. Ich weiß, daß Sie meinen Mann sehr schätzen, daß Sie ihn verstehen, soweit er überhaupt zu verstehen ist, und daß Sie ihm alle seine gefährlichen Unarten nachsehen. Aber ich bin Ihnen doch eine Erklärung schuldig dafür, warum mein Mann diesmal so besonders schwierig war.

Er ist am Ende seiner Kraft, er ist überarbeitet, er kann nicht mehr. Er hat in der letzten Spielzeit fast jeden Abend gesungen, nicht nur in M., sondern als Gast an vielen anderen Theatern, er hat Liederabende gegeben und für viele Schallplatten gesungen, er hatte einige große schwierige Partien ganz neu einzustudieren, und dazu unterrichtet er auch mehrere Schüler. Er müßte nicht soviel arbeiten, aber er ist einer kleinen Wahnvorstellung verfallen: er hat ein Haus gekauft und bildet sich ein, die Schulden nicht bezahlen zu können. Dazu kommt noch etwas, was ich Ihnen ganz im Vertrauen sage: er ist getrieben von der Angst, in einigen Jahren nicht mehr singen zu können; seine Stimme lasse nach, meint er, und darum müsse er singen, solange es noch geht. Auch das ist eine Wahnvorstellung, und er ist nicht der einzige, der darunter leidet, aber bei ihm nimmt jede Befürchtung sofort die Form der schrecklichen und unwiderruflichen Gewißheit an, und niemand und nichts wird ihn davon überzeugen können, daß dies nichts weiter als eine der üblichen Theater-Hysterien ist. Selbst das ungewöhnliche Maß des Erfolgs an Ihrem Theater ist für ihn nur Bestätigung und Nahrung für seine Angst: »Wie lange noch...«

In äußerstem Vertrauen möchte ich Ihnen noch etwas sagen: seine angeborene Schwermut, die vor vier Jahren schon eine Sanatoriumskur nötig gemacht hat, ist verschärft worden durch ein Unglück, das uns betroffen hat; wir wollten ein Kind haben; es ist bei der Geburt gestorben. Dieser Schicksalsschlag war hart für ihn. Die Trauer über das Verlorene hat, wie jedes seiner Gefühle, eine Intensität, die man fast selbstzerstörerisch nennen muß. Ich hoffe, daß ihm eine kleine Urlaubsreise Erholung und Ablenkung bringt.

Sprechen Sie zu niemand über diesen Brief außer zu dem verschwiegenen K., der so rührend besorgt um meinen Mann war und der keineswegs so gut von ihm behandelt wurde, wie er es verdient hätte. Grüßen Sie ihn ganz besonders herzlich von uns beiden. Und Ihnen Dank, sehr von Herzen.

[An A. M. (Frater B.)]   *M., 12. Oktober 1954*

Viele Monate lang war ich nahe daran, Ihnen diesen Brief zu schreiben. Mehrmals habe ich tatsächlich begonnen, ihn zu schreiben. Aber Hochmut, Scham und auch die Hoffnung, ganz allein meiner Sorgen Herr zu werden, ließen mich nie über die einleitenden Sätze hinausgelangen. Heute werde ich Ihnen endlich ohne jede Einleitung sagen, was zu sagen ist: ich kann nicht mehr. Das heißt auch: ich will nicht mehr. Ich will so nicht mehr weiterleben. Ich habe alles ertragen, solange ich glauben konnte, es habe einen Sinn. Aber jetzt sehe ich, daß alles vergeblich war. Es ist sinnlos, einen Menschen zu halten, der fallen *will*, verstehen Sie? Nein, Sie können nicht verstehen. Ich habe Ihnen ja nie etwas gesagt, ich bin Ihren Fragen ausgewichen, und auch vor C., der vieles erraten hat, habe ich alles geleugnet. Aber ich werde jetzt reden, zu Ihnen.

Alles was ich getan habe, war falsch. Ich habe meine Kraft überschätzt. Ich habe geglaubt, es sei Tapferkeit, immer das Schwerste tun zu wollen. Aber es ist nichts als Hochmut. Es ist nicht wahr, daß man jede Aufgabe annehmen muß, die man gestellt bekommt. Es gibt Aufgaben, die Versuchungen sind. Ich hätte M. nicht heiraten dürfen. Ich habe geglaubt, ihn retten zu können. Was für eine freventliche Einbildung, entsprungen meiner törichten Neigung zum Heldentum! Fast vier Jahre meines Lebens (die Jahre vor der Heirat will ich nicht rechnen) habe ich darauf verwendet, ihn mit aller Kraft zu »halten«: in seinem Beruf, in der Verantwortung für andere, in der ihm angepaßten Ordnung eines halbwegs normalen Lebens. Ich habe vertraut, gehofft, geliebt, ich habe mir keinen Seitenblick nach ruhigeren Gegenden erlaubt, ich habe nur auf den Weg geachtet, den ich zu gehen hatte. Und das Ergebnis? Wären Sie hier, so brauchte ich nicht viel mehr zu sagen. Sie könnten die Lage mit einem einzigen Blick erkennen: es ist weit nach Mitternacht, wir sind vor kurzem heimgekommen, M. ist betrunken wie jeden Abend seit Monaten, er war schon auf der Bühne betrunken, obgleich ich jetzt immer in der Garderobe bleibe bis zu seinem Auftritt, um darauf zu achten, daß er nicht trinkt, aber irgend jemand scheint ihm hinter den Kulissen Schnaps zu geben; nach der Vorstellung lasse ich ihn in der Kantine trinken soviel er will, ich kann keine Szene machen, dann bringe ich ihn heim, dann spuckt er das Bad voll und oft auch noch das Bett, so heute; das Mädchen weigert sich seit langem, Bad und Schlafzimmer zu reinigen; sonst tu es eben ich, aber heute will ich nicht, ich habe keine Lust mehr, mich ekelt; die Tür zu seinem Zimmer steht offen, er schnaubt wie ein krankes Tier; ich sehe sein Gesicht, der Mond scheint darauf, es ist mir fremd, es ist bereits verwüstet, mich schaudert. Bei diesem Mann zu bleiben bedeutet, zusehen, wie er langsam sich zerstört. Was für ein Gewinn kann ihm oder mir daraus erwachsen? Kein Mensch, der liebt, ist so stark, daß er dem Untergang des Geliebten beiwohnen kann, ohne selbst unterzugehen, in irgendeiner Weise. Keine Liebe überdauert den Ekel. Ich habe vor nichts größeren Ekel als vor der Häßlichkeit des Betrunkenen. Fast bedaure ich, M. von jenem andern Laster befreit zu haben, für das dieses neue ein vergleichsweise harmloser Ersatz ist; es ließ sich weit besser geheimhalten, es war sauberer, sublimer, es war dem Format M.'s weit besser angepaßt. Früher schien mir das Trinken den armseligen Tröpfen zuzugehören, die sich kein teures Laster leisten können. (Weiß Gott, so billig ist es nicht, das merke ich jetzt, da wir über und über in Schulden stecken!) Aber M., der Großartige, der Berühmte, der »Herr« – er säuft; er säuft was er bekommt, auch billigen Schnaps, es ist ihm gleichgültig; er wird dick, sein Gesicht geht aus der Form, seine Augen sind trüb, und wenn er nüchtern ist, schämt er sich vor mir, und er demütigt sich, und ich beginne, ihn dafür zu hassen.

Als ich ihn heiratete, glaubte ich, er habe den ernsthaften Wunsch, sein Leben zu ordnen. Jetzt aber habe ich den furchtbaren Verdacht, daß er nur eine Gefährtin für seinen Untergang suchte. Als er den Prozeß um sein kleines Mädchen verloren hatte, versuchte er, mich zu überreden, mit ihm zusammen seine so mühsam abgelegte Gewohnheit aufzunehmen. Nie war er verführerischer als in jenem Augenblick. Sie können nicht ahnen, was für eine Kraft der Verführung in solchen Menschen wohnt, wenn es darum geht, Gefährten für ihr Laster anzuwerben. Ich habe ihm widerstanden. Dann begann er mich mit Selbstmordplänen zu erpressen. »Wenn ich nicht . . .« Ich war so zermürbt, daß ich um ein Haar nachgegeben hätte. Einmal war ich bereits im Wartezimmer eines Arztes, von dem ich wußte, daß er zu bestechen war. Aber ich ging wieder fort. M. selbst bekommt nichts, man fürchtet mich; man weiß, daß ich einen scharfen Spürsinn entwickelt habe für derlei Menschen, Gefahren und Geschäfte. Das Schrecklichste aber war, daß er Gott mit hineinzog in sein Laster. Als er den Prozeß verloren hatte, sagte er: »Ich habe mir den Ausgang des Prozesses als Zeichen gesetzt. Hätte ich Beate bekommen, so hätte ich gewußt, daß Gott mir wohlwill und daß er sich um mich kümmert und daß er mich für sich haben möchte. So aber weiß ich, daß er meinen Untergang will.« Nie vorher hatte er über Gott gesprochen, nicht ein einziges Mal. So wie er es nun tat, war es furchtbar, es machte mich schaudern. Er hat Gott erpressen wollen, nun, das ist seiner Unwissenheit zugute zu halten, das ist nicht weiter schlimm. Aber das andre: er hat Gott als Wirklichkeit erlebt, für kurze Zeit, er hat mit dieser Wirklichkeit verhandelt, mit ihr gerechnet, er hat ihr eine hohe Kraft zugeschrieben, er hat geglaubt. Verstehen Sie, er hat geglaubt! Was hätte geschehen können, hätte Gott ihm geholfen. Aber Gott hat ihn im Stich gelassen, und das war der Anfang des Unheils. Ich habe das erkannt, ich habe es aufzuhalten versucht, ich habe das Äußerste getan, was meine Liebe tun konnte: obgleich mir nicht nur F. ein Kind verboten hatte, aus Besorgnis um eine Belastung von M. her, sondern auch mein Arzt, der mich untersuchte und der mich viel zu erschöpft fand, um der Anstrengung einer Schwangerschaft (in meinem Alter) gewachsen zu sein – obgleich alles, auch mein eignes Vorgefühl dagegen sprach, habe ich ein Kind gewollt. Sie wissen, daß ich damit rechnete, sterben zu müssen. Das Kind sollte M. halten. Er liebt Kinder, er hätte um dieses Kindes willen sein Leben in Zucht gehalten. Aber das Kind starb. Das bedeutet, daß Gott ein zweites Zeichen geschickt hatte: er wollte mit Sicherheit M.'s Untergang. (Das sage nicht ich; es sind M.'s Worte; aber ich bin heute fast seiner Meinung. Gott ist gegen uns.) Ich könnte sagen: ich habe getan, was ich tun konnte. Aber ich wage nicht, es zu sagen. Hätte ich getan, was ich hätte tun können, so wäre M. jetzt imstande, sein Schicksal zu bestehen. Ich habe also versagt. Ich sehe das mit aller Schärfe. Aber ich sehe nicht, was ich hätte anders machen können, außer daß ich niemals hätte diese Aufgabe übernehmen dürfen. Da liegt es. Gott straft mich für meinen Hochmut, für meine Selbstüberschätzung. Aber warum straft er M.? Oder vielmehr: warum straft er mich in M.? Warum verfiel M. auf seine Laster? Da ist doch etwas, das früher war als das Laster. Man verfällt nicht einem Laster, wenn man glücklich oder auch nur halbwegs in Ordnung ist. Man muß sehr unglücklich sein, um anfällig zu sein. Als M. anfing, das zu tun, wozu ihm der furchtbare M. K. geraten hatte, war er keineswegs in Not, in keiner Art von Not; er war gesund, er hatte Geld, er hatte seine ersten großen Erfolge. Was also trieb ihn? Von C. weiß ich, daß M.'s ganze

Familie »depressiv« ist. Auch M. ist es. Was aber ist denn diese Niedergeschlagenheit, diese Traurigkeit ohne jede Ursache? Ist es eine angeborene Schwäche der Lebenskraft? Aber M. hat heftige Wünsche, und er vermag große Kraft und Ausdauer zu entwickeln, um zu erreichen, was er will, wenn er einmal begonnen hat, es wirklich zu wollen. Vielleicht ist das, was man Schwermut nennt, einfach eine Schwäche in einer bestimmten Richtung. Ich meine: der Schwermütige kann alles, nur eines nicht, nämlich den Anfechtungen der Traurigkeit widerstehen. Aber dann wäre »Traurigkeit« oder »Schwermut« etwas, was zuerst außerhalb des Schwermütigen besteht; etwas, das es objektiv in der Welt gibt, nicht nur im Innern eines Menschen. Die menschliche Schwermut ist nur die Antwort auf diese andere, objektive Schwermut. Aber was ist diese andere Schwermut und wo ist sie? Wenn man sagt, es gibt »die Freude«, so denkt man sie sich dem »Himmel« zugehörig. (Ich meine nicht Freuden, sondern wirklich *die* Freude.) Und »die Schwermut« würde dann »der Hölle« zugehören. Das stimmt ja wohl auch, denn Schwermut ist so viel wie Hoffnungslosigkeit, und der Verlust jeglicher Hoffnung für immer ist »die Hölle«. So wäre also menschliche Schwermut das Verfallensein an die Versuchung der Hölle, jegliche Hoffnung aufzugeben. Der Schwermütige ist deshalb schwermütig, weil er nichts mehr hofft und darum auch nichts mehr wirklich will, nichts mehr wollen kann. Dann wäre aber Schwermut nicht einfach eine besondre Gemütsartung, ein »Temperament«, sondern eine Sünde wie jede andre auch, nein, eine sehr schwere, die allerschwerste, denn sie ist das bewußte Sich-Aufgeben, es ist so gut wie: sich dem Teufel verschreiben. Aber das hat M. doch nicht getan. Das kann ich nicht glauben. Und doch: es muß Stufen der Schwermut geben. Es muß ein langsames Hineingleiten geben. Die Anfänge kenne auch ich: diese Müdigkeit, dieses »Ach, ich mag nicht mehr, es nützt nichts«; zuerst tut es weh, dann wird es süß. Es ist, wie wenn man endlich einer Krankheit nachgibt: »So, jetzt bin ich krank, jetzt bin ich für nichts mehr verantwortlich.« Man kann ziemlich lang in diesem Zustand leben, glaube ich, und man fühlt sich so seltsam wohl wie ein Soldat, der mit einer leichten Verwundung ins Lazarett kommt. Aber das ist nur der Anfang, und ist man erst einmal außer Gefecht gesetzt, so hat die Schwermut freie Hand, schließlich zeigt sie ihr wahres Gesicht, und es ist schrecklich.

Aber wenn Schwermut eine Schuld ist, so muß man sie doch nicht notwendig begehen. Es gibt einen Punkt, an dem man sich entscheiden kann, so wie es vielleicht auch bei Geisteskranken einen Punkt gegeben hat, an dem sie sich halten oder aber fallen lassen konnten. Hätte M. sich halten können? Es schien, daß er es hätte können, wenn unser Kind hätte leben dürfen. Aber es durfte eben nicht leben. Das ist es. Damals nicht endgültig der Schwermut zu verfallen, das war eine zu hohe Forderung an M. Gott mußte M.'s Kraft und ihre Grenzen kennen. Er hätte ihm diese Versuchung nicht schicken dürfen. Er hätte ihm eine, die einzige, die letzte Möglichkeit geben müssen. Hätte M. sie nicht genutzt, nun, so wäre es vielleicht seine eigne Schuld gewesen. Aber ihm diese Möglichkeit *nicht* zu geben, das ist grausam, das ist vorsätzliche Zerstörung. Ich mäßige meine Worte vor Ihnen, da Sie Mönch sind und diesem Gott gehören. In meinem Innern habe ich weit härtere Worte. Ich habe diesen Gott geliebt, ich habe Ihn bewußtlos und glühend geliebt als Kind; ich habe Ihn widerstrebend geliebt jahrzehntelang, ich habe Ihn geliebt, ohne daß Er mich Seine Gegenwart je fühlen ließ, Er hat mich mir selber überlassen, Er hat zugesehen, wie ich litt und nicht zugrunde ging, weil ich nicht wollte; ich habe in den letzten Jahren unaufhörlich nach Ihm gesucht, ich habe Ihn außerhalb und innerhalb der Kirche gesucht, ich habe, ohne jemals davon zu sprechen, alle Martern dieser Ehe ertragen, weil ich glaubte, Er wollte das; ich war ihm näher als selbst Sie ahnen konnten. Aber Er hat mich nicht angesehen, Er will nicht, daß wir leben, Er zerstört mir den Geliebten, Er hat mein Kind getötet, Er wird mich selbst zerstören.

Die Kirche lehrt, daß man nie über das Maß der vorhandenen Kraft hinaus versucht wird. Das ist nicht wahr. Woher käme denn der Selbstmord? Und woher die schwere Sünde? Es gibt Sünden, die nur die Früchte viel zu schwerer Versuchung sind. Ach, ich weiß: jeder Dorfpfarrer, auch der dümmste, würde mich jetzt darüber belehren, daß ich blasphemisch sei und ketzerisch und daß die Schuld des Menschen eben darin liege, nicht alle seine Kraft eingesetzt und nicht mit allertiefstem Ernst widerstanden zu haben. Das sagt man so, es sagt sich leicht. Für alles gibt es eine saubere theologische Erklärung. Lesen Sie doch in der »Summa« des Thomas von Aquin, wie da alle noch so vertrackten Rechnungen zuletzt zugunsten der Dogmatik aufgehen und wie Gott immer recht behält. In all dieser blitzblanken Theorie gibt es nur einen einzigen kleinen Fehler: sie ist nicht aufs Leben anwendbar. Nichts von alledem stimmt in *jedem* Falle. Nehmen Sie doch den Satz: »Gott will nicht den Tod des Sünders, sondern daß er sich bekehre.« Nun gut: warum aber läßt Er M. vor meinen Augen verfallen und verfaulen? Damit er sich bekehre? Aber dazu müßte Er M. doch zuvor Einsicht und Erkenntnis geben. M. hat keine Einsicht. Er lebt an einem Platz, an dem ihn Gottes Stimme nicht erreicht. Sie wissen: in manchen Konzertsälen gibt es, als Folge eines schweren Fehlers in der Konstruktion, eine schalltote Stelle; auf dem Podium kann das schönste Konzert sein, und alle Leute ringsum sind entzückt, nur der Unselige, der an der toten Stelle sitzt, hört nichts, absolut gar nichts. Man müßte M. von dieser Stelle wegholen, aber das ist ja eben sein Geschick, daß er dort ist; das ist der Wille Gottes. M. von dieser Stelle wegholen hieße, ihm seine Schwermut nehmen. Wer aber vermag das? Seine Schwermut ist eins mit ihm; sie ist er geworden. M. wird also dafür mit Nicht-hören gestraft, daß er an die schalltote Stelle verwiesen worden ist; oder nein: er wird dafür gestraft, daß er an der schalltoten Stelle nicht hört! Er soll sich bekehren. Das hieße: er sollte seine Schwermut ablegen. Wie kann er aufhören schwermütig zu sein, wenn... Ach, dieser Teufelszirkel. Mein Gott, ich glaube wahnsinnig zu werden. Verstehen Sie denn, was es heißt, den Geliebten zerstört zu sehen, zerstört von dem, den man lieben möchte, und den *nicht* zu lieben Sünde ist, und der alles tut, damit man ihn hassen muß! Ich liebe M. noch immer, ich kann nicht aufhören, ihn zu lieben, aber ich werde ihn verlassen, und ich werde aufhören, Gott zu lieben, und das wird das Ergebnis von so viel tödlicher Anstrengung sein.

Vielleicht aber ist es dies, was dieser fürchterliche Gott will? Vielleicht will Er, daß M. und ich gemeinsam untergehen? Das ist ein neuer Aspekt, und er hat viel für sich. Daß ich nicht früher darauf kam? Es liegt doch alles auf der Hand, wahrhaftig: Er hat uns auf höchst komplizierte Weise zusammengeführt, unserm eigentlichen Willen entgegen; er hat M. der Schwermut ausgeliefert und mich an M.'s Schwermut scheitern lassen; damit hat Er uns bedeutet, daß M. nicht gerettet werden *soll*; und da ich M.'s Gefährtin wurde, auf eine so unheimliche Weise mit ihm verbunden, ist es klar, daß auch ich untergehen soll. Nun, wenn Er das will, so kann Er es haben. Es wird gar nicht schwer sein, ihm seinen Willen zu tun: ich brauche nur morgen zu jenem Arzt zu gehen und ihn mit viel Geld bestechen (bei unsern Schulden spielt das ohnehin keine Rolle mehr), und eine Stunde später werden wir ein gutes Mittel gegen die Schwermut haben. M. wird nicht mehr trinken. Man wird ihn für gerettet halten. Wir werden es noch jahrelang geheimhalten können. Die Kinder werden es erst merken, wenn sie so alt sind, daß sie sich bereits von uns gelöst haben werden. M. wird endlich an meine Liebe glauben, wenn ich mich vorsätzlich mit ihm zerstöre. Er wird sehen, daß ich eine Rettung verschmähe, die nicht auch die seine ist. Das also ist es, was von mir erwartet wird. Ist es dies, was jenes schreckliche Wort meint: »Wer sein Leben verliert, der wird es gewinnen?« Wer wird mich jetzt lehren, das Gute vom Bösen zu unterscheiden? Gibt es eine Art von Leben, in dem das Böse das Gute ist? Wenn das Böse leicht und süß, das Gute aber hart und schwer ist, dann kann mein Entschluß, mich um M.'s willen zu zerstören, nicht einfach böse sein, denn er fällt mir schwer, aber er ist auch süß, er ist furchtbar hart und süß. Das Leben verlieren, das kann einen Schwachen ebenso begeistern wie einen Starken. Wer kann da unterscheiden? Ich fühle, daß es eine Leidenschaft des Sich-Verlierens gibt, eine Leidenschaft des alleräußersten, des vollkommenen Verzichts. Ist das Demut oder ist es Hochmut? Ich weiß es nicht. Ich ersticke in dieser ungeheuerlichen Verwirrung.

Und wenn ich M. verließe? Wenn ich »die Toten ihre Toten begraben« ließe? Das steht in der Bibel. Das sagt Gott. Er ist grausam. Es ist ein Rat, fast ein Befehl. Ich könnte ihm nachkommen. Dann wäre ich frei. Aber wer sagt mir, daß M. ein Toter ist? Ist dies eine Versuchung? Oder ist es der Beschluß meiner Rettung?

Es geht gegen Morgen. Ich glaube, ich bin zu Tod erschöpft. Gott hat mich im Stich gelassen. Nun, so werde ich eben ohne Ihn zurechtkommen müssen, ohne Ihn oder gegen Ihn. Antworten Sie mir nicht auf diesen Brief. Ich weiß, in welcher Sprache Sie zu mir reden würden. Ich kann sie nicht hören, und daß es so ist, das hat derjenige sich zuzuschreiben, der mich und M. fallen läßt.

Hätte ich nicht Kinder, die mich noch brauchen, so wüßte ich, was ich tun sollte, mit M. zusammen.

Warum haben Sie mir nicht geschrieben, daß Sie hierherkommen? Oder hatten Sie vor, sich erst zu melden, wenn Sie hier sind? Eben fiel mein Blick auf die Ankündigung Ihres Vortrags. Ich weiß nicht, ob ich zu diesem Vortrag kommen kann, deshalb bitte ich Sie, einen Tag länger hierzubleiben, um am Abend ein Konzert M.'s zu hören. Zwei Karten werden für Sie auf Ihren Namen an der Kasse liegen. Sie werden wissen, daß diese Bitte dringlich ist und daß diese Dringlichkeit begründet ist.

[An A. M. (Frater B.)] *M., 27. Oktober 1954*

Sie haben mir geschrieben! Sie taten es, obgleich ich Sie gebeten hatte, es nicht zu tun, und Sie haben genau jene Worte gebraucht, die ich nicht hören wollte. Was für Worte! Ich verstehe gerade noch, wenn Sie sagen, daß nur das äußerste Leiden (jenes, das den Wesenskern erreicht) den Menschen vom Nicht-Sein zum Sein erweckt. Ich habe genug gelitten, um wirklich zu wissen, was Leiden ist. Ich verstehe sogar noch, wenn Sie sagen, daß der Mensch zerbrochen werden muß, damit er Form gewinnt, obgleich meine ganze Natürlichkeit gegen eine solche Auffassung sich auflehnt: denn warum soll ich zerbrochen werden, da ich doch bereits eine Form habe? Aber ich verstehe Sie ganz und gar nicht, wenn Sie sagen, daß Gott für Seine vertrauten Freunde niemals ein Wunder gewirkt hat, ohne ihren Glauben auf die härteste Probe gestellt zu haben. Sie erinnern mich an Seine Lieblinge Maria und Martha, deren Bruder Er sterben ließ, ohne auf ihre Klagen und Rufe zu hören; und dann hat Er, als längst alle Hoffnung mit Lazarus begraben war, das Wunder der Auferstehung für sie gewirkt. Das sagen Sie *mir*. Was soll *ich* damit anfangen? Ich gehöre nicht zu den vertrauten Freunden und Lieblingen Gottes, und ich erwarte kein Wunder. Ich gehe meinen Weg mit jener Form von Energie, die man Tapferkeit nennt. Ich werde also nicht meinem Geschick entfliehen, ich werde M. und meiner Aufgabe nicht untreu werden. Ich werde bleiben und zu retten versuchen, was zu retten ist. Es wird wenig genug sein.

Letzte Woche war Professor F. da, der M. seinerzeit behandelt

hat. Er fand M.'s Zustand derart bedenklich, daß er eine Kur vor-
schlug. Aber er mußte selbst einsehen, daß M. niemals, nie wieder,
um keinen Preis zu bewegen wäre, sich noch einmal behandeln zu
lassen. M. will keine Rettung. Er läßt sich fallen. Ich werde jedoch
nicht aufhören, alles zu tun, was in meiner Kraft steht, um ihn
so lange wie möglich zu halten. Vielleicht gelingt es mir, ihm noch
einmal über eine Krise hinwegzuhelfen. Es gibt eine Art von
Treue, die dem blinden Eigensinn zum Verwechseln ähnlich
sieht.

Sie sehen, ich habe wieder zur »Vernunft«, oder wie man es nennen
will, zurückgefunden. Aber ich erwarte kein Wunder, wenngleich wohl nur »ein Wunder« M. wirklich retten könnte. Doch
steht der Gedanke an derlei außerhalb meines Wesens.

Ich bitte Sie, mir zu vergeben, daß ich, obgleich ich Ihre liebevolle
Fürsorge um mich dankbar empfinde, doch so gar nicht auf Ihre
Worte anzuspringen vermag, weniger denn je seit jener Nacht,
in der Gott mich verließ. Diese Verlassenheit erkenne ich daran,
daß ich wieder »die alte Nina« bin: tapfer, hartnäckig, stolz und
ohne das Bedürfnis, Sie zu verstehen. Aber seltsamerweise scheine
ich mit dieser meiner Art von Mut mehr Kraft entwickeln zu
können als in dem, was man »Ergebung in den Willen Gottes«
nennt.

Ich fürchte, Gott hat mich über Gebühr geprüft und hat damit
seine Absicht verfehlt: ich bin nicht besser geworden und weiser
und geläutert, sondern nur härter. Mit dieser Härte gegen mich
selber hoffe ich mein Leben bewältigen zu können.

Gott scheint große Ähnlichkeit mit meinem Vater zu haben. Auch
mein Vater hat geglaubt, mich durch finstere Strenge erziehen zu
können. Er hat mich nur unkindlich gemacht, frühreif, widerspenstig, ich habe ihn fast gehaßt. Er hätte mit Liebe und Güte
mich so leicht zu lenken vermocht. Ich war so weich und liebevoll,
eine kleine zärtliche Träumerin. Was ist aus mir geworden! Und
so hätte auch Ihr Gott mit Liebe mich zu lenken vermocht, wie
leicht, wie einfach; wie nah war ich Ihm als Kind, wie herzlich
und selbstverständlich ergeben und wie glühend auch. Aber Er
hat mich nicht so haben wollen. Nun: so soll Er mich haben, wie
Er mich offenbar haben wollte (oder wie ich als Folge Seines Er-
ziehungsfehlers Ihm, seiner Absicht entgegen, unter der Hand
geworden bin).

Denken Sie nicht, daß ich übermäßig leide. Wenn ich wieder an meine eigene Kraft appelliere statt an die Hilfe Gottes, geht es mir immer erträglich.

Bereite ich Ihnen Schmerz mit diesem Brief? Ach, ich bereite mir noch größern Schmerz damit. Aber ich war immer wahrhaftig. Wenn auch Sie mich jetzt fallen lassen, so werde ich das verstehen und hinzunehmen wissen.

[An den Intendanten Sch.]   *M., 8. Dezember 1954*

Ich weiß nicht, ob ich bei unsrer Unterredung gestern ruhig genug war, um Ihnen eine Erklärung für den Zusammenbruch meines Mannes geben zu können, die wirklich hinreichend ist. Lassen Sie mich diese Erklärung jetzt in Ruhe und schriftlich abgeben. Ich bin Ihres Verständnisses sicher.

Sie haben mir gesagt, daß Sie nie einen größeren Schauspieler und Sänger auf Ihrer Bühne hatten als M. S. Das sagten Sie auch andern, und Ihr ganzes Verhalten ihm gegenüber war Ausdruck dieser Ihrer Wertschätzung, und darum haben Sie bis jetzt auch alle seine Sonderbarkeiten entschuldigt und ihn gegen alle Angriffe gedeckt.

Daß M. S.'s außerordentliche Kraft der Darstellung nicht einfach nur einer Naturbegabung entspringt, sondern seiner großen seelischen Spannung, wissen Sie. Sie wissen aber nicht, daß die ganze Familie meines Mannes depressiv belastet ist und M. S. unter tiefer, unheilbarer Schwermut leidet. Für jeden seiner glänzenden Abende in Ihrem Haus oder in andern Theatern und Konzertsälen zahlt er einen viel zu hohen, einen fürchterlichen Preis. Ich weiß keinen andern Schauspieler, der sich derart im Spiel erschöpft wie er. Es ist, als kennte er keine Routine. Daß er drei Jahrzehnte lang ein solches Übermaß aushielt, ist erstaunlich. Daß er jetzt, im Älterwerden, bisweilen an Kraft nachläßt, ist natürlich. Daß er dieses Nachlassen der Kraft fühlt, darüber besteht kein Zweifel, und daß die Angst vor der Zukunft ihn martert, ist ebenfalls deutlich. Daß er, der nie gespart hat mit sich, nun keine Kraftreserven hat, nicht kaltblütig seinem Niedergang zusehen kann, sondern sich zu betäuben sucht – wer kann es ihm verargen. Alle Welt weiß, daß er trinkt, und da alles, was er tut, maßlos wird, so trinkt er auch maßlos. Ich habe alles versucht, um ihn dazu zu bringen, vor dem Auftreten nicht zu trinken. Darum bin ich immer mit ihm in der Garderobe. Aber er scheint einen Freund (oder wohl einen Feind) zu haben, der in der Kulisse Schnaps für ihn bereit hält. Bisher ging alles eben noch gerade gut, und es gelang M. S., das Nachlassen seiner Stimme zu überspielen. Bei dem Liederabend vor drei Tagen aber gelang es ihm nicht mehr. Es war ein verhexter Abend: Frau L., die ihn sonst begleitet hatte, war plötzlich erkrankt, A. sprang am Abend ein, ohne Probe, er spielte unsensibel, M. S. war gereizt, in der Pause gab es eine Szene im Künstlerzimmer, M. S. trank vor Zorn (wieder stand, von irgendeiner fremden Hand hingestellt, hinter dem Vorhang versteckt eine Flasche Schnaps) und der zweite Teil des Abends war eine Katastrophe. Es war mir klar, daß die Presse denkbar schlecht sein mußte. Ich suchte um jeden Preis zu verhüten, daß M. S. während der beiden Tage vor der Premiere eine Zeitung bekam. Es gelang mir auch, erstaunlicherweise. Ich selbst hatte alle Kritiken gelesen, auch die niederträchtige in der N. A.

Als M. S. am Premierenabend in die Garderobe kam, lag dort die N. A. Wer hatte sie hingelegt? Ich glaube, es ist die gleiche Hand, die den Schnaps in die Kulisse stellt.

Ich konnte nicht verhindern, daß M. S. die Zeitung las. Kein Schauspieler verträgt eine schlechte Kritik, keiner verträgt sie eine Stunde vor der Premiere. Ist es verwunderlich, daß M. S., mehr als andre vom Lampenfieber zermartert und ohnehin in schlechter Verfassung, zusammenbrach? Es war besser, daß er das Theater verließ, als daß er auf offener Bühne einen Skandal inszenierte.

Selbstverständlich quält ihn jetzt das Bewußtsein, Sie, das Haus, das Ensemble und das Publikum brüskiert zu haben. Sie wissen, daß er bei aller ungewollten Exzentrik seines Wesens ein ausgeprägtes Gefühl für die gemeinschaftliche Bühnenleistung hat. Kein Star war je weniger »Star« als er, und kaum einer bringt es fertig, sich so wenig in den Vordergrund zu spielen wie er. Deshalb lieben ihn auch alle, und deshalb haben sie ihn einhellig verteidigt. Der schöne Aufsatz von R., der, wohl in Ihrem Auftrag geschrieben, gestern im S. stand, hat gewiß eine sehr gute Wirkung. Ich danke Ihnen in M. S.'s Namen dafür.

Ihre Haltung meinem Mann gegenüber ist so nobel und freund-

schaftlich, wie wir sie nach dem Geschehenen nicht erwarten konnten. Sie haben mich über die möglichen Folgen dieses Vorfalls beruhigt. Ich weiß, daß Sie M. S. halten werden, solange es geht. Aber ich weiß auch, daß die Presse sehr mächtig ist, selbst wenn sie von bestürzend kleinen Leuten gemacht wird; M. S. war so viele Jahrzehnte lang ihr Liebling, jetzt läßt sie ihn fallen; sie hat ihm ihre Feindschaft offen genug erklärt. Es wird nicht mehr lange dauern, und Sie werden gezwungen sein, der Presse nachzugeben, wenn Sie Ihre eigene Position halten wollen. Wir werden das verstehen. Vielleicht wäre es darum besser, Sie gäben M. S. vorerst einige Monate Urlaub. Das Publikum wird an eine Krankheit glauben, die Presse aber wird verstehen. M. S. wird Zeit haben, sich um ein anderes Engagement umzusehen, vielleicht an einem kleineren Theater. (Ich habe wenig Hoffnung, daß er das tun wird; eher glaube ich, daß ein großes Theater es noch einmal mit ihm versuchen wird.)
Bitte, schlagen Sie meinem Mann von sich aus den Urlaub vor. Ich bin Ihnen dankbar.

[An Margret]   *M., 18. Dezember 1954*

Daß Du meinen Sommerbrief erst im Oktober beantwortet hast, erspart mir fast die Entschuldigung dafür, daß ich mit meiner Antwort bis jetzt gewartet habe. Du hast ja auch keine dringenden Fragen gestellt, Du hast so hübsch erzählt von Deinem Leben in den Staaten, und Du scheinst zufrieden und eigentlich glücklich, so daß ich gar nichts dazu sagen kann. Von den großen Erfolgen Deines Mannes lese ich hin und wieder in der Zeitung, neulich sah ich sogar ein Bild von Dir und ihm, von irgendeinem Flugplatz, ich sah es im Kino, in der Wochenschau. M. und ich gehen jetzt abends meist ins Kino, er hat einen Krankenurlaub, er leidet unter Heiserkeit, das Klima hier ist zu rauh für ihn, und wir werden wohl wegziehen müssen. Wir tragen uns mit dem Gedanken, das Haus zu verkaufen, aber noch ist nichts entschieden. Vielleicht nimmt M. ab Sommer ein Engagement in Italien an. Er braucht Wärme, er ist schon längere Zeit nicht mehr wirklich gesund, er wird sich künftig sehr schonen müssen.
Du fragst nach den Kindern. Denen geht es gut. Ruth ist an der

Musikhochschule, sie macht große Fortschritte, und M. sagt ihr mit Bestimmtheit eine bedeutende Zukunft voraus. Sie könnte übrigens ebensogut Pianistin wie Sängerin werden. Sie hat im Herbst einen ersten Preis beim internationalen Musik-Wettbewerb bekommen. Martin will Physiker werden; vorerst ist er am Gymnasium, amusisch, logisch, trocken und verschlossen, voll von einer bohrenden Energie, die mir eher Sorge als Bewunderung abringt.

Ich hoffe, das kleine Weihnachtsgeschenk freut Dich. Du hast Dir so etwas gewünscht, als Du hier warst. Den Stich, der Dir so gefiel, habe ich leider nicht bekommen, er war schon verkauft, aber der, den Dir F. B. von hier mitbringt, ist noch schöner. F. B. müßte dieser Tage zu Dir kommen.

Ich wünsche Dir und Deinem Mann ein schönes Weihnachten.

[An A. M. (Frater B.)]   *M., 10. Januar 1955*

Ihr Geschenk und Ihr Gedenken hat mich bewegt. Mein Gruß hat sich mit dem Ihren gekreuzt.

Daß Sie mich nicht vergessen, ist mehr als schön für mich. Sie legten keine Zeile bei. Ach, Sie mußten fürchten, mich wieder so zu treffen wie mit Ihrem letzten Brief. Und doch habe ich das ganze Buch durchgesucht nach irgendeinem Zeichen von Ihnen. Ich hätte nicht zu suchen brauchen, ich hatte das Zeichen beim ersten Aufschlagen bekommen. Ich habe Ihnen einmal erzählt, daß ich jedes neue Buch aufs Geratewohl aufschlage, um den ersten Satz, auf den meine Augen fallen, als Omen zu nehmen. Und wissen Sie, welche Stelle Ihr Buch für mich bereithielt? »Einen Körper zieht sein eigenes Gewicht nach seinem Orte... Nach oben strebt das Feuer, nach unten der Stein; je von ihrem Eigengewicht bewegt, suchen sie ihren Ruheort... Was nicht in seiner gehörigen Ordnung ist, ist in Unruhe... kommt es in seine Ordnung, so kommt es zu seiner Ruhe...« (Weiter brauchte ich nicht zu lesen. »Pondus meum amor meus...« Diese Stelle kenne ich lang.)

Wen habe ich, außer Ihnen, mit dem ich reden könnte? Wer blieb mir von den vielen Menschen, die um mich waren? Ich habe sie alle verlassen und vergessen; Sie aber bleiben, und das wird immer so sein. Was aber habe ich Ihnen zu sagen? Nichts als Klagen. Ich bin seit jener Nacht, in der ich Ihnen schrieb, in einem Zustand, den ich am besten bezeichnen kann, indem ich sage: ich bin ausgelöscht, ich finde mich nicht mehr. Ich war früher nie eben das, was man ein heiteres, glückliches Geschöpf hätte nennen können, aber ich war immerhin ich, das heißt, ich habe das Glück gekannt, das darin liegt, sich selbst zu fühlen, sich seiner selbst und eines gewissen Werts lebhaft bewußt zu sein; auch besaß ich, als Folge dieses Gefühls, die Gabe der Hoffnung. Jetzt aber bin ich nicht mehr ich. Die Kontinuität meines Lebens scheint abgerissen. Ich lebe im Leeren. Dabei war ich nie vorher in solchem Maße das, was man tugendhaft nennt: treu, tapfer, pflichtbewußt. Aber das zählt offenbar nicht mehr. Vielleicht bin ich nicht dort, wohin ich gehöre. Vielleicht will mir das aufgeschlagene Wort aus Ihrem Augustinus sagen, daß ich nicht in der mir gemäßen Ordnung lebe. Vielleicht ist diese Ehe, die ich um der Ordnung willen geschlossen habe, nicht *meine* Ordnung? Ich war früher, als alles in meinem Leben mehr als Unordnung zu sein schien, viel reicher als jetzt, ich lebte stärker, glücklicher, besser. Ich bin auf eine merkwürdige Weise gebrochen. Ob Sie sich noch daran erinnern, wie Sie mir vor vielen, vielen Jahren das Wort aus dem Alten Testament zitierten: »Wie eine Gazelle aus der Wildnis kamst Du zu mir...« Was ist es, das mich so verändert hat? Nicht das Älterwerden. Ich bin noch jung genug, um zu »leben«. Es ist auch nicht das Leid um M. allein. Ich liebe M. noch immer, aber um ihn zu ertragen, ist diese Liebe ganz und gar verwandelt; sie ist nur mehr Sorge, Behutsamkeit oder auch eine gewisse Strenge. Was mich verändert, scheint mir ganz außerhalb alles Begreifbaren zu liegen. Ich bin herausgenommen aus allem, was mir bekannt und vertraut ist; selbst Schmerzen und Widrigkeiten (und wie vertraut waren sie mir!) sind nicht mehr so, wie sie vorher waren. Was geschieht denn mit mir? Ich verstehe nichts mehr. Ist es vielleicht einfach eine gewisse Abstumpfung meines Wesens, die mich schützt gegen den allzu großen Schmerz, den mir M.'s Leben bereitet? Ach, ich möchte nicht geschützt sein, nicht stumpf, nur das nicht. Lieber leiden als betäubt sein. Aber ich werde jetzt wohl nicht mehr gefragt. Eine fremde Macht scheint mich zu besitzen und mit mir zu tun, was ihr beliebt. Ich denke viel darüber nach, aber dies ist ein unfruchtbares Denken. Ich laufe dabei auf der Stelle, und es macht nur müde. Vielleicht ist dies, um in Ihrer Sprache zu reden, der Zustand der Verlassenheit von Gott. Diese Trockenheit, Dunkelheit, Armut – was sonst könnte sie in Ihren Augen bedeuten? Wohin ist meine Lebenswärme, meine Leidenschaft, meine Intensität? Soll ich nichts mehr sein als die Krankenwärterin M.'s? Soll meine ganze Begabung nichts mehr gelten? Ich sage dies im Ton einer schwachen Rebellion. Wäre ich, die ich früher war: wie würde ich Widerstand leisten, wie aufbegehren. Jetzt seufze ich nur mehr. Aber Resignation, ach, das ist meinem Wesen fremd, es ist das absolut Ungemäße. Vielleicht aber geht die Entwicklung mancher Menschen eben durchs ganz und gar Unpassende, Gegensätzliche, Feindliche hindurch. Vielleicht ist meine augenblickliche Müdigkeit nur das Aussetzen meines Atems beim Anblick einer Gefahr? Vielleicht bin ich hypnotisiert von irgend etwas, das auf mich seinen Blick richtet? Glauben Sie, daß sich Gott für mich interessiert? Ich hatte lange ein sehr persönliches Verhältnis zu Ihm, ein gespanntes, aber eben ein ganz reales. Seit jener Nacht, in der ich mit Ihm gehadert habe, hat Er sich zurückgezogen. Ich fühle darüber eine gewisse Erleichterung. Es lebt sich leichter ohne Ihn. Aber warum macht mich diese Erleichterung keineswegs glücklich? Warum empfinde ich sie als Leere? Ich glaube, ich ziehe das Bedrängtwerden vor.

Indem ich Ihnen das schreibe (es ist vielmehr ein Gespräch als ein Brief, denn Ihre Antworten sind geisterhaft gegenwärtig), wird mir einiges klar. Mit Erschrecken, mit heftigem Erschrecken, bemerke ich, daß ich die Katze bin, die um den heißen Brei schleicht, immer rundherum, gleich unfähig zum Fressen wie zum Weglaufen. Das ist ein unerträglicher Zustand. Ich habe diese Halbheit stets gehaßt. Irgend etwas muß in Bälde geschehen. Ich selbst kann mich nicht entscheiden. Es handelt sich wohl auch nicht um eine Entscheidung, die vom Willen abhängt. So warte ich denn auf ein Zeichen. Das mag Schwäche und Feigheit sein. Aber wer kann mir die Feigheit verargen angesichts der Drohung, die (für mich) in der Annäherung an Gott liegt, in dieser zweiten, bewußten Annäherung. Werden Sie mir sagen, daß man keine Furcht zu haben brauche, da Gott doch der Gott der Liebe ist? Ach, ich verstehe zu viel von der Liebe, als daß ich nicht wissen müßte, eine wie furchtbare Macht sie ist. Gibt es Härteres, als zu lieben, wirklich zu lieben, das heißt: ausschließlich, vorbehaltlos, glühend, ohne Berechnung, ohne Erwartung, ohne eine Möglichkeit des Rückzugs? Man muß ein Kind sein und harmlos, um Gott zu lieben, oder aber sehr stark, bewußt und groß. Ich bin keines von beidem. Was also?

Wenn ich sage: »Beten Sie für mich«, so will ich damit sagen, daß ich an die Kraft Ihrer Gedanken und Wünsche glaube wie an einen Zauber. Nehmen Sie mir diesen Glauben nicht. Ersetzen Sie ihn nicht durch eine andere Erkenntnis, die, wenn sie auch tiefer und wahrer ist, mir doch nicht so viel Trost geben könnte als meine Hoffnung auf Ihre Zauberkraft.

Indem ich an Sie schrieb, hat sich die Starre und Erschöpfung meines Herzens ein wenig gelöst.

Vergessen Sie nicht, falls Sie mir je wieder schreiben, mir mitzuteilen, wann Sie Ihre Priesterweihe haben.

Und lesen Sie aus der Wirrnis meiner Gedanken und Gefühle eines, ein einziges heraus: den brennenden Wunsch, »in Ordnung« zu kommen, in jene Ordnung, von der Ihr Augustinus schreibt und die sich mir so hartnäckig entzieht.

[An Elisabeth M.]   *M., 18. Januar 1955*

Was für ein schöner, erfreulicher Brief! Ich ahnte damals, daß es so kommen würde, und Gott sei Dank, daß es so ist. Ihr großmütiger Verzicht hat Ihnen Glück gebracht, und er möge Ihnen weiterhin Glück bringen.

Ich kenne F. D., er gefällt mir sehr, er hat Herz und Verstand. Ich hatte einmal in B. die Freude, mich mit ihm zu unterhalten. Das Bäuerliche seiner Ahnen gibt ihm Frische, Natürlichkeit und Sicherheit, und man fühlt sich in seiner Nähe wie auf einem wohlaufgeräumten, stattlichen und reichen Bauernhof. Seine Nüchternheit wird ihn vor Überheblichkeit bewahren, auch wenn er weiterhin derartige Erfolge haben wird wie letzten Sommer. Er selbst wird immer noch ein wenig größer sein als sein Erfolg. Wir beglückwünschen Sie zu Ihrer Wahl und ebenso F. D. zu der seinen. Im Hinblick auf Sie beide beginnt man wieder an die Möglichkeit der Freude am Menschen zu glauben. Wenn Sie es doch fertigbrächten, die wunderbare Verheißung zu erfüllen, die in Ihrem Bündnis liegt!

So sehr mich Ihr Wunsch beglückt hat, mich bei Ihrer Hochzeit zu sehen, so wenig kann ich ihn erfüllen. Mein Mann verträgt das Klima hier nicht, er leidet an chronischer Heiserkeit, er hat Krankenurlaub, und wir reisen übermorgen nach Süditalien oder auch weiter. Möge Sie der kleine Ring, der mir sehr lieb ist und den ich Ihnen mit gleicher Post schicke, erfreuen und beschützen. Tragen Sie ihn als Talisman entweder am Finger oder in Ihrer Tasche, und seien Sie unsres herzlichsten Gedenkens sicher.

[An Herrn L.]   *M., 19. Januar 1955*

Durch Herrn G. von der hiesigen Oper erfuhr ich, daß Sie unser Haus kaufen möchten. Wir werden Ihren Wunsch gern berücksichtigen, wenn es soweit ist. Noch hoffen wir, daß ein längerer Aufenthalt im Süden die Heiserkeit meines Mannes, die ihm das rauhe Klima hier verursacht, ausheilt. In diesem Falle würden wir unser Haus nicht verkaufen. Sehr wahrscheinlich aber, so meint der Arzt, wird mein Mann auch nach der Heilung nicht mehr hier leben dürfen. Vermutlich können wir Ihnen am 1. März endgültigen Bescheid geben. Schreiben Sie mir, ob ich Sie als ernsthaften Käufer betrachten und Ihnen die Priorität des Kaufs sichern soll.

Dritter Teil

Wir sind nun doch direkten Wegs hierher gefahren und haben von
Ihrer so freundlichen Einladung keinen Gebrauch gemacht. Es
war unmöglich. Ich hatte Ihnen M.'s Antwort vorausgesagt, Sie
werden sich erinnern. Als ich ihm von Ihrer Einladung erzählte,
sagte er: »Schreib F., es sei noch nicht so weit mit mir, daß ich ihn
brauche. Im übrigen kannst Du ihm schreiben, daß, ehe ich mich
noch einmal internieren lasse, ich mich selbst aus dem Weg zu
räumen verstehen werde.« Es war sehr schwer, ihn zu beruhigen.
Nun also sind wir hier. Zunächst dachten wir, längere Zeit in P.
zu bleiben, aber schon nach zwei Tagen hielt M. es nicht mehr aus.
Seither fahren wir von Ort zu Ort. (Ich habe das Auto hier.) Die
unaufhörliche Bewegung beruhigt ihn. Er macht jetzt den Eindruck eines Menschen, der nach einer äußersten Anstrengung sich
entspannt. Er ist wie ein Halbschlafender, der kaum mehr fähig
ist, etwas wahrzunehmen, in dem aber die rasch wechselnden
Eindrücke angenehme Empfindungen auslösen. Er kümmert sich
um nichts, auch nicht um die Zukunft. Ich weiß nicht, was geschehen wird. Manchmal halte ich Heilung für möglich. Vielleicht
müssen wir im Süden bleiben. Sobald ich klarer sehe, schreibe
ich Ihnen wieder.

[An den Anwalt O. K.]   *N., 15. Februar 1955*

Ich bin sehr froh, daß es Ihnen gelungen ist, die beiden Bilder zu
verkaufen. Mir fiel ein, daß wir auch noch eine Mappe Radierun-
gen haben, es sind wertvollere Sachen dabei: Feininger, Nolde,
Beckmann und dergleichen. F. würde sie sicher zu einem anständigen Preis nehmen. Auch die Einrichtung meines Arbeitszimmers kann verkauft werden, sie ist mir ohnehin zu wenig einfach
gewesen. Den großen holländischen Schrank im Flur wollte Herr
L. haben. Das Haus selbst möchte ich halten, so lang es geht. Mein

Mann erholt sich zusehends. Beruhigen Sie, bitte, S. seines Geldes wegen. Ich verstehe seine Sorgen nicht: unser Haus ist doch Garantie genug. Wenn wir es verkaufen, bekommt er das Geld sofort. Wenn wir es aber behalten, so werden wir es eben deshalb behalten, weil der Verkauf nicht nötig ist und wir Geld haben. Nun, das ist klar genug, meine ich.

Bitte, überweisen Sie die Hälfte des vorhandenen Geldes an das Internat, die andre Hälfte an die Banca Italiana in Rom.

[An Margret]   *R., 3. März 1955*

Verzeih, meine Liebe, wenn ich Dir zwar sofort, aber recht unzulänglich antworte. Ich kann heute nicht auf Deinen Brief eingehen, obwohl ich fühle, wie nötig es wäre. Aber ich bin jetzt selbstsüchtig, ich kann nur an mich oder vielmehr an M. denken, und das wirst Du verstehen, wenn ich Dir erzähle, was sich ereignet hat. Nachdem wir wochenlang ziellos durch Süditalien gefahren waren, jede Nacht in einem anderen Hotel schlafend, kamen wir nach R., und dort ereignete sich ein Wunder: wir trafen einen Bekannten vom Theater, der am Abend hier in einer Premiere singen sollte, dessen Frau aber schwer erkrankt war, und der also nicht singen wollte. Der, den man als Ersatz herbeigerufen hatte, war unterwegs mit dem Auto verunglückt, zwei andere hatten abgesagt, so war man in größter Aufregung. Da kam nun also M., der die Partie schon gesungen hatte, als Helfer in der Not. Er wollte zunächst nicht singen, aber wir überredeten ihn, er ging ins Theater, man machte eine kurze Probe, und am Abend sang er. Es war ein großer Erfolg. Er wird die Rolle behalten, das heißt, er wird in den nächsten drei Vorstellungen singen, und man bot ihm einen Vertrag für die Festspiele in V. an. Man sprach auch schon davon, ihn für die ganze nächste Spielzeit zu verpflichten.

Kannst Du verstehen, was das bedeutet? M. singt wieder, er hat Erfolg, er wird gesund werden, er wird leben! Das ist fast mehr Glück, als ich ertragen kann. Ich denke viele Male am Tag, es müsse ein Traum sein. Ich bin gewiß an die Wechselfälle des Lebens gewöhnt, wie sehr, das weißt Du. Aber ich bin nicht an derartige Glücksfälle gewöhnt. Ich bin diesem nicht recht gewachsen. Während ich alle Sorgen der letzten Jahre mit einer gewissen Gelassenheit getragen habe, ohne je wirklich in die Knie zu brechen, möchte ich jetzt endlich weinen dürfen, stundenlang oder tage-lang. Aber ich darf nicht, jetzt erst recht nicht.

Doch Du verstehst, daß ich unfähig bin, meine Gedanken auf Deine Sorgen einzustellen. Das ist abscheulich von mir, und es ist meinem Herzen ganz und gar entgegen, aber vermutlich bin ich jetzt einfach erschöpft oder betäubt. Ich schreibe Dir sofort, wenn ich dazu fähig bin.

[An den Anwalt O. K.] *R., 5. März 1955*

Endlich kann ich Ihnen eine bündige Antwort auf Ihren letzten Brief geben.

Wir können uns nicht entschließen, das Haus zu verkaufen, aber da mein Mann für die nächste Spielzeit hier verpflichtet wurde, können wir es vermieten, vorerst für ein Jahr, ab sofort. Herr L. wäre uns als Mieter angenehm. Bitte, besprechen Sie den Miet-preis mit ihm. Er kann das Haus möbliert mieten. Für diesen Fall aber bitte ich Sie, das Arbeitszimmer meines Mannes nicht mitzu-vermieten und jene Möbel, die ich in der beiliegenden Liste auf-führe, in die beiden Dachzimmer zu stellen, die ich für mich selbst behalten möchte.

Die Kinder sollen über Ostern hierherkommen, und ich bitte Sie, ihnen bei den Reisevorbereitungen behilflich zu sein. Ich habe ihnen bereits genaue Anweisungen geschrieben, aber sie werden trotzdem für Ihre Hilfe dankbar sein, so wie auch ich es bin.

[An Herrn C.] *R., 5. März 1955*

Ich bin ratlos vor Ihrem Brief, der in unsere augenblickliche Lage sich so gar nicht fügen will. Sie haben mir seit einem Jahr nicht mehr geschrieben. Sie haben mir nicht geantwortet auf meinen Brief, der wohl sehr schroff war. Ich mußte überzeugt sein, Sie aufs äußerste verletzt zu haben. Nun bieten Sie mir Ihre finanzielle Hilfe an, da Sie uns in Not glauben. Dies ist zweifellos als Antwort auf meinen Brief gedacht und als solche eine Geste der Großmut, die Bewunderung verdient. Wenn ich Ihr Angebot trotzdem nicht annehme, so aus zwei Gründen, zunächst aus dem sehr einfachen Grund, daß wir keineswegs in Not sind. Ich weiß nicht, wer Ihnen derlei erzählt hat. M. hat vielmehr, nachdem er einer Krankheit wegen den Vertrag mit der Oper in M. gelöst und einige Zeit zur Erholung hier im Süden gelebt hat, einen Vertrag mit der Oper in R. abgeschlossen. Er hat, vorerst als Gast, große Erfolge, und wir sind in keiner Art von Not. Der andre Grund, jener, der mir verbieten würde, selbst in großer Not Ihre Hilfe anzunehmen, ist einer, der, sobald er ausgesprochen wird, durchaus unhöflich, undankbar und aggressiv klingt. Ich hoffe, Sie werden ihn verstehen: so wie Sie nach dem Tod meines Kindes versuchten, mich im Zustand der Schwäche zu überwältigen und »in den Schoß der Kirche zurückzuführen«, so versuchen Sie es jetzt durch die großmütigste Nächstenliebe. Sie sind ein leidenschaftlicher Propagandist der Kirche, ein selbstloser Seelenfänger, ein glühender Anwerber. Aber Sie denken dabei nur an die Kirche und nicht an den Menschen. Sie sind eine gewaltige Macht, eine rollende Lawine, aber es gibt Gräser, die nach dem Vorüberrollen der Lawine sich aufrichten, als wäre nichts geschehen. Das Ereignis hat sie nicht betroffen, es war nicht ihr Schicksal.

Ihre ganze monumentale Person ruft in mir (außer Bewunderung) nur Widerstand hervor. Ihnen gegenüber gibt es nur äußerste Offenheit. Nun denn: ich lasse mich nicht »bekehren«, durch nichts und niemand, ich bin keine der Ihren, ich gehöre vielmehr zu der Schar jener, von denen erwartet wird, daß sie aus eigener Kraft ihr Leben bestehen und anständig zu Ende führen. Muß ich Ihnen sagen, daß Sätze wie dieser nicht der geistigen Beschränktheit entspringen, sondern vielmehr einer freiwilligen Beschränkung? Möglicherweise spricht der Hochmut aus mir: der Hochmut der Nicht-Erwählten. Sie werden es einfach Trotz nennen und mir zu sagen wünschen, daß man sich mit diesem Trotz jegliche Erkenntnis verstelle und also selbst die Schuld daran habe, wenn man nicht-erwählt ist. Möglich. Aber bedenken Sie dabei auch, daß dieser Trotz zu meinem Wesen gehört und nicht durch meinen eigenen Willen überwunden werden kann.

Warum nur wird jedes Wort zwischen uns zur Kampfansage? Es tut mir leid. Aber es ist gegenseitig: wir sind beide, jedes auf seine Weise, besessen von einer fast unvernünftigen Hartnäckigkeit. Aber ich möchte Ihnen doch noch etwas sagen, etwas, das mir

wichtig erscheint: ich glaube, daß wir beide so sein *müssen,* wie wir eben sind. Sie sind, so wie ein Bauer in der Ordnung des Tagesablaufs und der Jahreszeiten steht, geborgen in der Kirche, in Ihrem Glauben, in der Liturgie, und diese Ordnung macht Sie sicher, ingrimmig heiter und eifrig. Sie sind »ein Gerechter«. Ich bin nichts von alledem, ich habe nur eine einzige gute Eigenschaft: ich bin tapfer wie ein alter Soldat, den nichts mehr erschrecken kann. Aber mir erscheinen auch weder Engel noch Teufel wie dem Heiligen in Ihrem letzten Stück (ich habe es natürlich gelesen, mit ebensoviel Bewunderung wie Befremdung).
Möchte es Ihnen doch gelingen, mich zu verstehen.

[An Margret]   *R., 15. März 1955*

Dein letzter Brief kam, ehe ich den vorigen wirklich beantwortet hatte. Ich bin damals gar nicht eingegangen auf Deine Klage darüber, daß Ale kein Adoptivkind nehmen will. Nun seid Ihr beide entschlossen, von diesem Plan abzusehen. Warum? Weil der erste kleine Versuch mißlungen ist? Weil die Störung Eures Lebens doch zu groß wäre? Ach – dazu wäre viel, sehr viel und Schweres zu sagen. Ein Leben ohne Störung, ohne Last, ohne Unruhe – ist das denn ein Leben? Doch wir wollen dieses Gespräch vertagen, bis Du kommst. Natürlich kann ich Dir in unsrer Pension ein Zimmer besorgen, aber ich muß Dir, um Dich vor Enttäuschungen zu bewahren, eines sagen: Du wirst mich nur selten für Dich haben. M. läßt mich nicht von seiner Seite, und wir führen ein sehr stilles Leben, eines, das Dich wohl langweilen wird. Es gibt keine Gesellschaften, keine Feste, keine interessanten Leute in unserem Leben. Auch wir selbst sind keine besonders lebhafte Gesellschaft für Dich. M. muß, nach seiner Krankheit, sich noch immer schonen. Aber das alles heißt nicht (das weißt Du), daß Du nicht herzlich willkommen bist. Ich fürchte nur, daß Du, nach Deinen neuen Lebens-Schwierigkeiten, hier Trost in einer Art von wirbelndem Betrieb suchst, den wir Dir nicht bieten können. Vielleicht aber wird gerade die Stille unseres Lebens hier gut für Dich sein.
Aber was, um Himmelswillen, hast Du zu C. gesagt? Er schrieb mir, er wolle uns finanziell helfen. Ich ahnte nicht, woher er

überhaupt irgend etwas von gewissen Schwierigkeiten unseres Lebens erfahren hatte. Du also warst es, die mit ihm gesprochen hat. Mir ist nur nicht klar, ob Du zu ihm gegangen bist oder ob er zu Dir kam. An eine zufällige Begegnung glaube ich nicht. Fast meine ich, daß Du ihn aufgesucht hast, um Rat für Dich zu holen. Ach, meine Liebe: er wird Dir niemals raten können. Er ist von alttestamentlicher Großartigkeit, aber ohne jegliche Fähigkeit, etwas anderes zu begreifen als die Belange der Kirche. Man muß ebenso unbedingt sein wie er, um ihn verstehen zu können. Er selbst *will* nichts verstehen. Er stellt Forderungen an sich und andere, und er glaubt, jeder habe die Kraft, diese Forderungen zu erfüllen. Er hat keine andere Erfahrung als die der Glaubenssicherheit. Das ist seine Größe, aber ebenso seine Enge. Er hat auch keine Liebe oder jedenfalls keine menschliche, natürliche. Ich glaubte, er habe Sympathie für mich. Aber ich weiß jetzt, daß ich für ihn nur das geliebte Wild bin, das es zu jagen und vor seinen Herrn zu schleppen gilt. Er macht mir immer wieder zu schaffen. Ich verstehe ihn, doch er versteht mich nicht. Er lebt auf einer Ebene, die vielleicht übernatürlich genannt werden muß, die aber wohl unmenschlich ist. Ich glaube, er hat niemals gelitten. Er kommt mir vor wie der gottesfürchtige und gerechte Mann aus alten Geschichten, der Mann, dessen Leben bis ins Letzte geordnet und gesegnet ist und dem alles, was er tut, aufs beste gerät. Wo hat er eine verwundbare Stelle? Wo ist sein Herz zu erreichen? Und mit diesem Mann hast Du gesprochen, über mich und auch über Dich. Wie sehr muß er Dich erschreckt haben! Ach, dieser moralische Fels, dieser Gesetzgeber und Richter, dieser General der Kirche! Ich möchte ihm wünschen, daß ihn einmal ein großer Schmerz treffen würde, ein so großer, daß seine enorme Kraft daran zerbrechen würde. Aber vermutlich gibt es nichts in der Welt, das ihn zu Boden werfen würde – nichts als eine große Niederlage der Kirche. Ich könnte diesen Mann nicht so gut verstehen (und ich würde nicht so heftig gegen ihn kämpfen), wenn nicht in mir selbst ein Hang wäre zum Unbedingten, zur äußersten Disziplin, zu dem, was wir Askese nennen können, also zum Hintansetzen des Privaten. Aber dabei muß man doch menschlich bleiben. Ich habe in letzter Zeit die Biographien einiger großer Heiliger gelesen: sie alle waren menschlich, auch wenn sie längst im Übernatürlichen wohnten.

Ach, meine Liebe, jetzt zwingst Du mich schon wieder, über Fragen zu sprechen, die ich am liebsten nie mehr anrühren würde. Ich habe unter einen Abschnitt meines Lebens den großen Strich gezogen. Ich möchte jetzt, da das irdische Geschick mir so wohl will, auch ganz dankbar und gestillt im Irdischen leben. Man läßt mich in Ruhe, man läßt mich endlich einmal frei. Es scheint, als erlaube man mir jetzt, das zu sein, was ich immer sein wollte: natürlich und ohne quälende Unruhe und Spannung. Fast möchte ich sagen: ich bin glücklich, auf eine ganz einfache Weise glücklich. Das ist eine neue Erfahrung für mich. Verstehst Du, daß ich jetzt nicht fähig bin, mit Dir über Fragen zu sprechen, die durchaus geeignet sind, mich wieder zu beunruhigen? Ach, laß mich glücklich sein. Sind wir nicht doch zum irdischen Glück bestimmt?

[An A. M. (Frater B.)]   *R., 2. April 1955*

Nur ein paar Zeilen, die ich P. L. mitgeben will. Was für ein Zufall! Ein Kind, das in einen Brunnen fiel, zwei Menschen, die es herausziehen, zwei Deutsche, einer davon ein Benediktiner-Mönch, ein kurzes Gespräch – und dieser Mönch erweist sich als Ihr Mitbruder in G.! Ich bin ganz fassungslos vor Glück. P. L. sitzt mir gegenüber in einem Café, ich war heute morgen in seiner Messe (um ihm eine Freude zu machen und weil er aus Ihrem Kloster kommt), und nun fährt er zurück, in zwei Tagen wird er Ihnen diesen Brief übergeben, ich möchte Ihnen etwas Schönes oder doch Vernünftiges schreiben, aber ich kann nicht, ich freue mich allzu sehr, und diese Freude verwirrt mich. Ich möchte Ihnen Körbe voller Blumen schicken, Rosen, sie blühen hier schon lange, ich schicke Ihnen eine einzige, ich hoffe, das feuchte Tuch hält sie ein wenig frisch. P. L. erzählte so Gutes von Ihnen, er liebt Sie wohl sehr, aber er meint, Freundschaften gebe es im Kloster nicht, doch lächelte er dabei. Nun muß er gehen, sein Zug fährt in ein paar Stunden, und ich habe nichts geschrieben, was wert wäre, Ihnen gebracht zu werden. So nehmen Sie denn diese törichten Zeilen als einen einzigen freudigen Ausruf.

[An den Anwalt O. K.]   *R., 4. April 1955*

Ihr Brief erreichte uns in einem Augenblick, der günstiger nicht sein könnte. Mein Mann hat den Vertrag für die nächste Spielzeit hier unterzeichnet. Für die übernächste liegt ein Angebot aus Südamerika vor, das er vielleicht annimmt. Möglicherweise aber bleiben wir hier. Mein Mann findet, daß es keinen Sinn hat, das Haus in M. zu halten. Ich habe gezögert, ihm beizustimmen, ich bin auch jetzt noch etwas ängstlich bei dem Gedanken, es aufzugeben, doch scheint meinem Mann sehr viel daran gelegen, auch auf diese Weise die Brücke zur Oper in M. abzubrechen. Das Angebot, das Sie uns unterbreiten, ist günstiger als wir je hoffen konnten. Nach Abzug der Bauschulden bleibt noch eine beträchtliche Summe, die wir nicht angreifen werden. Beiliegend die Vollmacht, die Sie brauchen. Sollten Sie aber trotzdem meine persönliche Anwesenheit für gut halten, so würde ich Ihnen als Termin einen Tag nach dem 18. April vorschlagen. Ich bringe die Kinder, die während der Osterferien hier sind, nach Deutschland zurück und komme dann auch nach M.

[An A. M. (Frater B.)]   *G., 25. April 1955*

Ganz in Ihrer Nähe: ich sitze auf dem Hügel, von dem aus man in Ihren Klostergarten sieht. Obwohl ich hergekommen war, um Sie – endlich – zu besuchen, werde ich es nicht tun. Ich sehe Mönche im Garten hin und her gehen, vielleicht sind Sie einer von denen, die ich sehe, doch nicht erkenne. Ich könnte Sie rufen lassen, ich könnte selbst nach Ihnen rufen, Sie würden es hören. Ich werde es nicht tun. Mein Leben ist nicht das Ihre, meine Erschütterung nicht die Ihre.
Ich war in M., um unser Haus zu verkaufen, weil wir im Süden bleiben oder doch jedenfalls nicht nach M. zurückkehren werden. Das Haus ist jetzt verkauft. Ich halte es für falsch, daß es verkauft wurde, aber M. will es so. Ich weiß, daß damit ein neuer Abschnitt unsres, meines Lebens beginnt. Mit diesem Haus ist mehr als eben ein Haus dahingegangen. Wir werden nie mehr eines haben. Wir sind nicht bestimmt dafür, ein Haus zu haben. Indem wir dieses Haus verkauft haben, gaben wir unsere Zustim-

mung dazu, nie mehr irgendwohin zu gehören. Was wird mit uns geschehen?

Gestern habe ich, nach fünf Jahren, jene Kisten geöffnet, in die ich vor meiner Abreise nach England alles gepackt hatte, was mir damals des Aufbewahrens wert schien. Ich fand Stöße von Briefen. Ich habe sie alle verbrannt, ohne Bedauern, selbst jene, von denen anzunehmen ist, daß sie mehr als privaten Wert haben. Alle habe ich verbrannt – alle bis auf die Ihren. Ich habe sie wieder gelesen nach so vielen Jahren. Ich kann nicht daran zweifeln, daß Sie sich dieser Briefe erinnern. Warum aber hatte ich sie vergessen? Warum habe ich sie nie vorher verstanden? Ich, sonst so ahnungsvoll, so empfindlich, ich war mit Blindheit und Taubheit geschlagen. Es ist, als hätten mich diese Briefe jetzt erst erreicht, und jetzt erst durfte ich sie entziffern, jetzt erst verstehen, jetzt, da ich sie nicht mehr mißverstehen kann. Hätte ich sie damals verstanden, mein Gott, wie falsch hätte ich sie verstehen müssen! Wie falsch wären alle Schlüsse gewesen, die ich daraus gezogen hätte. Ich wäre zu Ihnen gekommen, und der große Weg Ihres Lebens wäre verschüttet gewesen. Sie hätten nichts gewonnen, indem Sie mich gewonnen hätten. Ach, Sie hätten alles verloren. Es ist gut so, wie es kam. Es ist gut, daß ich nicht früher begriffen habe. Es ist gut, daß über uns hinweg entschieden wurde. Muß ich Ihnen sagen, daß ich großen Schmerz empfinde bei dem Gedanken, daß ich Sie, gerade Sie habe leiden machen, unwissentlich freilich und im Auftrag des Schicksals? Und doch kann ich nichts bedauern, auch wenn ich jetzt weine. Was war mir angeboten, was wurde mir verwehrt! Ich schaue auf Ihren Garten, auf Ihre Kloster, vielleicht auf Sie selbst, und ich weine, weil ich ein Mensch bin, dem ein menschliches Leid widerfahren ist. Aber diese Tränen sind nicht nur Tränen des Schmerzes. In meinem Innersten habe ich begriffen, warum dies so und nicht anders hat geschehen müssen. Während ich weine, fühle ich, daß es gut ist, alles. Lassen Sie mich vieles verschweigen, was jetzt verschwiegen werden muß, aber hören sie das Ungesagte und verschließen Sie es in Ihrem Herzen. Was damals nicht hat sein dürfen, wird auf geheimnisvolle Weise jetzt und immer sein.

Heute nacht fahre ich nach P., zu meiner Schwester, und nächste Woche bin ich wieder in R. Heute werde ich Sie noch einmal sehen, in der Kirche, und ich wünsche mir Ihren Blick, einen Abschiedsblick. Leben Sie wohl. Und wenn Sie können, so gedenken Sie meiner auf jene Weise, die Ihnen gemäß ist, und vergessen Sie nicht, daß ich für alles den vollen Preis bezahle, für alles.

[An Maurice]   *M., 25. April 1955*

Eben kam ein Telegramm von Margret, sie wird heute nacht hierherkommen, so brauche ich also nicht nach P. zu fahren, das ist gut, ich spare dadurch drei Tage und werde also schon am 29. bei Dir sein. Am liebsten würde ich jetzt gleich zu Dir kommen, mit dem Nachtzug, aber Margret scheint mich dringend zu brauchen, so bleibe ich denn, doch nur eben so lange als unbedingt nötig.

Das Haus ist verkauft, doch habe ich nicht alle Möbel mitverkauft. Die Deines Arbeitszimmers und der Kinderzimmer, auch einige einzelne schöne Stücke habe ich behalten. Sie bleiben hier im Speicher, wohlverwahrt, bis wir sie einmal wieder brauchen können.

Ich habe gestern die Hälfte des Geldes in bar bekommen und davon sofort alle Schulden bezahlt. Der Gedanke, keine Schulden mehr zu haben, erleichtert mich.

Du hast mich vor der Abreise gefragt, ob es mir schmerzlich sein würde, das Haus zu verkaufen. Ich habe Dir gesagt, daß es mir nicht schwerfalle. Aber ich habe mich doch davor gefürchtet. Als ich das Haus wiedersah, spürte ich einen kleinen Schmerz. Es ist ein schönes Haus, es war unser Heim, an jedem Raum haftet Erinnerung. Aber Du weißt ja, wie ich bin. Wer so viele Abschiede hinter sich hat wie ich, den trifft keiner mehr ins Innerste. Alles ist gut so, wie es ist. Wir werden kein Haus mehr haben, Du und ich, aber wir werden immer dort daheim sein, wo wir beisammen sind. Dies wird uns nicht genommen werden.

Gestern war ich beim Intendanten. Er hofft noch immer, Dich wiedergewinnen zu können. Die Presse hat ihre Fahne wieder nach dem Wind gehängt: Deine neuen Erfolge machten hier großen Eindruck. Man baut Dir alle Brücken für die Rückkehr. Aber Du hast recht: bleiben wir dieser treulosen Stadt fern. Alles wird sich so ordnen, wie es sein soll.

Gegen Morgen: ich wollte eben zum Bahnhof fahren, um Margret abzuholen und diesen Brief in den Zug nach R. einzuwerfen, als Margret überraschend hier ankam, und mit ihr mein Schwager. Er gab sie sozusagen hier ab. Er selbst fuhr um Mitternacht weiter. Sie haben beschlossen, sich zu trennen, ohne sich scheiden zu lassen, zunächst. Es ging alles ganz ruhig vor sich, die beiden sind einander müde, sie haben sich nichts mehr zu sagen, nicht einmal Vorwürfe. Sie kamen zu mir, um meinen Rat zu hören. Was sollte ich ihnen raten? Diese Ehe ist keine Ehe. Sie ist unwirklich, gespenstisch, ohne jedes Gewicht. Nun hofft ein jedes, für sich allein ein neues Leben aufbauen zu können. Welcher Irrtum! Sie sind zu alt, wahrhaft zu alt geworden, um neu beginnen zu können. Sie haben ihre Möglichkeiten verspielt, eines die des andern und damit die eigenen. Ich bin traurig darüber, und nicht nur über diesen einen Fall, sondern über alle verspielten Möglichkeiten des Lebens. Freilich: was wissen wir vom andern Menschen! Und es ist barer Hochmut, entscheiden zu wollen, ob ein Leben gelungen ist oder vertan wurde. Wir sehen nur eben, was wir sehen, das Wichtige bleibt geheim.

Nein – hab keine Angst: ich fange jetzt nicht an zu »philosophieren«, wie Du es nennst. Ich bin auch viel zu müde dazu. Es ist Morgen, und ich habe keine Stunde der Nacht geschlafen.

Weißt Du noch, wie Du damals nach M. kamst, um mich zu suchen, und mich nicht mehr fandst, weil ich schon in England war? Weißt Du noch, wie mein Zimmer aussah? So etwa sieht es jetzt bei mir aus: gepackte Kisten, Fenster ohne Vorhänge, kein Zimmer mehr, eher ein Wartesaal in einem Bahnhof – ein mir unendlich vertrauter Zustand.

Vergiß nicht, am 28. zu Z. zu gehen. Er ist ein einflußreicher Mann, Du weißt, und es ist nicht nur wegen der Festspiele wichtig, daß er Dich persönlich kennenlernt. Bring seiner Frau Blumen mit. Vergiß auch nicht, daß Du G. versprochen hast, ihn Z. zu empfehlen.

Bald bin ich wieder bei Dir!

[An A. M. (Frater B.)]   *R., 12. Mai 1955*

Hätte ich schweigen sollen? Weder die Kürze Ihres Briefes noch die Behutsamkeit und Distanz Ihrer Worte vermag mich zu täuschen: mein Brief, diese um so viele Jahre verspätete Antwort, hat Sie getroffen in einem Maß, das ich nicht vorausahnen konnte. Ich wollte Sie nicht stören, nicht verwirren, nicht betrüben. Nur erklären wollte ich, nur danken, nur sagen, daß ich von ganzem Herzen einverstanden bin mit unserem Schicksal. Ist es nicht gut für Sie, dies zu wissen? Ist es nicht gut, dies alles jetzt erst zu wissen, jetzt aber ganz klar und für immer? Hat Ihr Leben nicht auch für dieses Wissen noch Raum? Ach, wir werden auch dies bestehen. Ein Stein, in einen Brunnen geworfen: die Oberfläche nur wird gestört, der Stein aber sinkt auf den Grund, und der Brunnen liegt ruhig wie zuvor.

Ich hätte meinem Brief, in G. geschrieben und an der Klosterpforte abgegeben, sofort einen andern folgen lassen müssen, am gleichen Tage noch. Ich hätte Ihnen sagen müssen, wie erschütternd folgerichtig es ist, daß ich erst in diesen Tagen Ihre Briefe wiederfinden und verstehen durfte und daß unsere neue Begegnung, diese wahre Begegnung, stattfand in einem Augenblick, in dem mit einem entschiedenen Griff jener Vorhang aufgerissen wurde, der eine unendliche Perspektive unserer Beziehung sichtbar macht. Aber um Ihnen zu sagen, was geschehen ist, muß ich erst eine große Scheu überwinden. Es gibt Erfahrungen, die, wenngleich sie mitteilbar sind, doch im Mitteilen ihre Kraft einbüßen. Jetzt aber, in der Ergriffenheit durch Ihren Brief, glaube ich sprechen zu können, zu Ihnen, zu Ihnen ganz allein, aber verstehen Sie, daß ich nur unzulängliche Worte gebrauchen kann.

C. würde ganz einfach sagen, ich habe meine »Bekehrung« erlebt. Das heißt: ich bin endlich über jene Schwelle gezogen, gedrängt, gehoben worden, vor der ich so lange gezögert hatte. An welchem andern Ort der Welt hätte mir dies geschehen können als in G., in Ihrer Kirche, während ich Sie ansah, von ferne, verborgen, voller Sehnsucht nach jener Klarheit und Ordnung, in der Sie leben. Während ich Sie ansah, überfiel mich eine große Bedrängnis, vergleichbar wohl der Todesangst. Da ich manchmal im Zustand der Erschöpfung Herzattacken habe, glaubte ich, einen schweren Anfall zu erleben. Aber ich erkannte bald, daß es etwas anderes, etwas ganz und gar anderes war. Ich fühlte, daß mir Gewalt angetan wurde. Ich wehrte mich, ich verschloß mich, ich war entsetzt. Ich wußte, daß in diesem einen Augenblick für immer über mein Leben entschieden wurde. In großer Angst und

Verwirrung verließ ich die Kirche. Draußen atmete ich auf. Ich glaubte entkommen zu sein, entkommen in die Natur, wiedergeborgen in ihr. Die Sonne schien, die roten Kastanien blühten, die Amseln sangen, die Erde duftete feucht, ich sah, hörte, roch, fühlte alles, und ich mußte erkennen, daß ich es doch nicht mehr fühlte. Alles war da, wie es immer dagewesen war, doch ich war nicht mehr, die ich vorher gewesen war. Ich gehörte nicht mehr dazu. Da ging ich in die Kirche zurück, genau gesagt: ich lief zurück, ich lief, wie ein Kind beim Gewitter ins Haus läuft. Das schwere Tor fiel hinter mir zu, es schnappte so laut ins Schloß, daß Sie es gehört haben müssen mitten in Ihrem Chorgesang. Dieser Laut und jener, mit dem damals in P. Ihre Autotür zufiel, sie sind verwandt, sie haben beide Endgültigkeit. In der Kirche warf ich mich vor einem Seitenaltar nieder. Ich, die seit Jahren nicht mehr kniete, ich warf mich hin, ich überlieferte mich, ich war bezwungen.

Seither ist mein Leben verändert. Obgleich ich alles tue, was ich auch vorher tat, ist nichts mehr so, wie es vorher war. Alles, was vorher hell war, ist jetzt noch viel heller, und das Dunkle ist viel dunkler. Die Dinge sind schärfer voneinander unterschieden. Ich hatte so leidenschaftlich nach Ordnung verlangt. Jetzt fürchte ich sie. Ich frage mich, was diese Ordnung aus mir machen wird, was sie übriglassen wird von mir, von dem, was Sie einmal entzückt hat an mir, von allem, was Natur ist in mir. Ich frage mich auch, was diese Ordnung aus Ihnen gemacht hat, was sie übriggelassen hat von Ihrer Kühnheit, Ihrer Fülle und Vielfalt. Bekommt man etwas, irgend etwas Natürliches oder Übernatürliches ohne Verzicht? Gewinnt man etwas, ohne anderes zu verlieren? Kann man die Übernatur zur Natur hinzunehmen, ohne an Natur einzubüßen? Diese und andre Fragen, bisher ein wenig theoretisch nur, sind jetzt schmerzhaft real. Keinesfalls trat ich, als ich über jene Schwelle gedrängt wurde, in den Frieden ein. Jenseits dieser Schwelle ist auch Unruhe, eine andre als diesseits ihrer, aber eine nicht minder heftige. Was ich immer schon gefürchtet hatte, ist eingetroffen: in eine enge Verbindung zu Gott zu kommen, bedeutet, in einer einzigen Anspannung zu ihm hin leben. Meine so lange und so hartnäckig verteidigte Freiheit, sie ist dahin. Dieser neue Zustand ist eine beängstigende Wirklichkeit. Ich bin tief befremdet. Ich bin mir selber fremd, so, als hause ein anderes

Wesen in mir, ein mir noch unheimliches. Nichts von der Süßigkeit einer jungen Liebe, ach! Gott ist groß und heftig und will mich ganz. Manchmal schäme ich mich darüber, derart auf eine einzige Spur gesetzt, so »heimgeholt« zu sein. Ich will nicht »katholisch« sein, ich will nicht eines Tages in die Reihe der frommen Seelen gehören, die Erbauliches tun, ich will nichts einbüßen von der Fülle des Lebens. Ich – ach, hören Sie nicht auf mich. Ich weiß, daß ich Törichtes rede. Ich weiß, daß es ein kindischer Widerstand ist, der mich so reden läßt. Dieser Widerstand verbietet mir auch, all das zu tun, was die Kirche rät und fordert. Ich will nicht beten, nicht zu den Sakramenten gehen. Ich stehe in den Kirchen herum wie tausend andere hier, ich gebärde mich wie eine Fremde, die Kunstschätze bewundert, ich lese eifrig in meinem Reiseführer, und mein Herz brennt danach, mich hinzuwerfen und anzubeten, so wie ich's in Ihrer Kirche tat. Es ist Scham, was mich abhält, es wieder zu tun, eine lächerliche, unüberwindliche Scham. Aller Trotz und Stolz meines Wesens scheint sich in einem einzigen Punkt zu sammeln: nur nicht zeigen, was in mir vorgeht. Aber ich weiß, daß dies nichts mehr bedeutet. Es wird hinweggefegt werden wie ein wenig Staub vom Tisch. Ich habe zu warten. Ich bin unfähig zu Halbheiten. Wo meine Erkenntnis ist, da ist mein Herz, und wo mein Herz ist, da bin ich ganz und gar, und da handle ich nach diesem Herzen und seiner Erkenntnis. Das Tor ist hinter mir geschlossen. Langsam werde ich mich zurechtfinden in jenem Land, das ich als Kind so selbstverständlich und selig bewohnte. Es gibt kein anderes Land mehr für mich als dieses.

Aber sehen Sie nun selbst, nach diesem Bekenntnis, daß ich Ihre Briefe erst jetzt verstehen durfte? Und begreifen Sie jetzt, daß meine beiden Briefe, so viel auch von Unruhe und Schmerz in ihnen die Rede ist, im Grunde nichts als Lobgesänge sind? Lobgesänge, gesungen unter Tränen.

Ich werde Ihrer in Zukunft noch mehr bedürfen als bisher. Bleiben Sie mir nah. Wird es Sie erschrecken, wenn ich Ihnen sage, daß die Treue Ihrer Freundschaft die Quelle meiner Hoffnung darauf ist, von Gott geliebt zu werden? Beten Sie für mich, und beten Sie für M., dem dies alles noch verborgen bleiben muß.

Ich sollte mich eigentlich freuen über Deinen Brief. Ich sollte zufrieden sein darüber, daß es Dir, wie Du schreibst, so gutgeht. Vielleicht ist es grausam von mir, Dir zu sagen, daß Deine augenblickliche Lage trügerisch ist. Ich sehe schärfer als Du, und da Liebe nur in Verbindung mit der Wahrheit besteht, so werde ich Dir in schwesterlicher Liebe die grausame Wahrheit sagen: das, was Dir als Lösung erscheint, ist nichts, ist eine Täuschung. Du hast Dir eine hübsche Wohnung eingerichtet mit dem Geld des Mannes, den Du verlassen hast; Du lebst behaglich; Du hast Freunde gefunden, die gleich Dir Geld haben und behaglich leben. Aber, Margret, das ist doch kein Leben. Wofür lebst Du? Sag nicht wieder, wie Du vor vier Wochen in M. mir gesagt hast: »Ich habe mein Leben meinem Mann geopfert, ich habe niemals ich sein dürfen, jetzt endlich will ich meine Ruhe haben und alles tun, was ich will.« Das ist ein so unwürdiger Standpunkt. Als ob Du wirklich Dich »geopfert« hättest! Du hast den Erfolg, den Namen, das Geld Deines Mannes durchaus genossen. Ich hasse es, wenn Menschen, zumal Frauen, von Opfern sprechen. Als ob nicht jegliches Leben zugleich Nehmen und Geben wäre. Als ob nicht jedes Leben darin bestünde, sich hinzugeben. Davon spricht man doch nicht. Es ist selbstverständlich. Dieses Geben seiner selbst ist der Kern des Lebens, es ist das Glück des Lebens, es ist die Erfüllung. Ich kann dieses Geschwätz vom »Opfern« einfach nicht mehr hören, am wenigsten von Dir, meiner Schwester. Du wirst Dir auf diese Weise kein neues Leben aufbauen können. Ein neues Leben führen, das heißt nicht, den Ort und die Menschen und die Tätigkeit wechseln; es heißt: dem Leben einen neuen, höhern Sinn geben.

Was wirst Du jetzt tun? Welche Aufgabe hast Du Dir gesetzt? Ein untätiges Leben führen kann niemand. Nicht einmal die kontemplativen Orden können die reale Arbeit entbehren. Was also kannst Du tun? Geh zum Jugendamt oder zum Pfarrer der Pfarrei, zu der Du gehörst, und frage ihn, ob er eine Arbeit für Dich hat, eine karitative, irgendeine. Es gibt so viel zu tun. Man darf sich nicht auf zufällige Gelegenheiten verlassen. Diese Dinge müssen ihre feste Form finden.

Ich wage nicht, Dir zu raten, zu Deinem Mann zurückzukehren, obgleich dies vielleicht das Richtige wäre. Versuch zunächst zu tun, was ich Dir geraten habe. Wenn Du aber einsehen mußt, daß Dir keine Art von Arbeit zusagt, so bleibt Dir wahrhaftig nur eine einzige Möglichkeit: Deine Ehe zu Ende zu leben. Ach, meine Liebe, ich weiß, daß »sie zu Ende leben« heißt: wie zwei Zugtiere nebeneinander herlaufen, im gleichen Joch, staubig, täglich dieselben Worte wiederkauend wie dürre Disteln, und – scheinbar – nichts mehr fühlend als Verdrossenheit. Aber es ist dennoch besser als das Nichts des fruchtlosen Lebens für eigene Wünsche; es ist die mühsame, die gehorsame Erfüllung eines verborgenen, großen Ziels.

Du wirst wieder sagen wie vor vier Wochen: »Ja, du, du hast leicht reden, du und M., ihr liebt euch.« Gewiß, wir lieben uns. Aber glaubst Du, daß diese Liebe ein für allemal gesichert ist. Glaubst Du nicht, daß sie täglich neu begonnen wird? Liebe ist unbequem. Sie macht weich, aber sie selbst ist hart.

Meine Liebe zu Dir erscheint Dir jetzt hart. Aber wäre sie eine Liebe, wenn sie nicht klar und hart sein könnte in einem Augenblick, der über den Wert Deines Lebens entscheiden wird und in dem nur Härte und Klarheit nützen können?

Ich bin in großer, sehr großer Sorge um Dich. Es ist mir ein Schmerz, nicht bei Dir sein zu können. Aber Du weißt: es ist unmöglich, Maurice schon wieder allein zu lassen. Sobald er allein ist, gerät sein Leben auf sonderbare Weise sofort in Unordnung. Schreib mir bald, was Du tun willst.

[An den Abt von G.] *V., 26. Juni 1955*

Mit Bestürzung habe ich Ihre Zeilen und den beigelegten Anfang eines Briefes von F. B. an mich gelesen. Sie schreiben mir nicht, welcher Art seine Krankheit ist, aber sie scheint sehr schwer zu sein, sonst hätten Sie mir nicht Nachricht gegeben. Aus der Tatsache, daß F. B. den Brief an mich nur begann, folgere ich, daß ihn seine Krankheit plötzlich überfiel, so daß er nicht weiterschreiben konnte. Es verwirrt mich, nicht zu wissen, ob Sie mir diese Briefe, den Ihren und den seinen, aus eignem Antrieb oder auf seine Bitte hin schickten. Gewiß kennen Sie den Briefwechsel zwischen ihm und mir. So kann ich denn also annehmen, daß Sie unserer Beziehung eine Bedeutung zumessen, die es Ihnen nötig erscheinen läßt, mir von F. B.'s Krankheit Mitteilung zu machen. Ich weiß nicht, welche Rolle ich im Leben F. B.'s spiele. Aber ich weiß, daß er, seitdem ich ihn kenne (und wie lange ist das! Fast Jahrzehnte!), meinem Geist und Herzen ganz nahe war, daß ich unaufhörlich unter seinem leisen und unbezwinglichen Einfluß stand und daß ich ihm schließlich das Wichtigste, das Entscheidende in meinem Leben verdanke: das, wovon er in seinem angefangenen Brief schrieb.

Sollte er sterben, so werde ich in großer Armut zurückbleiben, es sei denn, unsere Verbindung dürfte fortdauern.

Ich habe ihm jedes Jahr zum 1. Juli, dem Tag seines Eintritts in den Orden, Blumen geschickt. Sie werden das wissen. Auch diesmal werde ich es tun. Ich lasse die Blumen an Sie schicken, und ich bitte Sie, nach Ihrem Gutdünken damit zu verfahren. Es wäre mir eine Freude, wenn Sie die Blumen F. B. geben könnten.

[An Professor F.]   *V., 4. Juli 1955*

Ihr Brief beunruhigt mich aufs äußerste. So ist denn das, was ich gefürchtet habe, sehr rasch eingetreten. Meine Schwester war Ende April bei mir, damals, als sie beschlossen hatte, sich von ihrem Mann zu trennen. Ich habe ihr geraten, ihr Leben in eine andere, feste Form zu bringen und eine karitative oder irgendeine Arbeit zu übernehmen. Natürlich hat sie das nach einem einzigen schwachen Versuch mutlos aufgegeben. So ist sie denn wieder zu Ihnen geflohen. Sie schreiben, daß sie sich sichtlich erhole. Nun gut. Aber was heißt das? Sie hatte sich auch damals bei Ihnen »erholt« von dem, was Sie eine Nervenkrise nannten, und nichts in ihrem Leben hatte sich geändert. So wird es auch diesmal sein. Sie wird sich wieder »erholen«, solange sie unter Ihrem beruhigenden Einfluß steht und solange sie nicht über sich selbst entscheiden muß. Alleingelassen, wird sie wieder versagen. Seit Jahren bemühe ich mich mit aller Kraft meines Herzens und Verstandes, das Leben meiner Schwester zu ordnen. Aber was nützt das, wenn sie selbst die Ordnung nicht will? Ich möchte gerne, dieses vergeblichen Kampfes müde, sagen: »Laßt die Toten ihre Toten begraben.« Aber Margret ist meine Schwester, und ich fühle eine schwere Verantwortung: als sie vor Jahren wieder zu mir kam, von einem Umstand geführt, der wie der pure Zufall aussah, wurde sie angesichts meiner eigenen Schwierigkeiten plötzlich ihrer selbst bewußt. Sie sagte damals, ich sei ein Mensch, der, ohne es zu wollen, andere in Entscheidungen dränge. Ich habe damals begonnen, mein Leben zu ordnen. Mein Bestreben wurde ihr zum immerwährenden Stachel. Aber sie tat nie einen entschiedenen Schritt. Sie versuchte, sie klagte, sie verzweifelte und blieb wo sie war. Mein Verstand redete mir ein, daß das immer so sein wird. Aber ich darf das nicht annehmen. Hoffnungslosigkeit ist, so glaube ich, wahrhaft eine tödliche Sünde. Aber ich weiß nicht, wie meiner Schwester zu helfen ist. Wäre sie ständig in meiner Nähe, so könnte ich sie vielleicht halten und stärken. Aber Sie wissen, daß das, M.'s wegen, ausgeschlossen ist. Er duldet keinen Menschen in meiner Nähe, denn er braucht mich ganz und gar. So bin ich also völlig ratlos. Das ist mir eine Bitternis, die selbst mein lebendiger Glaube an den Sinn jeglichen Seins nicht zu überwinden vermag. Auch quäle ich mich damit, zu denken, daß ich meine Schwester überfordert haben könnte. Ich verlange mit aller Selbstverständlichkeit von jedem Menschen das Äußerste. Vielleicht messe ich mit falschem Maß.

Dies und anderes martert mich.

Ihre Frage nach M.'s Gesundheit kann ich nicht eindeutig beantworten. Darüber später. Jedenfalls sind die Festspiele hier ein voller Erfolg für ihn.

[An den Abt von G.] *V., 7. Juli 1955*

Dank, Dank für Ihre Zeilen. So ist F. B. also außer Gefahr. Daß Sie ihm die Blumen nicht gaben, ist mir ein Schmerz, aber ich verstehe. Es ist gut so. Aber lassen Sie ihn wissen, daß ich nicht nur Ihrer Anordnung gemäß handle, sondern aus eigener Einsicht. Ich werde also warten, bis es Ihnen und ihm geboten erscheint, wieder Verbindung mit mir aufzunehmen. Ich habe alles begriffen, und ich fühle beim Lesen Ihres Briefes, daß Sie in tiefer Güte ebenfalls alles verstanden, mehr noch: alles mitgelitten haben. F. B. muß Ihnen sehr lieb sein, das ist mir ein geheimnisvoller Trost. Daß Sie mir in solch außerordentlicher Weise vertrauen, ergreift mich. Aber Sie mögen auch wissen, daß Sie mir ein großes Leid zufügen, denn gerade jetzt hätte ich F. B.'s und seiner Briefe sehr bedurft. Er hätte meine Schritte auf dem mir noch so beschwerlichen Weg des Glaubens lenken müssen. Er hätte mich stärken müssen für die Schwierigkeiten meines Lebens, für jene, die Sie aus meinem Briefwechsel mit ihm kennen. So werde ich denn alles ganz allein tun müssen. Aber wenn es für F. B.'s Weg gut und notwendig ist, so will ich auch dies ertragen. Ich wünsche, daß sehr bald alles heilt, was ihn schmerzt.

Sie schicken mir Ihren Segen und Ihre Kraft. Ich danke Ihnen. Doch gibt es Augenblicke, in denen man so verletzbar ist, daß man zur Ungerechtigkeit neigt und zur Bitterkeit.

Aber bringen Sie F. B. meine Grüße und die Versicherung meiner immerwährenden Treue, falls er dieser Versicherung bedarf und falls Sie glauben, daß diese ihn nicht in unerlaubter Weise beglücken wird.

Der Gott, dem sich F. B. und ich überliefert haben, ist ein harter Gott. Auch Sie, Herr Abt, werden mich – vorerst – keines Besseren belehren.

[An Herrn C.]   *V., 12. Juli 1955*

Ich kann es nicht leugnen: ich bin vor Ihnen geflohen, als ich Sie in der Hotelhalle warten sah, und ich bin absichtlich bis zum Abend nicht zurückgekehrt, bis zu dem Augenblick, in dem ich Sie im Zug nach P. wußte. Ich bin mit M. weggefahren, um Sie nicht treffen zu müssen. Ich hatte nicht die Kraft, mit Ihnen zu sprechen. Seit Ihrem Brief nach dem Tod unsres Kindes steht eine Mauer zwischen Ihnen und mir, die nie mehr durchbrochen werden kann, auch wenn Sie mit Ihrer ganzen Kraft sich dagegen werfen. Wahrscheinlich wäre ich noch vor einigen Monaten einer Begegnung mit Ihnen nicht ausgewichen. Jetzt aber war es mir unmöglich, Sie auch nur zu begrüßen. Aber ich will Ihnen in diesem Brief sagen, daß selbst dann, wenn es wahr wäre, was man Ihnen erzählt hat, ich es Ihnen niemals eingestehen würde. Ich bitte Sie, meinen Stolz zu achten. Auch gibt es Dinge, die nur in äußerster Verschwiegenheit gedeihen. Sie haben mich am Morgen in der Kirche beobachtet, schreiben Sie. Nun: was scheint Ihnen dies zu beweisen? Die Kirche der Santa A. ist alt und schön, ich liebe sie. Daraus folgert nichts. Padre P. ist ein Schwätzer, senil und beschränkt, das dürften Sie gemerkt haben. Geben Sie nichts auf das, was er erzählte.

Was meinen Mann anlangt, den Sie ja gehört haben, so treffen Ihre Befürchtungen nicht zu. Er hat den unseligen M. K. bis jetzt nicht getroffen, das weiß ich, denn ich bin immer in der Nähe meines Mannes. Aber ich weiß, daß M. K. hier ist; ich weiß, daß der junge B. zu seinen neuen Opfern gehört. Warum, um Himmels willen, glauben Sie, mich warnen zu müssen? Warum räumen Sie sich selbst ein so großes Recht über mein Leben ein? Ich habe mich Ihrem Machtbereich entzogen. Ich würde sterben in dieser von allem Menschlichen gesäuberten Luft. Ich will leiden, leben, lieben, aber nicht unter Ihrem starren Gesetz, sondern unter dem der Barmherzigkeit.

Meine Unhöflichkeit entspringt meiner Unfähigkeit zur Verstellung. Ich bitte Sie, dies zu respektieren.

[An Ale D.]   *V., 14. Juli 1955*

Ja, Du tust recht, wenn Du Margret zurückholst. Sei jetzt entschieden und bleibe hart. Sie ist Deine Frau, sie gehört zu Dir. Ihr Versuch, allein zu leben, ist gescheitert. F. wird Euch viel Geld abnehmen, ohne Margret helfen zu können. Was sie braucht, ist das Bewußtsein, daß sie Dir lebensnotwendig ist. Laß es sie fühlen! Und ist es nicht die Wahrheit? Bist Du nicht unglücklich ohne sie? Sag es ihr! Und zeig ihr, daß Du außer ihr niemand mehr liebst. Du verstehst mich. Es ist wohl möglich, daß Ihr jetzt zusammen in eine gute, friedliche Phase Eurer Ehe eintretet. Es kann sehr schön sein, miteinander alt zu werden, voll zarter Liebe, voller Einsicht und bewußtem Verzicht.

Dies in Eile.

[An den Abt von G.]   *V., 16. Juli 1955*

Was für ein großmütiges und gütiges Angebot! Sie schreiben, es sei Ihnen ein Schmerz, mich, für eine Weile wenigstens, des

Trostes der Briefe F. B.'s zu berauben. Es erscheint Ihnen ungerecht, sagen Sie, mir etwas zu nehmen, ohne dafür ein anderes zu
geben, und Sie fragen, ob es mir ein Hilfe sei, von Ihnen, in Stell-
vertretung, Antwort auf Briefe zu bekommen.

Ich glaube, Sie genau zu verstehen. Sie messen der Beziehung
zwischen F. B. und mir eine Bedeutung zu, die es ihnen erlaubt
oder gebietet, jenen Abstand zu überbrücken, welchen Ihre Anordnung, den Briefwechsel zwischen F. B. und mir betreffend,
schaffen soll. Ich bin sicher, daß Ihre Fürsorge nicht meiner Person und nicht einmal der Person F. B.'s gilt, sondern eben einer
Beziehung, der Sie einen objektiven Wert zuerkennen. Aller-
dings fühle ich auch, daß Sie mir, um des Objektiven in dieser
Beziehung willen, eine besondere menschliche Anteilnahme zu-
wenden. Der Ton der Güte ist unüberhörbar. Mein ganzes Wesen,
unberührt von dem, was man gemeinhin »Enttäuschungen«
nennt, antwortet enthusiastisch auf jedes reine Angebot der Liebe,
als wäre es das erste (so spröde mein Entzücken und meine Dank-
barkeit sich auch äußern mögen). Wer es versteht, mich in Wahrhaftigkeit und Liebe in meinem Innersten zu berühren, dem liege
ich zu Füßen. Aber in diesem einen, diesem in jeder Hinsicht
außerordentlichen Falle möchte ich mir selbst entgegen handeln.
Gott weiß, daß ich jetzt des Trostes bedürfte. Aber es erschiene
mir als eine Untreue F. B. gegenüber, Trost zu empfangen, der
weder von ihm kommt noch mit ihm geteilt werden kann. Möge
ihm dieser Verzicht zugute kommen.

Ich müßte Sie um Vergebung bitten für das, was als Undankbar-
keit erscheinen könnte; doch ich fühle, daß es nicht nötig ist. Sie
haben bereits alles verstanden.

Daß F. B. auf dem Wege der Genesung ist, erleichtert mein Leben.
Ich wußte, daß er große Kraft hat und daß das, was ihn mit mir
verbindet, niemals ihm schaden kann, sondern ihn stärken wird,
so wie es auch mich stärkt.

[An Maurice] *V., 5. August 1955*

Du wirst statt meiner diesen Brief vorfinden, wenn Du heim-
kommst. Ich bin fortgegangen. Ich komme erst zurück, wenn Du
Dich entschlossen hast, diesen Menschen nicht mehr zu treffen.

Ich habe Dich heute wieder mit ihm gesehen, und wenn es vergangene Woche gewiß Zufall war und vorgestern vielleicht auch, so war es gestern schon halbe Absicht und heute offenkundige Vereinbarung. Ich hätte Dich wegrufen können. Ich habe es nicht getan. Wenn nur meine Wachsamkeit, nicht aber Deine eigene Einsicht Dich bewahren kann, so gebe ich mich geschlagen. So vieles habe ich hingenommen in unsrer Ehe, Du weißt es. Ich habe Dir niemals Vorwürfe gemacht, denn ich habe Deine Schwächen immer nur auf dem Hintergrund Deines wahren Wesens gesehen. Ich brauchte niemals etwas zu verzeihen, denn es war mir selbstverständlich, alles mit Dir zu tragen, so wie es Dir selbstverständlich war, alles mit mir zu teilen. Du hast Deine Schwächen in meine Hände gelegt und hast meiner Liebe vertraut. Jetzt aber belügst Du mich. Also vertraust Du mir nicht mehr. Das heißt, daß Du mich nicht mehr liebst oder doch nicht mehr stark genug, um vertrauen zu können. Du müßtest wissen, daß jeder Zweifel an der Liebe des andern ein untrügliches Zeichen für das Nachlassen der eigenen Liebe ist. Sieh doch: es ist so töricht, wenn Du mir jetzt Deine Begegnungen mit M. K. verschweigst. Wird dieser Mensch wiederum Macht über Dich erlangen, so werde ich es alsbald wissen, denn wer sonst als ich wird die Folgen zu tragen haben. Ich habe dich *einmal* bewahren können vor M. K., und *einmal* habe ich mithelfen können, Dich dieser Last zu entledigen. Aber jetzt werde ich dazu die Kraft nicht mehr haben, wenn Du selbst nicht den geringsten Versuch machst, Dich zu retten. Es ist freventlich von Dir, Dich in Gefahr zu begeben. Bedenke doch, wie Dein Leben war, als ich Dich fand, und bedenke, mit welchem Aufwand an Liebe, Wachsamkeit, Treue und Verzicht wir beide dieses Dein Leben befreit haben. Warst Du nicht, soweit Dein Dämon es Dir gestattet hat, glücklich in dieser Ordnung? Warum willst Du sie ohne Not zerstören?

Ich sage Dir das alles so ruhig wie möglich. Aber laß Dich nicht täuschen, ich bin furchtbar getroffen, und ich bin durchaus fähig, Dich zu verlassen, wenn Du diese Versuchung nicht überwindest. Jetzt mußt Du beweisen, daß Du mich wahrhaft liebst.

Es liegt an Dir, mich zurückzuholen. Ich bin im Albergo S. D. Aber bedenke, ehe Du mich holst, daß mich zu holen bedeutet, M. K. *niemals* mehr wiederzusehen. Unsere Liebe und unser Leben liegt jetzt in Deiner Hand.

Niemals habe ich daran gezweifelt, daß eines Tages, und sollten Jahre darüber vergehen, wieder ein Gruß von Ihnen kommen würde. Aber als er gestern kam, früher als ich hoffen konnte, trafen mich Überraschung und Glück ganz und gar unvorbereitet und schutzlos. Die Erfahrungen der letzten Monate haben mein Herz äußerst empfindlich gemacht. Sie werden diesen Satz später einmal verstehen. Für heute nur so viel: Ihre wenigen Worte sind mir wie ein süßes Zeichen Gottes erschienen: der erste Vogelruf nach einer schlimmen Nacht, das erste Frühlicht über den Hügeln.

Ihr Brief fand mich nicht mehr in R. Wir sind seit zwei Monaten wieder in Deutschland, in F., weit weg von Ihnen. Vieles hat sich ereignet, worüber ich jetzt noch nicht sprechen kann. Daß Sie mir wieder schreiben, wird mir alles ertragen helfen.

[An Margret]   *F., 18. November 1955*

Sei nicht böse, meine Liebe, daß ich so beharrlich stumm war. Ich habe Deine beiden Briefe wohl erhalten, aber in einer Lebenslage, die meine ganze Kraft gefordert hat. Da ich Dich ja wieder bei Deinem Mann und in Sicherheit wußte, glaubte ich, Du könntest mich jetzt entbehren. Aber Du müßtest wissen, daß ich niemals, keinen Tag, Dich aus den Augen verloren hatte. Seitdem Du wieder in mein Leben kamst, ist Dein Glück und Dein Heil das meine.

Aber Du sollst nun hören, warum ich geschwiegen habe. Ich bitte Dich aber, niemand davon zu erzählen, am wenigsten C. Ich könnte es nicht ertragen, von ihm einen »Trostbrief« zu bekommen, einen jener Briefe, die ebenso gutgemeint wie herausfordernd sind und die, obgleich einer guten Absicht entstammend, doch etwas Vernichtendes enthalten. Nicht wahr: Du wirst schweigen, Du wirst unser Schicksal schonen.

In Kürze: M. ist am Schluß der Festspiele zusammengebrochen, er hatte seiner Kraft das Äußerste zugemutet und sich überfordert. Seine Stimme wird nie mehr ihren Glanz bekommen. Es hieße den Kopf in den Sand stecken, wollten wir uns der Täuschung hingeben, daß er je wieder große Erfolge haben könnte. Seine Zeit ist um. Es blieb uns nur die Wahl zwischen zwei gleicherweise schwierigen Wegen: entweder mußte M. an ein kleines Provinztheater gehen, wo man in ihm immer noch den großen Sänger sehen würde, oder aber er mußte auf die Bühne verzichten. Wir haben keinen Augenblick geschwankt: er hat verzichtet. Es ergab sich, daß mir eine Stelle an der F.-Zeitung angeboten wurde und daß M. hier, in F., aus seiner Anfangszeit viele Bekannte hat, deren Söhne, Töchter und Freunde bei ihm Unterricht nehmen wollen. So leben wir also hier, in einer kleinen Pension vorläufig (wir können uns nicht entschließen, eine Wohnung zu mieten) und geben uns Mühe, das gewaltsam veränderte Leben so gut wie möglich zu bewältigen. Ich gehe jeden Morgen in die Redaktion. Nachmittags habe ich frei, aber abends meist Dienst, da ich Theaterkritiken schreibe. M. schläft bis Mittag, dann holt er mich ab, nachmittags begleite ich ihn zu seinen Schülern. Ich lasse ihn ungern allein, da er natürlich leidet. Auch seine körperliche Gesundheit macht mir Sorge. So ist denn dieses Leben, warum sollte ich es verschweigen, nicht ganz leicht. Doch habe ich wenig Zeit, darüber nachzudenken, und außerdem, Du weißt, habe ich viel Übung darin, mich den Wechselfällen des Lebens anzupassen. Ich bitte Dich, nicht zu denken, daß ich unglücklich bin. Ich habe meine eigenen Ansichten von dem, was als Glück und was als Unglück zu betrachten ist. Wirst Du verstehen, wenn ich Dir sage, daß ich inmitten der Schicksalsschläge sitze wie im Innersten eines Wirbelsturms, an jener Stelle, an der keine Bewegung ist?

Nun aber endlich zu Dir: Es geht Dir also gut, Du hast zurückgefunden zu dem Ort, der der Deine ist. Du hast einen klaren Entschluß gefaßt, darum bist Du jetzt »ruhig«. Und doch fühle ich aus Deinem Brief eine leise Unruhe, eine Unruhe neuer Art. Sei gesegnet für diese Unruhe, die Du noch nicht zu deuten vermagst. Es ist Dein bestes Teil, das schüchtern antwortet auf einen Anruf aus jener Welt, die die einzig wirkliche ist. Das Unbehagen, das uns diese beharrliche leise Stimme bereitet, ist eine große Verheißung. Nimm dieses Unbehagen so ernst wie immer möglich, aber laß Dich nicht mehr täuschen: es entspringt nicht der Unzufriedenheit mit Deiner Ehe oder anderen irdischen Unzulänglichkeiten. Dieses Unbehagen ist keine Aufforderung zur Flucht. Es ist vielmehr die richtige Antwort auf die Stimme des Geistes.

Ach, Margret, liebe Schwester, was für ungeheure geistige Möglichkeiten eröffnen sich dem Menschen, der endlich »begreift«. Bald mehr.

[An Professor F.]   *F., 22. November 1955*

Ich bitte Sie dringend, mir nicht an unsere Privatadresse zu schreiben (wer eigentlich gab sie Ihnen?), denn die Post kommt in meiner Abwesenheit, und M. öffnet sie selbstverständlich. Ein gütiger Zufall hat es gefügt, daß ich gerade an dem Tag, an dem Ihr so gefährlicher Brief kam, zu Hause war.
Selbstverständlich werde ich Ihnen die Wahrheit sagen. Ich hoffe, Sie werden mir mehr Glauben schenken als den Gerüchten, die dieser giftige Schwätzer Z. verbreitet, den ich wegen Verleumdung verklagen könnte, wäre ich nicht so tief überzeugt von der lebendigen Wahrheit des Wortes: »Mein ist die Rache...« Tatsächlich ist M. K. in V. aufgetaucht, und tatsächlich hat er versucht, seine Beziehung zu meinem Mann wieder aufzunehmen. Aber es ist nichts geschehen. Doch ist es richtig, daß M. wieder trinkt und daß dieses Trinken wie alles, was er je tat, ein erschreckendes Maß angenommen hat. Sie wissen so gut wie ich, daß hiergegen nichts zu tun ist. Entweder das eine oder das andere. So lassen wir ihn denn trinken. Ich wende eine kleine List an, um das Maß zu bestimmen: ich mische ihm ein Schlafmittel in den Wein, wenn ich finde, er habe genug getrunken. Aber er scheint nun unempfindlich gegen solche Mittel geworden zu sein, sie wirken kaum mehr.
Ich bin überzeugt, daß ein Aufenthalt in Ihrer Klinik vorübergehend Besserung bringen würde, aber ich bin ebenso fest überzeugt davon, daß nichts wirklich aufzuhalten ist. Süchtig zu sein, gehört zu M.'s Schicksal, diesem dunklen, wilden Schicksal, das, indem es M.'s Person zerstört, sich auf geheimnisvolle Weise folgerichtig erfüllt. Das Feuer, dem er sich einst ausgeliefert hat, verzehrt ihn.
Doch genug davon. Wenn Sie mir wieder schreiben, so bitte an die Zeitung (F. Z.), an der ich jetzt arbeite.
Ich habe eben meinen Brief noch einmal gelesen und dabei mit Schrecken festgestellt, daß Sie mich mißverstehen müssen, so

etwa, als sei ich ohne Hoffnung für M.'s Zustand und wollte alles gehen lassen, wie es eben geht, und machte mich auf solche Weise schuldig. Wie soll ich Ihnen erklären, was mich zu diesem Verhalten drängt. Vielleicht verstehen Sie, wenn ich Ihnen sage, daß ich, fast meinem Willen entgegen, weiß: dieses Schicksal muß so und nicht anders verlaufen; indem es gerade so verläuft, erfüllt es seinen Auftrag; indem dieses Leben scheinbar zerstört wird, gewinnt es in Wahrheit Sinn.

Ach, ich sehe, ich habe nichts erklärt, ich habe nur wiederholt. So will ich es denn dabei bewenden lassen. Ich fühle, daß alles gut ist, so wie es ist, auch wenn es keineswegs gut erscheint.

[An Elisabeth M.]   *F., 1. Dezember 1955*

Darf ich Sie wieder so nennen, wie ich Sie einmal nannte, wissen Sie noch? »Liebes Kind«, so schrieb ich damals an Sie. Jetzt sind Sie verheiratet und erwarten ein Kind. Trotzdem sage ich wieder: »Liebes Kind.« Ihr Brief rührt mich.

Ich habe, obgleich ich sie bekämpfen mußte, Ihre Liebe zu meinem Mann immer ernstgenommen. Darum nehme ich jetzt auch Ihren Schmerz ernst. Sie sind erschüttert durch die Veränderung, die mit meinem Mann geschehen ist. Sie sehen diese Veränderung oder, wenn Sie wollen: Verwüstung, natürlich noch schärfer als ich, die sie im täglichen Fortschreiten kaum mehr wahrnimmt. Was soll ich Ihnen sagen. Gott bewahre Sie davor, zu erfahren, was Schwermut ist und das Schicksal der wahrhaft Schwermütigen.

M. S. wird niemals mehr auf der Bühne stehen. Er weiß es, und kein wohlgemeinter Trost kann ihn täuschen. Auch ich versuche nicht, ihn zu täuschen. Wir sehen, was ist und was sein wird. Erschreckt Sie das? Ach, mein Kind, nur so, im Verschmähen des gnädigen Irrtums, lebt man wahrhaftig. Nur so erfüllt man sein Geschick. Sie sind fromm, ich weiß es. Darum werden Sie verstehen, daß man mitten im Leiden glücklich sein kann. Die Frau, die dem Mann in die Verbannung folgt und dort seinen Untergang teilt, ist glücklich. Man ist dem wahren Glück nie näher als im Verzicht darauf. Doch das ist eine Erfahrung, die so sehr Geheimnis ist, daß man sich fürchten sollte, sie auszusprechen.

Ich müßte Ihnen raten, jetzt, da sie ein Kind erwarten, dem Schmerz und der Trauer keinen Raum zu gewähren. Aber der Schmerz ist etwas Großes, der Liebe, dem Leben, der Freude ebenso nahe verwandt wie dem Tod. Kein großes Gefühl wird Ihrem Kind schaden. Aber wenn Sie trauern, dann sollen Sie nicht fruchtlos trauern. Was Ihnen als Verwüstung, als Untergang erscheint, kann in den Augen Gottes die strenge Erfüllung einer nur Ihm bekannten Aufgabe sein. Sie sollen wissen, daß Ihre Trauer kreatürlich, natürlich ist, daß aber die Hoffnung größer ist als Trauer, denn sie ist Geist.

Werden Sie mich verstehen, liebes Kind?

Ich bin gerührt darüber, daß Sie mich bitten, die Patin Ihres Kindes zu sein. Wenn es die Umstände erlauben, und wenn Sie glauben, daß es gut ist, dann will ich es gerne sein.

[An Margret]   *F., 2. Dezember 1955*

Ich muß Euch leider bitten, meine Liebe, nicht hierherzukommen, nicht jetzt. M. geht es gar nicht gut. Er ist kürzlich nachts auf der vereisten Straße gestürzt. Eine Gehirnerschütterung. Er darf keine Besuche bekommen. Da wir nur das eine Zimmer in unsrer Pension haben und da ich ihn jetzt keine Stunde allein lassen möchte, sehe ich keine Möglichkeit, mit Euch zusammenzusein. Ich hoffe, Dir bald mehr und Besseres schreiben zu können.

[An Herrn P.]   *F., 3. Dezember 1955*

Ihre Forderung kommt überraschend, zumal mein Mann sich nicht erinnert, jemals Geld von Ihnen entliehen zu haben. Doch halte ich es gleichwohl für möglich. Da es sich aber um eine große Summe handelt, muß ich Sie bitten, mir durch irgendeine rechtskräftige Unterlage zu beweisen, daß wir Ihnen wirklich Geld schulden.

[An den Anwalt O. K.]   *F., 5. Dezember 1955*

Darf ich wieder einmal Ihren Rat erbitten? Lesen Sie beiliegenden
Brief. Was soll ich tun? Ich habe den Eindruck, daß dieser Brief
eine Erpressung bedeutet. Wir hatten, als wir in R. lebten, keineswegs nötig, Geld zu borgen. Ich glaube nicht, daß mein Mann
etwas Derartiges tat, ohne daß er mir davon erzählt hätte. Er
schwört, er könne sich nicht erinnern. Aber das besagt nicht sehr
viel, denn während besonderer Zustände, so etwa bei großem
Lampenfieber oder schwerer Erschöpfung oder auch in der
Trunkenheit tat er manches, dessen er sich später nicht mehr
erinnerte. Doch handelte es sich dabei immer um Geringfügiges,
während das Entleihen einer derart hohen Geldsumme in seinem
Gedächtnis doch eine Spur hinterlassen haben müßte. Andrerseits ist Herr P. durchaus nicht unseriös. Er könnte sich keinen
Betrug erlauben, ohne seine Karriere zu gefährden. Aber er ist
befreundet mit M. K., jenem unseligen Menschen, der meinen
Mann wiederholt zu gewissen Lastern verführen wollte, und er
könnte, um meinen Mann zu vernichten, wohl Herrn P. zu einer
Erpressung anstiften, ebenfalls auf dem Wege der Erpressung. Ich
fürchte mich vor diesen Kreisen, und ich habe jetzt kaum die Kraft,
sie zu bekämpfen. Wäre es nicht das beste, die Summe einfach zu
zahlen, auch wenn wir dann ganz arm wären? Soll ich reinen
Tisch machen? Kaufe ich mit diesem Geld meinen Mann endgültig
von jenem teuflischen Zirkel los? Raten Sie mir.

[An den Anwalt O. K.]   *F., 6. Dezember 1955*

Als ich den gestrigen Brief an Sie eingeworfen hatte, ergab sich
ein Gespräch mit meinem Mann, und obgleich er im Augenblick
an den Folgen einer Gehirnerschütterung leidet, war er klar genug,
sich plötzlich jener Schulden zu erinnern. Er hat in der Tat eine
ziemlich hohe Summe entlehnt, um jenen M. K. zu bezahlen, dem
er aus früheren Jahren Geld schuldete. So besteht denn die Forderung zu recht. Wir werden die Schuld bezahlen. Daß die Schulden
sich auf eine Sache beziehen, die selbst strafwürdig ist, will ich
außer acht lassen. Ich weiß, daß ich M. K. verklagen könnte. Ein
sehr langer Prozeß würde beginnen, ein Abgrund von Schmutz

sich auftun. Viel Unheil käme zutage. Aber wäre einem einzigen Menschen dadurch Gutes getan? Ist das Aufdecken eines Unrechts etwas Gutes? Sie werden sagen: »Natürlich ist es gut; wir haben die Pflicht, das Unrecht zu verfolgen, um andere davor zu schützen.« Ja, das haben Sie wohl, Sie, aber nicht ich. Ich habe jetzt eine einzige Pflicht: meinen Mann für immer von diesen Menschen zu befreien. Ich werde also bezahlen. Ich werde das Geld an Sie schicken, und ich bitte Sie, es an Herrn P. weiterzuleiten und sowohl von ihm wie von M. K. eine ausdrückliche Bestätigung zu fordern darüber, daß damit jede Schuld beglichen ist. Ein Schreiben aus Ihrer Hand wird den beiden deutlich genug sagen, daß damit ein Schlußstrich von absoluter Endgültigkeit gezogen ist.

[An Margret]   *F., 6. Dezember 1955*

Ich bitte Dich heute um einen großen Liebesdienst: nimm meine Kinder über Weihnachten zu Dir. Es ist ganz ausgeschlossen, daß sie jetzt hierherkommen. M. ist krank, noch immer. Ich kann den Kindern nicht zumuten, Weihnachten in dieser Atmosphäre von Krankheit zu erleben. Du schriebst, Ihr wolltet ins Gebirge fahren. Nimm sie mit! Ale wird einverstanden sein, und die Kinder werden, auch wenn sie zunächst befremdet oder traurig sein sollten, bald alle Traurigkeit vergessen im Entzücken über eine unvorhergesehene Reise. Schreib mir, ob Du es tun wirst. Ach, ich beschwöre Dich: tu es, tu es ganz gewiß.

[An A. M. (Frater B.)]   *F., 7. Dezember 1955*

Dank für Ihre Zeilen. Sie können nicht ermessen, welche Stärkung mir Ihre Briefe bedeuten, in dem, was Sie sagen, und dem, was Sie verschweigen.

Sie fragen, ob es wahr ist, was man Ihnen erzählt hat. (Wie dringen solche Gerüchte durch Ihre Mauern?) Wahr ist, daß M. nach seinen großen Erfolgen in R. und V. zusammengebrochen ist und daß er nie wieder singen wird. Nicht wahr aber ist das angedeutete Gerücht. Nein, Gott sei Dank, nein. Aber gerade darüber muß ich heute mit Ihnen sprechen. Ich brauche Ihren Rat. Lesen Sie die beigelegten Briefabschriften und urteilen Sie selbst. Über den Sachverhalt an sich ist nichts zu sagen. Die Frage aber ist die: habe ich die richtige Entscheidung gefällt? Gestern schien sie mir die einzig mögliche. Heute zweifle ich. Denn: habe ich mit der Gelegenheit, diesen Menschen unschädlich zu machen, nicht auch die Pflicht bekommen, es wirklich zu tun? Er hat nicht nur meinen Mann verführt, sondern viele andere. Er wird, wenn man ihm jetzt nicht sein böses Handwerk legt, weiterhin andere verführen. Ihn der Strafe überliefern heißt andere retten, und es heißt auch: für die Wiederherstellung einer verletzten Ordnung sorgen.

Warum aber widerstrebt es mir, dies zu tun? Warum ist mein Widerstreben so kräftig und klar, wenn ich meinem innersten Gefühl folge, und warum wird es nur durch mein Denken unsicher? Ich habe mich heute nacht gefragt, ob ich nicht vielleicht einfach zu müde bin, all dieser Schwierigkeiten unsäglich müde, um jene Kraft aufzubringen, die ein Prozeß gegen Leute wie diesen M. K. erfordern würde. M. K. ist nicht nur eine Person, er ist eine Macht, denn hinter ihm stehen gerissene, gewissenlose Mächtigere. Aber ich glaube doch nicht, daß es Feigheit oder Mutlosigkeit ist, was meinen Entschluß bestimmt hat. Ich glaube vielmehr, daß ich jetzt nur eine einzige Aufgabe habe: M. loszukaufen von diesen Leuten, das heißt von seiner ganzen Vergangenheit. Ich glaube, das alles gehört nicht dem Bereich der irdischen Justitia an. Es ist eine ganz und gar geistige Angelegenheit. Wer könnte mich besser verstehen als Sie. Nicht wahr: indem ich die Schulden bezahle, trage ich M.'s Schuld ab, ist es so? Wir werden jetzt arm sein. M. wird kaum mehr etwas verdienen. Das Geld, das uns vom Verkauf des Hauses blieb, wird, wenn die Schulden bezahlt sind, noch einige Zeit für das Studium der Kinder reichen. Ich werde sehr viel arbeiten müssen, um das Nötige zu verdienen. Aber ich werde es gern tun, wenn es in gereinigter Luft geschehen kann. Der Gedanke an diese Reinigung unsres Lebens gibt mir Mut und Heiterkeit. Ich lege also das Lösegeld auf den Tisch, ich tu es leichten Herzens, denn ich erkaufe damit M.'s Freiheit. Der Verlust des Geldes, das, was jetzt als drückende Sorge erscheinen könnte, enthält die Verheißung eines erleichterten Lebens. Sagen Sie mir, ob ich recht habe, sagen Sie es mir bald, ich brauche Ihre Bestätigung. Sollte ich aber unrecht haben, so rufen Sie, bitte, den Anwalt an, er möchte noch nicht an M. K. schreiben, sondern meine weitere Entscheidung abwarten. Aber ich bin unserer Übereinstimmung ganz sicher, denn es ist mir, als hätte ich meine Entscheidung unter Ihren unbestechlichen Augen getroffen.

[An Margret]   *F., 13. Dezember 1955*

Hab Dank für Deine Zusage, die Kinder mitzunehmen, hab von Herzen Dank. Dank auch für Deine Einladung. Sie klingt so verführerisch. Es wäre freilich schön, mit den Kindern zusammenzusein und ein paar Tage ausruhen zu dürfen. Mein Gott, ja, es wäre schön. Du meinst, M. sollte einige Zeit zu F. gehen. Ja, es wäre möglich, aber wie sehr verkennst Du das Wesen meiner Ehe. Sie läßt kein Ausweichen zu und kein Ausruhen und keine Stunde der Trennung. M. hat niemand und nichts außer mir. Hat er mich nicht ganz, so hat er nichts. Ich habe immer gewußt, daß man in der Liebe nichts gibt, wenn man nicht alles gibt, und nichts hat, wenn nicht alles. Jetzt erfahre ich, bis in welche innersten Bezirke dieses Gesetz gilt und wie nichts in mir ist, was davon nicht betroffen wäre.
So feiert denn Weihnachten ohne mich. Ich schicke in den nächsten Tagen ein Paket an Dich ab. Nimm es auf die Fahrt mit und pack es erst am Heiligabend aus und denk dann an mich und daran, wie gerne ich bei Euch wäre und daß es doch soviel besser ist, daß ich nicht bei Euch, sondern hier bin.

[An M. K.]   *F., 18. Dezember 1955*

Was soll ich von Ihrem Brief halten? Sie verstehen es meisterhaft, sich zu verhüllen. Aber ich glaube nicht, Ihnen Unrecht zu tun, wenn ich aus dieser Verhüllung die Wahrheit befreie.
Sie schreiben, daß Sie, nachdem Sie den Brief meines Anwalts gelesen hatten, sehr erstaunt gewesen seien, denn Sie hätten das meinem Mann geliehene Geld niemals gefordert, er habe es Ihnen in V. vielmehr freiwillig zurückgegeben. Sie erwähnen mit keinem Wort Herrn P., von dem mein Mann das Geld entlieh, um es Ihnen geben zu können. Bei Ihrer engen Beziehung zu Herrn P. ist es unmöglich, daß Sie nicht gewußt haben, woher mein Mann das Geld hatte.

Dieser Umstand allein genügte, um mich von der Unwahrhaftigkeit Ihres Briefes zu überzeugen.

Sie schreiben mir, daß Sie das Geld keineswegs nötig hätten (das ist richtig) und daß Sie es uns sofort wieder zur Verfügung stellen können (das glaube ich). Es würde mich jetzt nur ein Wort kosten, und ich hätte das Geld wieder in Händen, und für immer, das wissen Sie, denn weder Sie noch Herr P. würden jemals wieder den Versuch machen, es zurückzubekommen. Sie wissen genau, daß Sie sich damit unser Schweigen erkauft hätten. Welcher Handel! Wie sehr erniedrigen Sie sich! Es bedarf gar nicht Ihres Geldes, um uns schweigen zu machen. Sparen Sie Ihre Angst für einen andern Augenblick, jenen nämlich, an dem man Rechenschaft von Ihnen fordern wird für alle Seelen und alle Leiber, die Sie verdorben haben. Ich aber werde nicht den geringsten Versuch machen, Ihnen zu schaden. Doch werden Sie verstehen, daß ich das Geld nicht annehme. Möge es Ihnen auf der Seele brennen, dieses Geld, das Sie einstmals von meinem Mann gefordert haben dafür, daß er Ihr Mitverschworener wurde. Aber möge es Ihnen auch zu denken geben, unaufhörlich und unabweisbar, daß es Mächte gibt, die stärker sind als Ihr Gift, als die Schwermut, als die Hoffnungslosigkeit, und daß Sie, armer Betrogener, nur dort triumphieren, wo sie auf Schwäche treffen. Was für niedrige, armselige, beschämende Triumphe!

Genug davon. Die Lage ist also klar, jetzt und für immer: Sie sind vor dem irdischen Gericht sicher, soweit wir darauf Einfluß haben. Sie behalten Ihr Geld, das Ihnen mit so fürchterlicher Rechtmäßigkeit gehört. Ihre Gegenleistung: Sie bleiben meinem Manne künftig fern und betrachten jegliche Verbindung, selbst die geheimste seelische, für gelöst.

Sollten Sie ein übriges tun wollen, so können Sie das Geld dazu verwenden, Gutes zu tun dort, wo Sie Schaden gestiftet haben.

Werde ich aber hören, daß Sie irgendeinen jungen Menschen unsres Bekanntenkreises behelligen, so seien Sie meiner Anzeige sicher. Nehmen Sie diese Drohung so ernst, wie sie gemeint ist.

Ich schrieb Ihnen einmal, daß ich zwar Ihr Laster verabscheue, nicht aber Sie selbst. Für Sie habe ich das Gefühl unendlichen Mitleids. Denn wer mag die Schuld an Ihrem Unglück tragen! Sie werden lächeln oder Ihrer Spottsucht die Zügel schießen lassen bei dem, was ich Ihnen nun sage, aber es ist das Beste, was ich

Ihnen sagen kann, und es entspricht ganz genau dem, was ich für Sie empfinde: Ich empfehle Sie der Barmherzigkeit Gottes, derer Sie so sehr bedürfen, daß Sie unsägliche Mühe darauf verwenden müssen, um Ihre Sehnsucht danach zum Schweigen zu bringen.

[An A. M. (Frater B.)]　　　　　　　　*F., 20. Dezember 1955*

Was für eine erschreckende Übereinstimmung unsrer Gedanken! Sie berühren mit leiser, doch sicherer Hand jene Frage, die mir Kopf und Herz seit Monaten beunruhigt. Vor kurzem hat mich meine Schwester eingeladen, ohne M. zu ihr zu kommen, um auszuruhen. Ich schrieb ihr zurück, daß ich M. nicht allein lassen könne und daß er mich ganz und gar und ohne Unterbrechung brauche. Ich schrieb, man gäbe in der Liebe nichts, wenn man nicht alles gebe. Das ist eine absolute Forderung. Daß sie unerfüllbar ist, erweist sich, wenn man die Behauptung zur Frage macht: Ist eine Liebe keine Liebe, wenn sie nicht alles geben kann, weil es Dinge gibt, die nicht gegeben werden dürfen, und weil es Dinge gibt, die nicht angenommen werden? Das Nicht-Geforderte, das Abgewiesene, gehört es nicht einzig dem, von dem es nicht angenommen wird? Ist meine Liebe zu M. keine Liebe oder eine höchst mangelhafte, weil ich den innersten Bereich meines Wesens ihm nicht erschließen kann, weil ich dort ein Geheimnis verwahre? Das Unbedingte und Unerfüllbare auf Erden leben zu wollen – ist es nicht Vermessenheit? Dieser Brief ist ebenso chiffriert wie es der Ihre ist, niemand außer Ihnen und mir wird verstehen. Sie aber werden mich so gut verstehen, daß Sie mit mir erschrecken werden. Aber ein Mensch, der, so wie ich, an die alleräußersten Grenzen der Kraft getrieben ist, darf vieles wagen. Er wagt ja immer nur um eines einzigen Zieles willen, das ich vor Ihnen nicht zu nennen brauche.

Immer habe ich geglaubt, selbst und allein verantwortlich zu sein für mein Leben. Meine Fehler waren allein die meinen, und meine bessern Eigenschaften die Frucht meiner eignen Anstrengung allein. Jetzt erkenne ich mein Leben im Ganzen, in der »Gemeinschaft der Heiligen«. Das Beste meines Seins aber danke ich Ihnen. Ich lege damit die Verantwortung für mich in Ihre Hände. Dies sagt Ihnen ein Mensch, von dem Sie glauben, er sei stark. Ach, ich bin es nicht. Ich habe aus mir selbst keine Kraft mehr. Der Ehrgeiz, mich mir selbst zu verdanken, ist dahin. Ich bin mit Freuden das, was Ihre Gebete aus mir machen.

[An Herrn C.]   *F., 20. Dezember 1955*

Warum nur muß ich Ihnen immer wieder antworten, mit jener Notwendigkeit, mit der eine Trommel auf die Schläge antwortet, die sie empfängt? (Weiß Gott, warum mir das Bild von der Trommel kam. Vielleicht, weil Ihre Worte nie anders denn als harte Wirbel auf mich niederfallen? Weil die Trommel ein kriegerisches Instrument ist?)

Wer denn, um Himmelswillen, hat Ihnen gesagt, daß der Aufsatz in den C. F. von mir ist? Hätte ich, wenn es mir wünschenswert erschienen wäre, es wissen zu lassen, nicht meinen Namen darunter gesetzt? Warum schont man meine Anonymität nicht? Ich habe seit vielen Jahren nichts mehr geschrieben. Ich bin aus dem Spiel ausgeschieden. Dieser Aufsatz ist das Ergebnis einer einzigen Nacht, der freilich viele Jahre der Erfahrung vorangegangen waren. Ihr Lob sollte mich sehr erfreuen und stolz machen. Aber mir ist der Sinn für derlei abhanden gekommen.

Sie knüpfen an Ihr Lob einen Tadel. Sie sagen, mein Schweigen sei eine Vergewaltigung meines Talents. Aber ist das Schreiben denn mein einziges Talent? Und ist es meine einzige und vordringliche Aufgabe? Sie sagen auch, Sie hätten den Verdacht, mein Schweigen sei »vorsätzliche Selbstentäußerung« und mein Ehrgeiz ginge dahin, zur Meisterschaft darin zu gelangen. Was für ein Paradoxon. Sie können es nicht im Ernst gebracht haben. Aber ich erinnere mich jetzt, daß Sie, als wir vor Jahren über den Eintritt A. M.'s ins Kloster sprachen, sagten: »Sein Ehrgeiz ist so grenzenlos, daß ihn kein anderes Ziel mehr locken kann als die Heiligkeit.« Was mich anlangt, lieber Herr C., so habe ich keinen Ehrgeiz, welcher Art auch immer er sein könnte. Ich weiß nicht, was Sie mit »Selbstentäußerung« in meinem Falle meinen. Der Verzicht auf das Schreiben ist ja kein Verzicht auf ein Vergnügen, keine Form von Askese also, sondern vielmehr das Absehen von einer schwierigen Arbeit, an deren Stelle eine andere getreten ist. Meine Lebensaufgabe ist so klar und begrenzt und ich bin so sehr einverstanden mit ihr, daß mich weder Ihr Lob noch Ihr Vorwurf verwirren. Könnte ich denn etwas anderes tun als das, was jeder Tag zu tun gibt? Mögen Sie es nennen, wie Sie wollen; das gewichtige Wort »Selbstentäußerung« trifft darauf nicht zu. Sie überschätzen mich in jeder Hinsicht außer in einer: in der Kraft meines Widerstands gegen Irrtümer und Täuschungen.

[An A. M. (Frater B.)] F., 24. Dezember 1955

Dank für Ihr Buch und Ihren Gruß. Doch darüber später. Für heute nur diese Nachricht: M. K. ist tot, er ist auf den Schienen gefunden worden, auf der Strecke Paris–Neuilly. C. hat es mir geschrieben. Beten Sie für seine Seele, und für die meines M., dem es nicht gutgeht. Was für eine Weihnacht!

[An Herrn C.] F., 25. Dezember 1955

Die Nachricht vom Tod M. K.'s allein hätte genügt, mich aufs äußerste zu erschüttern. Aber Ihr Kommentar, er ist furchtbar. Sie sind so sicher, daß es Selbstmord ist. Kann es denn nicht ein Unfall gewesen sein? Ist M. K.'s Besuch bei Ihnen Beweis genug für seine Todesabsicht? Er hat Ihnen meinen Brief gezeigt? Welcher Wahnsinn muß ihn befallen haben. Und Sie bringen diesen Brief in den engsten Zusammenhang mit seinem Tod, Sie tun es mit einer Sicherheit, als handelte es sich um das quod erat demonstrandum einer mathematischen Aufgabe. Weil M. K. drei Stunden vor seinem Tod zu Ihnen kam, meinen Brief in der Hand, glauben Sie, daß dieser Brief ihn in den Tod getrieben hat? Nur weil M. K. sagte, meine Worte hätten ihn »tödlich getroffen«? Wissen Sie nicht, daß er sich immer so exaltiert ausdrückte und daß seine Worte von je in einem fast lächerlichen Mißverhältnis zu seinen Taten standen? Sie sagen, die klare Härte meines Briefes sei einem Todesurteil gleichgekommen. Aber als ich ihm vor einigen Jahren schrieb, war ich noch viel härter, und er hat sich nichts daraus gemacht, er ist eben nur aus der Stadt verschwunden, um in einer andern wieder aufzutauchen. Mein Brief war gewiß nichts als ein Tropfen in den übervollen Eimer und kam M. K. gerade recht, seine Lage zu dramatisieren. Gott möge mir vergeben, wenn ich noch gegen einen Toten hart bin. Aber muß ich es nicht sein, wenn selbst durch seinen Tod noch Lüge kommt? Verstehen Sie mich recht: ich wehre mich nicht gegen die furchtbare Verantwortung, die Sie auf mich zu laden versuchen; ich wehre mich nur gegen die Lüge.

Aber was immer die Ursache für diesen Tod sein mag: es war ein sinnvoller Tod, das fühle ich.

Sie schreiben, ich könne mich jetzt erleichtert wissen und befreit und sicher. Ach, Herr C., für meinen Mann fürchte ich nichts mehr aus diesem dunklen Hinterhalt. Um seiner und meiner Sicherheit willen brauchte kein Mensch geopfert zu werden. Doch was wissen wir von den Ratschlüssen, nach denen menschliches Schicksal sich bildet.

[An A. M. (Frater B.)]   *F., 28. Dezember 1955*

Wie Sie mit mir fühlen! Nicht nur Ihr Weihnachtsgeschenk, sondern auch Ihr Brief, der heute schon kam als rascheste Antwort auf meine kurze Nachricht, beides traf genau das, was ich brauchte, bestürzend genau.

Zuerst zu Ihrem Brief. Auch C. hat mir zum Tod M. K.'s geschrieben. Auch er hat diesen Tod in engen Zusammenhang mit meinem Verhalten gebracht. Er meint, die Rücksendung des Geldes habe M. K. zerstört. Dieses Geld, schreibt er, sei für M. K. von der gleichen furchtbaren Bedeutung gewesen wie die Silberlinge der Hohenpriester für Judas. Das hieße also: Verhängnis, Urteilsspruch und geistige Vernichtung. M. K. war drei Stunden, ehe man ihn auf den Schienen fand, bei C. gewesen. Er hat ihm von meinem Brief erzählt und gesagt, meine Worte hätten ihn »tödlich getroffen«. Welche meiner Worte aber? C. meint, die scharfe und endgültige Trennung von M., diese für den Verführer so schmähliche Niederlage, habe ihn unheilbar verwundet, zumal diese Trennung durch mich erfolgt sei. Daß eine Frau mehr Macht über M. besaß als er, der so lange unumschränkt geherrscht hatte, das habe er nicht überstehen können. Diese Ansicht ist nicht falsch, aber sie trifft nicht den Kern. Gewiß war es für M. K. eine Frage der Eifersucht subtiler und bösester Art, M. zu verlieren oder zu behalten, und gewiß hing er mit der verzweifelten Liebe des Verführers an seinem Opfer, an dieser kostbaren Beute, deren er einst so sicher war, und gewiß hatte der Verlust dieser Beute für ihn Gleichniswert: da er nicht mehr die Kraft besaß, den einst so zuverlässig Verbündeten zu halten, fühlte er den eignen Abstieg, den Beginn der Katastrophe, das unausbleibliche letzte Elend voraus. Er hatte es ja bereits einmal miterlebt, an seinem Bruder und dessen Frau. Diesem jammervollen, unästhetischen Ende wollte er zuvorkommen mit einem Tod, der immerhin noch dramatische Wirkung versprach. Aber man stirbt nicht so leicht, man wirft sich nicht so leicht vor einen Zug, der nichts mehr von einem übrig läßt als einen häßlichen Klumpen. Die Verzweiflung muß vollkommen sein, wenn man es tut. C. findet natürlich auch (wie könnte er anders) eine theologische Erklärung: indem ich, so meinte er, in meinem Brief an M. K. ausdrücklich die Berufung auf jede irdische Justiz verworfen habe, hätte ich ihn der himmlischen überliefert. Obgleich ich, schreibt er, das Wort nicht zitiert habe »Denn mein ist die Rache, spricht der Herr«, sei mein Brief anders nicht zu verstehen denn als Auslieferung M. K.'s an den Richter und Rächer.

Was für eine furchtbare Interpretation! Ich lehne sie ab, mit meiner ganzen Erkenntnis und meinem ganzen Herzen. Wieviel besser ist Ihre Erklärung. Wie stimmt sie mit der meinen überein. Nicht meine Drohung hat M. K. so »tödlich getroffen«, sondern mein Wort von der Barmherzigkeit. Wenn ich nicht wüßte, daß Ihnen die Wahrheit über alles geht, daß Ihnen Wahrheit und Liebe eins sind und daß Sie niemals ein Wort sagen würden, nur um rasch und billig zu trösten, wenn ich das nicht wüßte, hätte ich glauben können, Sie wollten mir eine tröstliche, aber keine wahre Erklärung geben. Als ich die Nachricht von M. K.'s Tod las, erinnerte ich mich augenblicklich meines Satzes von der Barmherzigkeit Gottes, nach der er sich so sehne, daß er alle Mühe habe, sich vor dieser Sehnsucht zu retten. Dieser Satz konnte ihm, so dachte ich, wie im heftigen Licht eines Blitzes plötzlich seine geistige Lage geoffenbart haben. Wäre es nicht denkbar, daß er in diesem Augenblick verzweifelte? Daß er die Barmherzigkeit Gottes erkannte, sich aber von ihr absolut ausgeschlossen glaubte? Daß er sich verloren gab? Es wäre schrecklich, wenn es so wäre.

Ich habe Ihnen nichts von meiner Gewissensqual geschrieben. Sie aber müssen diese Qual gefühlt haben, denn Sie sagen, ich möge mich nicht ängstigen dieses jähen Todes wegen; mein Brief habe, so schreiben Sie, M. K. »den Gnadenstoß gegeben«. Ich kenne Ihre Sprache. Sie sagen kein Wort, dem Sie nicht auf den Grund gegangen sind. So meinen Sie also, daß ich, indem ich M. K. seine Verlorenheit ins Bewußtsein rief, zugleich ihn der Gnade überliefert habe. Möge es so sein. In Ihrem Buch stehen sehr schöne Gebete für die Toten. Was kann ich anderes für den armen M. K. tun, als ihm diese Gebete nachsenden?

Ihr Weihnachtsgeschenk, Ihr Buch, ein Gebetbuch, es kam in einem Augenblick meines Lebens, in dem ich es brauchte. Kein Jahr früher, keine Woche früher haben Sie versucht, mir ein solches Buch in die Hand zu drängen. Sie konnten wissen, daß mir diese kleinen schwarzen, traurig aussehenden Bücher ein Greuel waren: genauer Ausdruck für alles, was mir am Katholizismus zuwider war, das unerprobt Brave, Enge, geistig Beschränkte, Verkümmerte, das Bigotte. Gebetbücher gehörten in die Hand alter Jungfern. Wer sonst beten wollte, der sollte es tun mit erhobenen Augen und mit freien Worten, nicht mit dem Finger auf diesen abgebrauchten, faden, jeden literarischen Geschmack beleidigenden Sätzen. Nun kam Ihr Buch. Da es von Ihnen kam, schlug ich es auf, mit Zögern, mit Selbstüberwindung, mit Angst sogar. Ich las zuerst jene Seiten, zwischen denen die Merkzeichen lagen. Ich kann nicht annehmen, daß sie zufällig dort lagen, wo ich sie fand. Was für Stellen! »Et absterget Deus omnem lacrimam...«, das war die erste, die ich las; alles so offenkundig mir zu lesen An-empfohlene fand und las ich, und dann las ich weiter, Psalmen und Evangelien und Meßtexte, und auch dies war für mich gesagt und zielte auf mich; alle diese uralten Worte waren ganz frisch, voller Leben und Anspruch, Trost und Tadel und Prophetie; und im Weiterlesen spürte ich, wie ich mich zu freuen begann und wie diese Freude in mein Wesen eindrang, wie eine alte Verhärtung sich löste und eine alte Sehnsucht sich erfüllte. Das ist lebendiges Leben, ich fühlte es, das ist die Wahrheit, *und sie ist schön!* Warum bin ich so lang ohne diese Speise geblieben? Jetzt bin ich wie eine Ausgehungerte: unersättlich, auf nichts bedacht als darauf, zu essen, und ganz unbekümmert, jemals den Vorrat aufzuzehren. Was für herrliche Gebete! Gebete von Männern, die stark waren und voller Leidenschaft und Geist; Gebete für Männer und Frauen, die stark sind in ihrer Schwäche.

Ich glaube, ich hatte unrecht, als ich, früher, dachte, man müsse mit eigenen Worten beten. Das Beten in fremden, in alten, erprobten, gültigen Worten ist gut; das Private wird darin eingeschmolzen, das Persönliche erhält in der geweihten Tradition tiefere und reinere Bedeutung. Ich glaube, daß einzig durch den intensiven Gebrauch dieser Worte ein Mensch verwandelt werden kann. Doch bin ich erst am Anfang, ganz am Anfang des Begreifens, und ich nehme künftige Erfahrungen, auf die ich hoffe, ahnungsweise vorweg.

Aber noch immer habe ich Ihnen nicht gesagt, in welchem besonderen Augenblick Ihr Buch in mein Leben kam. Fast wage ich nicht, darüber zu sprechen, so geheimnisvoll erscheint mir der Vorgang und so zart die Verheißung, die er enthält. Ich habe M. den Tod M. K.'s verschweigen wollen. Ich hatte Angst, die Nachricht könnte ihn zu stark erinnern und zu heftig erregen. Doch bekam M. gestern abend eine Zeitung mit einem Nachruf auf M. K. in die Hand. Er las ihn, sagte kein Wort und gab ihn dann mir. Während ich las, fühlte ich seinen Blick auf mir. Es war kein guter Blick. Ich halte es durchaus für möglich, daß M. eine Weile im Sinne hatte, mich und dann sich zu töten. Sie müssen wissen, daß die Süchtigen in verzweifelter, haßvoller Liebe aneinander hängen und daß einer das Schicksal des andern als sein eigenes betrachtet. Das gemeinsame Geheimnis des Bösen bindet stark wie eine Ordensregel.

Ich hielt also M.'s Blick aus, ich bewegte mich nicht, ich empfahl mich Gott und wartete. Es geschah aber nichts. Schließlich stand M. auf und ging zu Bett. Er sagte kein Wort. Wir haben nur ein einziges Zimmer. Ich blieb sitzen und tat, als lese ich. Nach einiger Zeit begann er zu weinen. Es ist nicht das erstemal, daß er es tat, ich bin fast daran gewöhnt; es bedeutet bei ihm nichts anderes als bei andern etwa das Fluchen, Türenzuschlagen und Schreien, es ist die Lösung einer zu hoch gewordenen Spannung. Ich ließ ihn also in seiner Ecke weinen, allein und ohne meinen Trost. Er sollte nicht getröstet werden in dieser Stunde. Er brauchte seinen Schmerz, ungeteilt und ungeschwächt.

Ich nahm Ihr Buch und las. Plötzlich fühlte ich wieder seine Augen auf mir. Aber ich las weiter. Dann begann jenes kurze, seltsame Gespräch, um dessentwillen ich Ihnen diesen Bericht schreibe. Er fragte: Was liest du? Ich sagte: Psalmen. Warum liest du sie? fragte er. Weil sie schön sind, antwortete ich. Das ist nicht wahr, sagte er, du liest ja nicht, du betest.

Was sollte ich erwidern. Er hatte recht. Dann sagte er: Lies mir vor. Ich las, was ich eben gelesen hatte, den 68. Psalm: »Hilf mir, o Gott, denn die Wasser sind mir bis an den Hals gestiegen...« Ich las in Angst und Hoffnung; ich wußte nicht, was geschehen würde. Als ich zu Ende war, sagte er mit Heftigkeit: »Lies das noch einmal.« Ich tat es. Dann lag er still und stumm, mit geschlossenen Augen. Ich dachte, er sei eingeschlafen. Aber dann sah ich, daß er die Lippen bewegte. Ich kann nichts anderes annehmen, als daß er betete. Als ich heute morgen vom Einkaufen zurückkam, fand ich ihn, in Ihrem Buch lesend. Er muß lange danach gesucht haben, denn ich hatte es wie einen Schatz versteckt, wie alle Ihre Bücher. Er las so eifrig, daß er mich lange überhaupt nicht bemerkte. Als er mich schließlich sah, lächelte er auf eine ganz fremde, eine ergreifende Weise. Es war ein Augenblick des tiefsten Verständnisses zwischen uns. Um dieses Augenblicks willen erachte ich die Sorgen der Gegenwart für nichts und die Kümmernisse der Vergangenheit für nicht mehr als Schatten. Freilich ist mir jetzt zumute, als erwarte man von mir, ich sollte auf dem hohen Seil gehen, und ich habe es doch nicht gelernt. Niemand sagt mir mit Sicherheit, ob ein Netz ausgespannt ist unter dem Seil. Aber was kann ich anderes tun als gehorchen? Ich schließe die Augen und gehe. Quoniam tu mecum es.

[An Professor F.]   *F., 28. Dezember 1955*

Ja, ich weiß es schon. Auch M. weiß es. Fürchten Sie nichts. Die Nachricht hat ihn erschüttert, doch nicht mehr, als es natürlich ist. An seinem Zustand hat sich nichts zum Schlechten hin geändert. Doch hat er, als ihm vergangene Woche hier eine Gastrolle angeboten wurde, selbst abgesagt. Er wagt nicht mehr zu singen, und ich wage nicht mehr, ihn zu drängen oder auch nur zu ermuntern. Unser Schicksal in der Welt ist entschieden, es ist abgeschlossen, besiegelt. Sie fragen, wovon wir leben. M. gab zuerst Unterricht, aber seit seinem Sturz und der Gehirnerschütterung hat er damit aufgehört. Ich arbeite in der Redaktion der F. Zeitung. Sie brauchen sich dieserhalb keine Sorgen zu machen.

Von meiner Schwester bekam ich eine erfreuliche Nachricht: sie lebt wieder mit ihrem Mann zusammen, und sie scheint nach langen Zweifeln dieses Schicksal wieder als das ihre angenommen zu haben. In diesen Wochen sind meine Kinder bei ihr und sie versteht es, ihnen Freuden zu bereiten. Die Kinder schreiben glückliche Briefe. Ich glaube, daß meine Schwester künftig sich mehr und mehr meiner Kinder wird annehmen müssen. So wird sie denn endlich eine Aufgabe haben. Gott sei Dank.

Es wäre nicht gut, wenn Sie uns besuchen würden. M. ist außerordentlich hellhörig und mißtrauisch geworden. Lassen wir ihn in Frieden. Er lebt sein Leben, und er geht seinen Weg so, wie er muß. Er liest jetzt viel und ist still und nachdenklich, und Neues scheint ihn zu bewegen.

[An Margret]   *F., 29. Dezember 1955*

Ach Margret, wie bedrängst Du mich! Ich kann nicht fort von M., das weißt Du doch, ich kann nicht, darf nicht, will nicht. Doch danke ich Dir von Herzen für Deine Fürsorge.

Als uns Frau N. kurz vor Weihnachten auf der Straße traf, wußte ich, daß sie Dir sofort Bericht erstatten würde. Ich wußte auch, daß sie übertreiben würde. Natürlich sieht M. nicht allzu gut aus. Er sieht genau so aus wie alle Leute, die viel trinken. Er ist dick geworden und schwerfällig, und sein Gesicht ist alt, gelb und müde. Einen Hang zur Nachlässigkeit im Äußern hatte er immer, und selbst in seinen besten Zeiten sah er unordentlich aus, wenn ich nicht sehr achtgab auf ihn. Daß er auf Frau N. den Eindruck eines Kranken machte, ist möglich: er hatte eben eine Gehirnerschütterung hinter sich und litt lange an Kopfschmerzen. Frau N. in ihrer bürgerlichen Wohlanständigkeit weiß nicht, daß Menschen, die der Schwermut verfallen sind, keinen Wert mehr darauf legen, der bürgerlichen Welt zu gefallen. Was Frau N. von mir sagt, belustigt mich ein wenig. Das Wort »rührend« ist wohl dasjenige, das am wenigsten auf mich paßt. Frau N. sah eben, was sie sehen wollte.

Glaub mir, Margret: die Wirklichkeit unseres Lebens ist vor aller

Augen verborgen. Nicht als ob wir absichtlich ein Geheimnis daraus machten. Aber wer sich aus dem konventionellen öffentlichen Spiel zurückzieht, der scheint den Spielern leicht ein Spielverderber; man versteht und billigt ihn nicht mehr.

Du schreibst, es sei Dir unbegreiflich, wie ich dieses Leben ertragen könne. Wie sehr verkennst Du mich und meine Lage. Du sagst, es sei undenkbar, daß ich M. noch liebe, diesen »verkommenen« M. Aber galt denn meine Liebe nur M. dem Schönen, dem Berühmten, Großartigen? Galt sie ihm oder einer seiner Eigenschaften? Glaubst Du, ich sähe nicht selbst, was M. jetzt ist? Jede Liebe schließt Mitleid ein, doch ist Mitleid nicht ihr Wesen. Das Wesen der Liebe ist, so glaube ich, Treue; und Treue ist ein anderes Wort für den unzerstörbaren Glauben an den Wert des einst so leidenschaftlich Geliebten.

Im übrigen irrst Du, wenn Du, Frau N. folgend, M. für »verkommen« hältst. Muß jemand deshalb verkommen, weil er in der Welt keinen Beruf mehr hat, kein Ansehen und keinen Erfolg? Gibt es nicht andere Arten zu leben? Hältst Du es nicht für möglich, daß ein scheinbar aufgezwungenes schweres Geschick sich in ein freiwillig angenommenes und günstiges verwandelt? M. hat kürzlich ein Angebot für ein Gastspiel hier bekommen; er hat abgelehnt, da er lieber nichts, als Mittelmäßiges gibt. Der geistige Weg eines Menschen kann voller Widersprüche und Geheimnisse sein.

Mein Leben mit M. ist keineswegs so schwierig wie Du glaubst. Ich habe Dir schon mehrmals gesagt, daß ich nicht unglücklich bin, und es ist nicht Hochmut und Trotz und Verstellung, wenn ich es selbst jetzt noch immer wieder sage. Ich lebe mein Schicksal mit Einsicht. Auch hat M. nie aufgehört, mich zu lieben. Das ist fast mehr, als eine Frau erwarten kann.

Was C.'s Brief an Dich anlangt, so bin ich erzürnt. Dieser regierende General der Kirche schreibt sich einen Sieg zu, den er niemals errungen hat, den er vielmehr beinahe verhindert hätte. Nein, Margret, er hat mich nicht »bekehrt«, nicht »heimgeholt«. Er wird niemals ein verirrtes Schaf heimholen. Was er kann, ist allenfalls, das ausgebrochene Tier mit kriegerischem Geschrei so zu schrecken, daß es Hals über Kopf davonstürmt, gleich wohin, und nur dann und deshalb in den Pferch zurück sich rettet, weil C. ihm alle andern Wege verstellt. Es war eine viel leisere Stimme, die mich rief. Doch muß ich um der Wahrheit willen sagen, daß C.'s Briefe und Bücher und seine ganze herausfordernde Gestalt seit Jahren dazu beitrugen, Unbehagen und Unruhe in mir niemals mehr einschlafen zu lassen. Und das war gut. Dafür schulde ich ihm Dank.

Und nun zu Deiner Frage, Deine Entscheidung betreffend. War es richtig, daß Du zu Deinem Mann zurückgekehrt bist, für immer, wie Du sagst? Ich glaube, es war richtig. Es war dann richtig, wenn Du jetzt ohne Vorbehalte bei ihm bist. Immer mehr begreife ich, daß dem Menschen eine große Freiheit gegeben ist. Wir haben viel stärkere Flügel als wir glauben. Wir wagen nur nicht, sie zu entfalten. Wir wagen nicht zu fliegen. Wir machen kleine feste Pläne, wir stecken sie auf dem Erdboden ab und bewegen uns dann vorsichtig und töricht wie Hühner im Abgesteckten, im ängstlich Begrenzten. Warum aber? Draußen und darüber ist die unendliche Weite. Du weißt, wovon ich spreche. Oder weißt Du es nicht? Unser äußeres Schicksal ist nichts oder nicht viel. Die Einsicht, mit der wir es durchdringen und formen, ist die entscheidende Macht.

Es ist wahr, was Dir Frau N., die Allwissende, die eifrige Schnüfflerin, erzählt hat: ich gehe morgens, wenn M. noch schläft, auf dem Weg zur Redaktion in die Kirche, genau gesagt in die Messe. Ist das erstaunlich? Halbes war noch nie meine Sache. Nichts, oder aber dann das Ganze, uneingeschränkt, mit allen Konsequenzen! Wenn Frau N. mich dieser Tage beobachten würde, so könnte sie noch hinzufügen, daß ich sogar in einem Gebetbuch lese, falls das, was ich während der Messe in Händen halte, nicht eine Taschenausgabe von Shakespeare oder Nietzsche ist – auch das gab es schon in meinem Leben. Einen Teil meiner Literaturkenntnis verdanke ich der geheimen Lektüre während der häufigen und endlosen Pflichtgottesdienste in meiner Schulzeit. Ach, ich wußte es nicht besser. Niemand war da, der mir sagte, um wieviel schöner die Psalmen, die Evangelien und die uralten Gebete der Kirchenväter sind als jegliche andere Literatur. Weit ist der Weg zum Erkennen!

Du fragst, ob ich denn bete. Welche Frage! Natürlich bete ich. Welch anderes Mittel hätte ich denn, um Gott zu bewegen, sich meiner zu erinnern? Du schreibst, ich bete wohl um M.'s »Rettung«. (Was aber meinst Du mit »Rettung«? Willst Du mir das erklären?) Ja, ich bete wohl für M., doch nicht nur und nicht zu allererst. Welcher Irrtum, zu glauben, daß Beten gleich Bitten sei. Man darf wohl bitten und klagen vor dem, der die Tränen zu trocknen und jedem aufzutun verspricht, der anklopft. Doch erscheint es mir nicht nobel, nicht würdig, allzuviel zu bitten und zu klagen. Ich setze vor Klage und Bitte die Anbetung. Man kann erfahren, daß in der reinen Anbetung die Klage hinschmilzt und versickert wie Schnee zwischen Frühlingsgras und daß die Bitte erfüllt ist, ehe man sie auszusprechen begann. Wer allzu beharrlich sein Geschrei gegen die Klagemauer wirft, wird nie die Antwort dessen hören, zu dem er schreit. Was also tu ich, wenn ich bete? Ich danke, ich lobe, ich rühme. Wirst Du das verstehen?

Ach Margret, ich glaube, ich habe Dir einmal geschrieben, daß ich nur dann zur Kirche zurückkehren würde, wenn die volle Einsicht und die klarste, freieste Entscheidung vorausgegangen wären; ich würde nie, so sagte ich immer (auch zu C.), »mit leeren Händen kommen«. Welche Torheit! Jedes meiner Worte war falsch. Man kommt immer mit leeren Händen zur Fülle, man kommt nie mit voller Einsicht, denn man sieht nichts, solange man auf der Schwelle steht; man sieht erst, indem man in der Kirche lebt; nicht Einsicht führt uns, sondern Sehnsucht allein; und was die klare, freie Entscheidung angeht: ach, wenn nicht das, was man mit keinem andern Wort bezeichnen kann, die Gnade, uns überwältigt und also schon für uns entschieden hätte, könnten wir uns niemals entscheiden. Wer aber einmal heimgekehrt ist, der fragt nicht mehr danach, ob es wirklich aus eignem freien Willen geschah. Er fragt nach diesem freien Willen überhaupt nicht mehr. Sein Wille ist nur mehr frei im Gehorsam, und seine Freiheit ist anderer, ganz anderer, wesentlich anderer Art: es ist die Freiheit der Liebe. Doch sollst Du wissen, daß mich nicht Unglück in die Knie brechen ließ; es war in meiner besten Zeit mit M., daß das Entscheidende geschah, und dafür auch rühme ich Gott, der davon absah, mich zu demütigen.

So, nun hast Du es wieder einmal fertiggebracht, mir Worte zu entlocken, die ich nicht sagen wollte. Noch immer fällt es mir schwer, die Sprache der Kirche zu sprechen. Ich gebe mir Mühe, sie zu umgehen, aber ich merke, daß ich das Unpersönliche, das Unveränderliche, Ewige nur ungenau bezeichne, wenn ich versuche, eine andere als die objektive, die so präzise Sprache der

Kirche zu sprechen. Es ist eine Form von Tyrannis, in deren Machtbereich ich mich begeben habe, ich kann's nicht leugnen. Doch ist nur unter dieser Tyrannis Freiheit möglich. Das scheint ein Widerspruch zu sein. Das ganze Christentum, es ist ein Compendium von Widersprüchen, doch nur für den erst halb Erkennenden. Sie lösen sich auf für den, der wirklich *glaubt*. Das aber ist ein Geheimnis, das nicht mitteilbar ist und selbst gefunden werden muß, von einem jeden aufs neue.

Jetzt aber genug davon, sonst wirst Du am Ende noch Frau N. übertrumpfen und Dir ein Bild von mir machen, das dem von Tante E. zum Verwechseln ähnlich ist. Erinnerst Du Dich noch an sie? War sie nicht die frömmste Klatschbase unseres Stadtviertels? Ein Teil meines Widerwillens gegen unsre Kirche war die Frucht ihrer religiösen Erziehungsversuche an mir.

Die Kinder schreiben so glückliche Briefe. Dank Dir und Deinem Mann für alle Freuden, die Ihr ihnen bereitet. Nun sind meine Kinder auch die Deinen geworden, die Euren, wenn Du willst.

Wir haben uns niemals Glückwünsche zum neuen Jahr geschickt, Du und ich. Diesmal will ich es tun. Ich fühle, daß dieses kommende Jahr für Dich wichtig sein wird. Was könnte ich Dir Besseres wünschen, als daß Du an seinem Ende sagen möchtest: »Auf liebliches Land ist mir die Meßschnur gefallen, und meines Erbes bin ich überaus froh.« (Dies sind Worte aus einem Psalm.)

Die beiliegenden Briefe gib, bitte, den Kindern in der Neujahrsnacht.

[An den Intendanten W.] *F., 29. Dezember 1955*

Ihr Brief hat meinem Mann eine unbeschreibliche Freude bereitet. Zu erfahren, daß Sie ihm Ihre Freundschaft unerschüttert bewahren und daß Sie unentwegt an ihn und sein Wiederkommen glauben, bedeutet ihm Ehrenrettung, Bestätigung und neue Hoffnung. Doch glaubt er nicht, im kommenden Jahr schon bei Ihnen singen zu können. Es geht ihm zwar viel besser, aber er muß erst wieder Kräfte sammeln. Sie wissen ja, wie er gelebt hat seit Jahrzehnten: besessen, ein Verschwender, bis zur Grenze der Selbstzerstörung. Dafür mußte er bezahlen, und er tat es mit Einsicht. Gerade dieser Tage bekam er auch ein Angebot von B. für eine

Gastrolle hier. Doch er hat abgelehnt. Er will erst wieder singen, wenn er selbst fühlt, daß er so gut sein wird wie ehedem.

Er bittet mich, Ihnen zu sagen, wie sehr er Ihnen dankt. Sie wissen, daß er niemals Briefe schreibt, und er vertraut darauf, daß Sie es ihm vergeben. Doch darf ich Ihnen sagen, daß Ihnen seine tiefste Freundschaft sicher ist.

Auch ich danke Ihnen von Herzen. Sie haben mit Ihrem Brief etwas sehr Gutes getan. Wie gut, wie notwendig es war, können Sie nicht ermessen. Dank!

[An Herrn v. D.]   *F., 30. Dezember 1955*

Ich war so verwirrt, als ich Sie heute in unserem Zimmer antraf, daß ich Ihr Angebot nicht wirklich verstand. Auch dachte ich, es sei nicht ganz ernstzunehmen und nur der Ausdruck Ihres Mitgefühls beim Anblick der drangvollen Enge unseres Zimmers, dessen banale Häßlichkeit in der vormittäglichen Unordnung Sie geradezu erschrecken mußte. (Mein Mann schläft meist bis Mittag, bis ich aus der Redaktion zurückkomme, dann erst räume ich auf, so ist nun einmal unser Tageslauf und kann nicht anders sein.)

Im übrigen störte mich der Gedanke, daß Ihr Freund C. Sie geschickt haben könnte. Sie werden von ihm wissen, daß wir seit Jahren in einer geistigen Zwietracht leben, die so grundsätzlich und wesentlich ist, daß wir uns Feinde nennen müßten, wollte und müßte man eine so gespannte, aber unzerreißbare Bindung nicht lieber Freundschaft heißen. Doch bewaffne ich mich augenblicklich bis an die Zähne, wenn mir von ihm ein Vorschlag, ein Tadel oder auch ein Lob kommt. Daher auch mein Mißtrauen gegen Ihr schönes, großmütiges Angebot.

Erst als drei Stunden später Ihr Chauffeur mit dem Schlüssel kam, wagte ich zu glauben, doch sagte ich meinem Mann davon noch nichts. Das Haus ist wahrhaft entzückend. Es ist genau so, wie wir es brauchen. Es liegt in dieser lauten, nüchternen, eifrigen Stadt wie verzaubert, so, als könnte niemals jemand es finden. Der verwilderte Garten erfüllt mir einen heimlichen, zärtlichen Kindertraum. Wie anders wird unser Leben dort sein können, wie erlöst vom Häßlichen! Nie mehr brauchen wir die laute, grobe Stimme von Frau Z. zu hören, nie mehr wird jemand an die Wand klopfen, wenn wir nachts sprechen, nie mehr wird alles, was wir besitzen, nach Küchendunst und Mottenpulver riechen, nie mehr werden unsere Augen auf eine fensterlose fleckige Mauer starren müssen, die ein armseliger Holunderstrauch vergeblich zu verdecken sucht. Und nie mehr brauche ich am Monatsersten Miete zu bezahlen. Ich schäme mich nicht, Ihnen zu gestehen, was Sie schon wissen: es fiel uns schwer, sie zu bezahlen.

Wir werden nun in schönen Räumen wohnen, wir werden M.'s Flügel kommen lassen und das, was von unseren eigenen Möbeln verblieb – wir werden wieder leben. Sie sagten, wir können das Haus benutzen, bis Sie wieder aus den Staaten zurückkommen. Ein Jahr lang also, meinen Sie. Das ist eine Ewigkeit. Was dann sein wird, das kümmert mich nicht. »Unser tägliches Brot«, nicht mehr ist zu erbitten nötig.

Ich werde übermorgen erst, am Neujahrstag, meinem Mann das Haus zeigen. Mit dieser Freude soll für ihn das neue Jahr beginnen. Dank, von ganzem Herzen Dank. Ich bin so voller Freude, daß ich Mühe habe, mein Geheimnis noch zwei Tage zu bewahren. Immer noch einmal: Dank.

[An A. M. (Frater B.)]   *F., 2. Januar 1956*

Nur einige Zeilen als Ergänzung zu meinem Telegramm. Es war ein Unfall, unerklärlich und geheimnisvoll. Wir schauten das Haus an, das uns ein Freund von C. für das kommende Jahr zur Verfügung gestellt hatte. M. war entzückt. Wir gingen durch den Garten, die Sonne schien fast hell wie im Frühling, der Platz vor dem Häuschen glänzte, M. öffnete das Gartentor und ging hinaus, ganz ruhig und glücklich, doch warum er hinausging, werden wir nie mehr erfahren, einige Augenblicke später war er tot. Ein Auto war auf der vereisten abschüssigen Straße, die in den Platz vor dem Haus einmündet, ins Schleudern geraten, es erfaßte M., er stürzte, er hatte keine äußere Verletzung. Als ich ihn fand, war in seinem Gesicht noch die Spur von einem Lächeln, er starb mit diesem Lächeln.

Er wird heute nach M. überführt, ich fahre mit dem gleichen Zug, ich werde in M. bleiben, darum soll er dort begraben sein. Wer aber wird ihn begraben? Keine Kirche wird ihn als den ihren kennen. Er war nicht getauft, seine Mutter war Jüdin, so wird er denn auf dem jüdischen Friedhof am ehesten zu Hause sein.

Beten Sie für ihn, für diese heimatlose Seele, die, ich wage es zu glauben, in letzter Stunde noch einen Schimmer jenes Lichts hat sehen dürfen, das ihm so lange verborgen war.

[An A. M. (Frater B.)]   *C., 27. Februar 1956*

Dies ist der erste Tag, an dem ich fühle, daß ich fähig sein werde, Ihnen zu schreiben. Jetzt erst auch habe ich Ihre beiden Briefe gelesen, und jetzt erst kann ich danken, doch nicht genug, niemals genug. Langsam beginne ich mich zu erinnern an das, was in den letzten beiden Monaten geschehen ist. Jetzt erst weiß ich wieder, daß Sie am Grab standen, Sie und ein anderer Mönch, der wohl Ihr Abt war. Sie standen an einem jüdischen Grab und beteten für einen ungetauften Toten, der mein Mann war, und dann hat Ihr Abt mich eingeladen, für eine Weile in G. zu wohnen, in Ihrer beider Nähe, aber ich mußte diese Einladung zurückweisen, sie kam zu früh, sie berührte nicht nur *eine* Wunde, nicht nur die frische. Ich weiß jetzt alles wieder. Nicht wahr, so ist es gewesen? Dann bin ich Ihrem Rat gefolgt und hierhergegangen, an diesen Ort, den Sie einst so geliebt haben, aber auch dies war noch zu früh gewesen. Jede Erinnerung tat weh und traf mich gänzlich schutzlos.

Da erlaubte ich mir, krank zu werden. Wirklich ich kann es nicht anders sagen: ich ließ mich mit vollem Bewußtsein fallen, und ich fiel in ein gnädiges Dunkel. Die guten Schwestern waren sehr erschrocken, gestehen sie mir jetzt; sie wußten nicht, was mit mir geschehen sollte; sie holten einen Arzt, und er sagte das Klügste, was er sagen konnte: »Laßt sie in Ruhe.« So ließen sie mich denn in Ruhe. Ich schlief und schlief, Woche um Woche, ich sprach kein Wort, ich weinte viel im Schlaf, so erzählen sie mir jetzt, ich weiß es nicht, ich weiß von nichts. Die liebe Schwester J., die Sie kennt (sie erkannte Ihre Schrift auf dem Briefumschlag), saß viele Stunden bei Tag und Nacht an meinem Bett und betete ihre russischen Gebete, bis sie allmählich durch die dichte Schicht der Betäubung an mein Ohr drangen, und ich durch diese fremde

Stimme, diese fremden Worte sanft, sehr sanft zurückgerufen wurde ins Leben.

Jetzt ist hier Frühling, ich sitze im Klostergarten, ich bin voller Staunen darüber, daß ich lebe, während M. doch tot ist. Ich weiß, daß ich bald wieder werde arbeiten müssen; ich weiß, daß ich nach M. zurückkehren werde, bald schon; ich weiß auch, daß ich eines Tages zu Ihnen kommen werde, doch nicht so bald. Ich bin sehr feige jetzt und wage nichts, nicht das Geringste. Ich lese nichts, denke fast nichts, ich verhalte mich still und warte; es genügt mir zu fühlen, daß fremde Kräfte mich halten.

[An Margret]   *C., 8. März 1956*

Ich danke Dir, meine Liebe, dafür, daß Du mir einen so großen Teil der Korrespondenz abgenommen hast. Es war gut, daß Du Karten hast drucken lassen. Ich habe nicht mehr daran gedacht. Wie sehr auch danke ich Dir für alles, was Du meinen Kindern tust.

Durch Schwester J. hast Du gewußt, daß ich krank war, oder, wenn schon nicht eigentlich greifbar krank, so doch ganz und gar erschöpft. Es geht mir jetzt viel besser, aber ich bin noch immer nicht fähig, längere Briefe zu schreiben. Ich denke, Ende des Monats, zu Ostern, in M. zu sein.

[An Herrn C.]   *C., 14. März 1956*

Ich brauche keinen Augenblick der Überlegung, um zu wissen, was zu tun ist: verwenden Sie M. K.'s Geld zu irgendeinem Zweck, der Ihnen würdig erscheint. Ich habe kein Recht, über dieses Geld zu verfügen, denn es ist M. K.'s Geld. M. hat es einmal von ihm entliehen, ich habe es zurückbezahlt, es gehörte ihm und nicht mehr mir, und wenn er es im Testament mir zugedacht hat, nicht als Geschenk, sondern als vorgeblich mir geschuldete Summe, so ist das gut und in Ordnung, soweit es ihn selbst betrifft, doch verkannte er die Bedeutung dieses Geldes: es war das Lösegeld für M., dies und nichts anderes war es und wird es immer sein.

Sie brauchen mir nicht zu sagen, was mit dem Geld geschieht. Sie werden es ohne Zweifel richtig verwenden.

Ich war ziemlich lange krank, darum konnte ich auf Ihren Brief zum Tod M.'s bis heute nicht antworten. Ihre Meinung von damals, M.'s Tod hänge engstens mit dem des unglücklichen M. K. zusammen, werden Sie mittlerweile wohl selbst berichtigt haben. Wenn nicht, so mögen Sie von mir die Wahrheit hören: M. starb einen natürlichen Tod, ein Auto hat ihn überfahren. Das ist unwichtig. Er starb einen guten Tod, das ist wichtig. Ich meine damit nicht nur, daß er einen raschen und leichten Tod hatte; ich meine vielmehr, daß sein Geist auf jener zarten Spur, die er in seiner letzten Lebenszeit aufgenommen hatte, geradewegs dorthin geeilt ist, wo er Barmherzigkeit fand und Vergebung.

Sie fügen Ihren Worten des Beileids Sätze an, die ich selbst dann nicht hinnehmen dürfte, wenn sie den Tatsachen entsprächen. Ich habe nicht den besten Teil meines Lebens einem Unwürdigen geopfert. Ich habe eine Ehe geführt, die ich einmal heiß gewünscht hatte, die ich schließlich wirklich geschlossen habe und die ich als mein Schicksal angenommen hatte, so wie sie war und wie sie sein sollte. Ich habe M. geliebt, leidenschaftlich zuerst und dann mit Treue und im Bewußtsein des ewigen Wertes der Seele, die mir anvertraut war. Ich habe dieses mein Schicksal niemals als unwürdig empfunden, niemals als »Opfer« und nicht einmal immer als schwierig. Gewiß, jedermann weiß das: es war kein bequemes Leben, doch es war wirkliches Leben, intensivstes Leben in jedem Augenblick, es hat mich nicht überfordert, wie Sie glauben, aber es hat mich zur höchsten Anspannung herausgefordert, und das war gut so.

Muß ich nicht ein Schicksal preisen, das mich hinreißt zu sagen: es war gut, es war ganz und gar gut, so wie es war? Alles ist nun in Ordnung, in der einen einzigen großen Ordnung.

[An Professor F.]   *C., 15. März 1956*

Nein, es war kein Selbstmord. Auch Herr C. glaubte das, und offenbar viele Leute. Alice, sagen Sie, verbreitet diese Nachricht? Und das, nachdem ich ihr sofort telegrafiert hatte, daß es ein einfacher Unglücksfall war? Glaubt sie es nicht? Warum will sie es nicht glauben? Ach, es ist ihre Rache. Aber wie trifft ihr Schlag ins Leere. Maurice ist tot, und mich erreicht ihr Haß nicht mehr.

Ich würde es Ihnen ohne Zögern sagen, wenn Maurice sich das Leben genommen hätte. Es gehörte zu seiner Krankheitsgeschichte, und ich hätte fast die Pflicht, Ihnen nichts zu verschweigen. Doch ist die Wahrheit diese:

Maurice ging es in den letzten Wochen weit besser. Ich meine damit nicht nur, daß er sich wohler und gesünder fühlte, sondern daß sein Geschick sich insgesamt zum Helleren und Leichteren zu wenden schien. Er hatte überraschend ein Angebot von der Oper in F. bekommen und fast gleichzeitig eines aus B. Ich weiß zwar nicht, ob diese Angebote ganz ernst gemeint waren, denn sowohl in F. wie in B. mußte man seinen Zustand und dessen Geschichte kennen. Doch wie auch immer: diese Angebote waren für Maurice Anlaß zu Hoffnungen und Plänen. Zudem hatte ein Freund von Herrn C. uns sein Haus am Stadtrand für ein Jahr überlassen, und wir brauchten nicht länger in der abscheulichen Pension P. zu leben. Am Neujahrsmorgen waren wir hinausgefahren, um das Haus anzuschauen. Es war eine Überraschung für Maurice. Er war glücklich, er machte Pläne für die Einrichtung seines Arbeitszimmers, er wollte wieder unterrichten. So waren wir denn heiter wie seit Jahren nicht mehr. Es war ein strahlender Neujahrsmorgen, der Inbegriff von Verheißung.

Was Maurice bewog, das Gartentor zu öffnen und auf den Platz davor zu gehen, in den eine abschüssige Straße einmündet, das wird niemals jemand wissen. Ich sah ihn auf der Straße stehen, mitten im Licht, ich rief ihm zu: »Wohin gehst du?«, da stürzte er; ein Auto war fast lautlos gekommen, es war ins Schleudern geraten, die Straße war vereist, das Auto hatte ihn überfahren, er war fast augenblicklich tot.

Fern von Selbstmord. Er starb in einem der wenigen glücklichen Augenblicke seines Lebens. Sie und ich, wir wissen beide, daß es ein gnädiger Tod war. Was hätte ihn erwartet, wäre er am Leben geblieben? Die Auflösung seines Wesens war in den letzten Monaten fürchterlich rasch fortgeschritten. Er lag fast immer zu Bett; seine Sprache war tagelang gestört; er ließ sich zu trinken bringen, wenn ich in der Redaktion war (und ich mußte dort sein, ich mußte arbeiten, ich konnte ihn nicht immer bewachen), und er war immer betrunken, immer, nur in den letzten Tagen kaum und an jenem

Morgen gar nicht. Vielleicht wollte er fortgehen, um zu trinken, doch glaube ich, daß ihn etwas anderes gerufen hatte.

Sie stellen mir nicht geradezu die Frage, warum ich Maurice nicht wieder in Ihre Behandlung gegeben habe; aber Ihr Brief scheint mir um dieser Frage willen geschrieben zu sein. Aber wissen Sie die Antwort nicht selbst? Haben Sie Maurice nicht einmal schon »geheilt«, und ist diese Heilung von Wert und Dauer gewesen? Er vertauschte eine Sucht mit einer andern, zugegeben: einer weniger gefährlichen. Aber was war in Wirklichkeit geschehen? Haben Sie versucht, Maurice von seiner Schwermut zu heilen? Keine Medizin, keine Psychotherapie reicht hinunter bis zu jenem Grund des menschlichen Seins, in dem diese Art von Schwermut ihre Wurzel hat. In diese Tiefe gelangt nur eine einzige Macht: die Gnade. Ich glaube, sie hat Maurice in seinen letzten Lebenstagen gesucht und aufgefunden.

Damit habe ich auch Ihre Frage nach meinem Ergehen beantwortet. Ich weiß, daß Sie bisweilen sich gequält haben mit Zweifeln darüber, ob Sie nicht eine große Schuld auf sich geladen haben, als Sie mich geradezu zwangen, Maurices Frau zu werden. Es war freilich erschreckend, mit welcher Sicherheit Sie unser Schicksal bestimmten. Doch woher wäre Ihnen der Mut zu dieser Sicherheit gekommen, wenn das, was Sie wollten, nicht genau das gewesen wäre, was uns zu tun bestimmt war? Wir haben gehorcht, und es war gut so.

[An Alice]   C., 16. März 1956

Warum, Alice, warum tun Sie das. Warum erzählen Sie, was nicht wahr ist? Sie wissen die Wahrheit, aber Sie verbreiten die Lüge. Oder glauben Sie mir nicht? Erscheint Ihnen der Selbstmord als der einzig gemäße Abschluß eines Lebens, wie es Maurice geführt hat? Sie hätten so unrecht nicht damit, wenn das Gesetz der Kausalität für den Menschen gälte. Für ihn aber gilt das Gesetz der Liebe. Er ist außerhalb der Kausalität. Das heißt: Maurice wurde nicht vernichtet, er hat sich nicht selbst gerichtet, er ging nicht verzweifelt von dannen, er starb rasch und friedlich, er starb eines gnädigen Todes in einem guten und schönen Augenblick seines an solchen Augenblicken nicht reichen Lebens.

214

Vielleicht *wollen* Sie mir nicht glauben? Vielleicht wünschen Sie, daß Maurice einen schlimmen Tod hatte? Ich versuche, Sie zu verstehen, indem ich mich ganz in Ihre Lage versetze.

Sie haben, es ist nun sechs Jahre her, Maurice freigegeben an mich. Sie hätten es nicht zu tun brauchen, es war Ihr freier Wille. Aber Sie haben Maurice nicht vergessen, Sie konnten nicht, trotz Ihrer zweiten und bessern Ehe. Sie bereuten, ihn freigegeben, ja vertrieben zu haben. Diese Wahrheit durfte nicht in Ihrem Gedächtnis bestehen bleiben. Sie mußte verändert werden: Ich hatte Ihnen Maurice gegen Ihren Willen mit bösen Mitteln genommen. Die Schuld blieb allein die meine. An alles, was der Scheidung vorausgegangen war, durften Sie sich nicht mehr erinnern. Jetzt aber rächen Sie sich an mir, indem Sie erzählen, Maurice habe sich das Leben genommen. Seht, heißt das, seht, was für ein folgerichtiges Ende das alles genommen hat: Zerstörung, Untergang, die gerechte Strafe.

Alice, dies ist nicht die Wahrheit. Heilen Sie Ihren vom Haß kranken Geist mit dem, was Wahrheit ist. Darf ich Ihnen einiges dazu sagen?

Maurice begann zu trinken, als Sie ihm Beate wegnahmen. Er hing an seinem Kind, das auch das Ihre war, und er litt an diesem Verlust. Hat er in diesem Kind nicht auch die Erinnerung an Sie geliebt? Er hat Sie anhaltend, wenn auch als Schmerz, in seinem Gedächtnis getragen, Alice. Jenen Platz, den Sie in seinem Leben eingenommen haben, konnte ich nie füllen, er blieb ausgespart.

Sie haben ein Kind von ihm. Ich habe das meine nicht behalten dürfen. Ihnen blieb mehr. Doch uns beiden bleibt die Erinnerung an einen außerordentlichen Mann und seine Liebe. Und uns beiden bleibt die Erinnerung an unsre Unzulänglichkeit: wir vermochten beide nicht, ihn vor seiner Dunkelheit zu retten. Weder Ihre noch meine Liebe konnte seiner Schwermut die Waage halten.

Maurice ist tot. Hören Sie auf, liebe Alice, ihn und mich zu hassen. Der Haß verwüstet Ihr Herz. Sie müssen leben. Sie müssen in Beate die Erinnerung an den Vater rein erhalten. Um Beates willen, wenn schon nicht um der Wahrheit willen, sollen Sie aufhören, von Selbstmord zu sprechen.

Und was meine Schuld Ihnen gegenüber anlangt, so habe ich, wenn Buße nötig war, immerhin gebüßt. Mein Leben mit Maurice war kein leichtes. Vielleicht besänftigt dieser Gedanke Ihr aufgebrachtes und verletztes Herz. Gönnen Sie fürderhin dem Toten Gedanken der verzeihenden Liebe.

[An A. M. (Frater B.)]   *M., 15. Juli 1956*

Sehr lange habe ich geschwiegen. Sie haben recht; es war ein absichtliches Schweigen, ich möchte sagen, ein notwendiges, wenngleich meinem Herzen ganz und gar entgegen. Doch wollte ich warten mit diesem Brief, bis Sie ihn mit den Augen des Priesters lesen würden.

Mit aller Eindringlichkeit habe ich mittlerweile teilgenommen an Ihrem Leben. Sie konnten es nicht wissen und sie sollten es nicht, daß ich, von Ihrem Abt eingeladen, am 29. Juni in F. war und am 1. Juli in G. Ich habe Sie an beiden Tagen nur von fern gesehen, doch ich habe gesehen, daß Sie schön waren in Ihrer Freude. Ich versuchte, mich zu erinnern, wie Sie aussahen bei unserm Abschied in P. Das Bild ist ausgelöscht. Es war nicht das echte. Welcher Verwandlung ist der Mensch fähig, wenn zu seinen natürlichen Gaben sich die Fülle derjenigen fügt, die man dem Heiligen Geist zuschreibt! Wäre ich nicht längst, Ihrem unaufdringlich leisen, doch beharrlichen Rufe folgend, heimgekehrt in die Arche – ich hätte es getan in jenem Augenblick, in dem Sie sich am Altar zum ersten Mal zum Volk umwandten. Denn was ich sah, das waren nicht Sie; das war der Mensch in seiner göttlichen Möglichkeit. Es war Verheißung, Trost und grenzenlose Sicherheit.

Könnte ich mit diesem Wort meinen Brief beenden, so wäre das ein schöner und würdiger Schluß. Doch steht mir bevor, noch vieles andere zu sagen. Zwei Briefe von Ihrer Hand fordern jetzt Antwort, und da ich mir vor Ihnen kein Wort gestatte, das nicht bis in seine tiefste Tiefe wahr ist, so leide ich jetzt. Doch immerhin.

Sie fragen, ob der Tod Maurices Erleichterung für mich bedeute. Was für eine unscheinbare Frage. Doch wie trifft sie mich. Hier ist die Antwort; ja, ich bin erleichtert, denn diese Ehe war schwer. Ich habe ein einziges Mal verzweifelt geklagt vor Ihnen, Sie erinnern sich jenes selbstmörderischen Briefs. Doch habe ich damals nicht alles gesagt. Szenen wie jene, die ich beschrieb, waren bei weitem die schlimmsten nicht. Nun: Maurice ist tot, so mögen denn auch jene fürchterlichen Erinnerungen sterben. Von den schönen aber, so wenige es sind, soll der volle Glanz erhalten bleiben.

Nach Maurices Tod schrieben mir einige Freunde, auch C., nun sei mein »opfervoller Weg zu Ende«. Ich sagte ihnen allen, von Opfer könne keine Rede sein dann, wenn man liebt. Wirklich: ich habe niemals das Gefühl in mir genährt, daß ich in meiner Ehe mich »opfere«. Ich mag dieses Wort nicht. Es scheint mir eine Lüge oder doch eine Ungenauigkeit der geistigen Erfahrung zu enthalten. Entweder man liebt, und dann ist jeglicher Verzicht im Grunde und in Wahrheit nichts als eine Liebestat, die unser eignes Glück erhöht. Oder aber man liebt nicht, dann ist das »Opfer« ohne Wert und Sinn, eine taube Nuß, eine Kerze ohne Docht, ein Brunnen ohne Wasser. Wer von sich sagt oder denkt, er opfere sich, der opfert schon nicht mehr, er macht nur die Geste des Opfernden. Frauen, die sich angeblich ihren Männern opfern, messen sich einen ungebührlichen Wert zu, denn nur Wertvolles, das hingegeben wird, verdient den Namen Opfer. Wer aber ist so wertvoll, daß er von sich sagen dürfte, er »opfere« sich? Ich lasse dieses Wort nur in einem einzigen Falle gelten; Einer hat sich wahrhaft geopfert, denn nur Einer hatte den vollen Wert. Wir Menschen aber sollten nicht so pathetisch von uns denken. Was wir tun, und sei es auch das Schwierigste, ist immer nur die einfache Erfüllung einer übernommenen Aufgabe innerhalb der großen Ordnung.

Als ich Maurices Frau wurde, habe ich die Aufgabe übernommen, seine Lebenslast mit ihm zu tragen, bis der Tod uns scheiden würde. Das habe ich getan. Ich habe es nicht immer gern getan; denn ich bin voller Schwäche wie jedermann. Es ist mir jetzt ein Schmerz, mich an Stunden der Ungeduld, der Unfreundlichkeit, des Ekels zu erinnern. Es gilt mir nicht mehr als Entschuldigung, was ich in solchen Stunden dachte: man kann nicht Jahre hindurch und Tag für Tag in einer alleräußersten Anspannung leben. Ich weiß jetzt: man kann es, man würde es können, wäre man demütig genug und liebte man stärker. Wenn ich also, ganz der Wahrheit gemäß, auf Ihre Frage antworte: »Ja, ich bin erleichtert«, so sage ich Ihnen damit, daß ich nicht einverstanden sein kann, wenn Sie mich für besser halten, als ich bin. Ich habe keinen Sieg zu verzeichnen. Ich habe nur überstanden. Niemals leistet man das

Vollkommene. Immer ist es Stückwerk, und immer bleibt der brennende Schmerz des Nicht-Genug.

Ich fand vor kurzem in einer alten Mappe Maurices einen zerknüllten Brief, den Anfang eines Briefes an mich, acht Wochen vor seinem Tod geschrieben, kaum zu entziffern, verworren, dunkel und schon voll von jenen Zeichen der geistigen Auflösung, die so rasch fortschritt, bis sie plötzlich, in der allerletzten Woche, fast wie nie gewesen schien. Ein Liebesbrief, ein vorweggenommener Abschiedsbrief, ein Brief des Dankes an mich. Wie beschämt er mich, wie hat mich Maurice überschätzt und wie bedingungslos geliebt. Ich aber habe nicht vermocht, mein Innerstes mit ihm zu teilen, ich verbarg meinen kostbaren, privatesten Besitz bis kurz vor seinem Tod. Hat er sich nicht danach gesehnt? Hat er sich nicht wie ein Verdurstender auf Ihr Buch gestürzt? War er mir nicht einzig zu dem Ziel gegeben, ihn auf jenen Weg zu führen, den er so spät erst ahnte? Ist das Christentum nicht Freude und Hoffnung und Triumph? Befreit es nicht vom Laster der Schwermut? Und ich, die dies wußte, ich wagte nicht, davon zu sprechen, um ihn zu schonen, um ihn nicht zu befremden, ihn nicht zu einer letzten großen Anstrengung zu zwingen. Daß er nicht ganz im Dunkeln blieb, das war nicht mein Verdienst. Es war die reine Gnade.

Werden Sie jetzt noch einmal sagen, ich hätte genug getan und mehr als genug?

Doch ich bin fern davon, mich zu verurteilen und zu verzweifeln. Es ist meine Sache nicht, zurückzuschauen und zu wägen und rechnen. Ich weiß nichts von Sieg und nichts von Niederlage. Meine Schwäche und meine Stärke sind gleicherweise nichts.

Habe ich damit nicht auch schon auf Ihre zweite Frage Antwort gegeben? Sie fragen, ob ich jetzt begriffen hätte, jetzt endlich, was Sie mir vor Ihrem Eintritt ins Kloster, bei unserm Abschied in P. sagten: daß Ihr Weg und der meine der gleiche seien. Vielleicht habe ich jetzt verstanden, doch wage ich zu widersprechen. Als Sie ins Kloster gingen, wußten Sie, was Sie taten; Sie kannten die Regula Sancti Benedicti und begaben sich in voller Freiheit unter ihre strenge, befreiende Zucht. Warum taten Sie es? Sie sagten damals das Wort, das mich so aufgebracht hat: »Aus Liebe zu Gott.« Was für eine einfache Formel für die höchstmögliche menschliche Erkenntnis! Als ich Maurices Frau wurde, begann ich nicht einen geraden, auf weite Sicht hin klaren Weg zu gehen; ich stürzte mich vielmehr schreiend, widerwillig, vom Schicksal getrieben, in ein dunkles, ungewisses Dickicht, vorgebend, ich wüßte, was ich wagte. Fernab von Geist, fernab von aller Liebe zu Gott. Was für ein Unterschied! Sie brachten die Fülle Ihres Wesens freudig als Geschenk. Ich aber übernahm mit zusammengebissenen Zähnen eine Aufgabe, der ich kaum gewachsen war. Nein, lassen Sie niemals uns vergleichen. Ihr Weg, er gleicht dem Flug einer Taube. Wer aber gibt mir Federn, zu fliegen? Ich bin froh, mich unter den Flügeln eines schützenden Engels verbergen zu können.

Muß ich nun auch noch die dritte Ihrer Fragen beantworten? Was gäbe es zu sagen, was Sie nicht schon wüßten, Sie und Ihr Abt! Als ich schrieb, ich ließe das Wort »Opfer« nicht gelten, machte mein Herz, dieses rebellische Herz, einen leisen Vorbehalt. Und doch ist gerade *dieses* Opfer der schlüssige Beweis dafür, daß kein menschlicher Verzicht wirklich den Namen Opfer verdient. Gott ist die Großmut selbst: er gibt, indem er nimmt, und er nimmt nur, was nicht zu besitzen größeres Glück gewährt. Sie sehen, ich habe begriffen. Alles ist gut so, wie es ist. Alles ist gut. So bleibt mir denn nichts mehr, als Ihnen das kleine Wort zu sagen, das Sie mir mit Ihrem schönsten Lächeln zuriefen, als Sie in P. ins Auto stiegen: »Andiamo. Andiamo a Dio.«

Nadine Gordimer

Anlaß zu lieben
Roman. 456 Seiten. Leinen

Burgers Tochter
Roman. 447 Seiten. Geb.

Eine Stadt der Toten, eine Stadt der Lebenden
Eine Novelle und zehn Erzählungen.
ca. 304 Seiten. Leinen

Entzauberung
Roman. 504 Seiten. Geb.

Gutes Klima, nette Nachbarn
Sieben Erzählungen. Fischer Bibliothek
144 Seiten. Geb.
Inhalt:
Sechs Fuß Erde, Ein Stück rubinrotes Glas,
Nicht zur Veröffentlichung,
Gutes Klima, nette Nachbarn,
Liebende in Stadt und Land I + II,
Mündliche Nachrichten.

July's Leute
Roman. 207 Seiten. Geb.

S. Fischer

Nadine Gordimer

Nadine Gordimer ist mit sieben Romanen und meh-
reren Novellenbänden – auch ein Buch über schwarz-
afrikanische Literatur – die international bekannteste
Schriftstellerin Südafrikas. Als Tochter jüdischer
Eltern – der Vater aus Litauen, die Mutter aus England – wurde sie im November 1923 im Grubenstädt-
chen Springs am östlichen Ende von Witwatersrand
geboren. Sie war fünfzehn, als ihre erste Erzählung
gedruckt wurde. Mehrer ihrer Romane sind in Süd-
afrika endgültig oder zeitweilig verboten worden. Sie
hat auch Essays über Rassenfragen, über Zensur
geschrieben – ihr Erzählwerk macht sie nicht eigentlich zur »Protestschriftstellerin«, weil sie, als Darstel-
lerin zwielichtiger Situationen, auch die Spannungen
zwischen der literarischen Charakterisierung und der
Erfüllung politischer oppositioeller Wünsche als zu-
sätzliche Ambiguität kennt: »Der Schriftsteller muß
von seinen Freunden wie von seinen Feinden in Ruhe
gelassen werden.«
Nadine Gordimer hat einen überaus empfindlichen
Sinn für die physische Anwesenheit von Gegenstän-
den; dadurch macht sie Stimmungen indirekt und desto
wirksamer spürbar.   François Bondy, Zeit-Magazin

Fischer Taschenbuch Verlag

Luise Rinser

Mitte des Lebens
Roman. Band 256

Die gläsernen Ringe
Erzählung. Band 393

Der Sündenbock
Roman. Band 469

Hochebene
Roman. Band 532

Abenteuer der Tugend
Roman. Band 1027

Daniela
Roman. Band 1116

**Die vollkommene
Freude**
Roman. Band 1235

Ich bin Tobias
Roman. Band 1551

**Ein Bündel weißer
Narzissen**
Erzählungen. Band 1612

Septembertag
Erzählung. Band 1695

Der schwarze Esel
Roman. Band 1741

Bruder Feuer
Roman. Band 2124

Jan Lobel aus Warschau
Erzählung. Band 5134

Baustelle
Band 1820

Gefängnistagebuch
Band 1327

Grenzübergänge
Tagebuch-Notizen
Band 2043

Kriegsspielzeug
Tagebuch 1972–1978
Band 2247

Winterfrühling
Aufzeichnungen
1979–1982. Band 5342

**Nordkoreanisches
Reisetagebuch**
Informationen zur Zeit
Band 4233

Den Wolf umarmen
Band 5866

Mit wem reden
Band 5379

Mein Lesebuch
Band 2207

Fischer Taschenbuch Verlag

fi 132/3

Hilde Domin

Lyrik

Nur eine Rose als Stütze
S. Fischer 1959
9. Auflage, 17.–19. Tsd. 1981

Rückkehr der Schiffe
S. Fischer 1962
6. Auflage, 11. Tsd. 1982

Hier
S. Fischer 1964
4. Auflage, 8.–9. Tsd. 1981

Prosa

Das zweite Paradies
Fischer Taschenbuch Band 5001
2. Auflage, 15. Tsd. 1981

Editionen

Doppelinterpretationen
Das zeitgenössische deutsche Gedicht
zwischen Autor und Leser
Fischer Taschenbuch Band 1060
1969; 1982 – Gesamtauflage 75 000

Spanien erzählt
Fischer Taschenbuch Band 1799
1963; 1977 – Gesamtauflage 70 000

Heimkehr ins Wort
Materialien zu Hilde Domin
Herausgegeben von
Bettina von Wangenheim
Fischer Taschenbuch Band 5769

S. Fischer

Luise Rinser

Den Wolf umarmen
414 Seiten, 8 Seiten Abb. Leinen

Der schwarze Esel
Roman. 271 Seiten, Leinen
Fischer Bibliothek. 271 Seiten geb.

Die rote Katze
Erzählungen
Fischer Bibliothek. 128 Seiten, geb.

Die Erzählungen
264 Seiten, geb.

Geh fort wenn du kannst
Novelle
Mit einem Nachwort von Hans Bender.
Fischer Bibliothek. 149 Seiten, geb.

Jahn Lobel aus Warschau
Erzählung
80 Seiten, Leinen

Mirijam
Roman. 332 Seiten, Leinen

Nina
Mitte des Lebens. Abenteuer der Tugend
Zwei Romane. 475 Seiten, geb.

Septembertag
Fischer Bibliothek. 144 Seiten, geb.

Winterfrühling
Aufzeichnungen 1979–1982
239 Seiten, Leinen

Luise Rinser und Isang Yun
Der verwundete Drache
Dialog über Leben und Werk des Komponisten
247 Seiten mit 25 Schwarzweiß-Abb., Leinen

S. Fischer